*Aromaterapia e
as Emoções*

Aromaterapia e as Emoções

Como usar óleos essenciais para
equilibrar o corpo e a mente

Shirley Price

18ª edição

Tradução
MARCIA FRAZÃO

Rio de Janeiro | 2024

Copyright © Shirley Price, 2000.

Título original: *Aromatherapy and Your Emotions*

Capa: Rodrigo Rodrigues

Editoração: DFL

2024
Impresso no Brasil
Printed in Brazil

CIP-BRASIL. CATALOGAÇÃO NA PUBLICAÇÃO
SINDICATO NACIONAL DOS EDITORES DE LIVROS, RJ

R549t 18ª ed.	Price, Shirley Aromaterapia e as emoções: como usar óleos para equilibrar o corpo e a mente / Shirley Price; tradução Marcia Frazão. - 18ª ed. - Rio de Janeiro: Bertrand Brasil, 2024. 318 p. Tradução de: Aromatherapy and your emotions Inclui bibliografia ISBN 978-85-286-0851-9 1. Aromaterapia. 2. Essências e óleos essenciais. 3. Emoções. I. Título
01-1763	CDD – 615.321 CDU– 615:665.5

Todos os direitos reservados pela:
EDITORA BERTRAND BRASIL LTDA.
Rua Argentina, 171 – 3º andar – São Cristóvão
20921-380 – Rio de Janeiro – RJ
Tel.: (21) 2585-2000

Não é permitida a reprodução total ou parcial desta obra, por
quaisquer meios, sem a prévia autorização por escrito da Editora.

Atendimento e venda direta ao leitor:
sac@record.com.br

Sumário

Agradecimentos 7
Nota da Autora 9

1 Emoções – O Que São e Como Nos Afetam 11
2 O Que Influencia as Nossas Emoções? 39
3 Aromas e Óleos Essenciais nas Suas Relações com
   as Emoções 57
4 PNI e Pensamentos Positivos 79
5 Selecionando Óleos Essenciais para as Emoções 109
6 Estados da Mente que Afetam as Emoções 133
7 A Escala das Emoções – Selecionando os Óleos Essenciais para
   os Diferentes Grupos Emocionais 157
8 Os Óleos Essenciais de A a Z 219
9 Métodos de Uso 287

Epílogo 301
Referências 303
Endereços Úteis 313

Agradecimentos

Para o meu marido Len, por sua ajuda devotada e por todo o seu amor e apoio. Agradeço também a Robert Stephen pelas sugestões preciosas que me deu, depois de ter lido o manuscrito final. E, como não conheço Anne Infante pessoalmente, gostaria de agradecer ao meu amigo George Cranley pelo fato de me ter apresentado uma fita dela.

Finalmente, e acima de tudo, agradeço a Deus, já que sem a sua presença e orientação seria impossível terminar este livro em tempo, ou mesmo chegar a uma conclusão sobre a escolha de óleos essenciais capazes de auxiliar as emoções.

Nota da Autora

A partir dos meus 30 anos, passei a adotar uma atitude positiva diante da vida em geral e especialmente em relação à minha saúde. Ao escrever este livro, o meu objetivo foi então movido pela convicção de que ele viesse a ajudar outras pessoas a adquirir uma saúde perfeita, e por isso procurei encorajá-las a assumir uma atitude positiva e sempre assistida pelo uso apropriado dos óleos essenciais, já que são realmente agentes naturais maravilhosos.

Para esse fim, a minha caneta teve sempre em vista o brilho, o carinho e o otimismo, procurando deixar de lado a sombra, a tristeza e o pessimismo. E isso porque sinto uma grande afinidade com o sentimento que foi expresso por Jane Austen na sua novela *Mansfield Park*, na qual se encontram as seguintes palavras:

"Deixe que outras canetas lidem com a culpa e a miséria."

1 Emoções – O Que São e Como Nos Afetam

Ao lidar com outras pessoas, lembre-se de que você não está lidando com criaturas da lógica, mas da emoção, ou seja, com seres que estão enredados em preconceitos e motivados pelo orgulho e pela vaidade.

Dale Carnegie

A carência de emoções nos torna mal-humorados, rígidos e estereotipados; quando encorajadas, as emoções perfumam a vida; desencorajadas, elas a envenenam.

Joseph Collins

O Que São as Emoções?

Torna-se sempre muito difícil estabelecer qualquer conceito absoluto para as emoções. Por isso, espero que você entenda o fato de que a minha interpretação de algo tão intangível e delicado, como é a emoção, poderá não ser igual à das outras pessoas; de qualquer forma, o melhor é que você não se esqueça disso quando estiver lendo este livro. Até porque cada um de nós constitui uma individualidade à parte, e não há lugar onde isso seja mais evidente do que na fascinante área da mente. Na aromaterapia, a importância da saúde da mente é idêntica à da saúde do corpo:

> A aromaterapia é então a utilização controlada e consciente dos óleos essenciais das plantas, com o objetivo de prover saúde e bem-estar à totalidade do indivíduo, isto é, ao conjunto formado por corpo, mente e espírito.

Muito embora nos seja fácil explicar e olhar a saúde corporal, o mesmo não ocorre com a saúde mental, apesar de ambas estarem intimamente ligadas. Por isso, espero poder mostrar aqui o quanto a mente e o espírito são capazes de afetar o corpo físico através das emoções, tanto para a saúde como para a doença, assim como espero mostrar a forma pela qual as emoções prejudiciais à saúde podem ser aliviadas e confortadas com o uso dos óleos essenciais. Mas, por enquanto, talvez seja mais benéfico começar a entender o significado da mente, do espírito e, é claro, da emoção.

A definição de aromaterapia, apresentada acima, torna-se particularmente importante neste contexto. Apesar de muitas pessoas acreditarem que a aromaterapia seja somente "uma massagem que se vale de óleos", essa definição é, na verdade, estreita, restritiva e incompleta, pois, se fosse verdadeira, quem não dominasse a técnica de aplicação de massagens se veria incapacitado a usar na sua casa, de várias maneiras simples e efetivas (plenamente explicadas no Capítulo 9), os maravilhosos extratos voláteis das plantas.

A Mente

Nos meus outros livros, concentrei-me principalmente nos efeitos dos óleos essenciais sobre o corpo *físico*, dedicando com isso um pequeno espaço para tratar dos seus efeitos sobre a mente, como se quisesse deixar o espírito em paz! No éntanto, os efeitos benéficos exercidos pelos óleos essenciais sobre essa esfera do ser humano descortinam uma dimensão a mais para o seu uso na cura (Price, 1991). Dito isso, já é hora de darmos uma primeira olhada na definição de mente. No meu dicionário de bolso, ela aparece como sendo

> aquilo que pensa, percebe, sente, etc.; o assento da consciência; o lugar da memória e da recordação; onde a opinião é formada antes de sua expressão verbal; razão, sanidade; modo de pensar e sentir.
>
> Collins, 1981

O Espírito

Na definição de espírito que darei a seguir, omiti deliberadamente o seu significado enquanto alma, porque isso poderia causar controvérsias entre alguns praticantes das medicinas alternativas – até mesmo da aromaterapia – e aquelas pessoas mais intransigentes da Igreja. E procurei também omitir as suas diversas interpretações, como, por exemplo, a de ser um fantasma ou um ser sobrenatural, assim como excluí o significado específico que o liga à bebida alcoólica, por razões que nem precisam de comentários! Afora isso, darei a definição de espírito em todos os sentidos que lhe restarem, desde que sejam relevantes para a nossa exploração da aromaterapia e da mente e, por conseqüência, das emoções. Veja só como é interessante a definição de *espírito* dada por dois dicionários diferentes:

> o pensamento, sentimento que faz parte do homem; vida, vontade, razão, etc., considerado como separado da matéria; disposição, temperamento; vivacidade, coragem, etc.
>
> Collins, 1981

> O princípio do pensamento; emoção atuante, disposição, moldura da mente.
>
> Chambers, 1991

Emoção

Você já tentou explicar a palavra *emoção*? Descobri que não há tarefa mais difícil do que essa, pois até mesmo os dicionários nos dão explicações diferentes!

> sentimento forte; excitação; qualquer sentimento específico, tal como o amor, o ódio, o medo, a raiva, etc.
>
> Collins, 1981

> um distúrbio da mente – uma sensação ou um estado mental; sentimentos instintivos opostos à razão.
>
> Chambers, 1991

Ambos os dicionários estão certos, uma vez que o primeiro fornece exemplos, ao passo que o segundo é mais explícito.

De acordo com a definição sugerida por um amigo meu, a emoção é uma resposta involuntária de alguém a um conjunto de circunstâncias que o afetam; entretanto, pelo fato de cada pessoa ser um indivíduo à parte, que por isso mesmo reage de forma diferente, tanto a intensidade como a espécie e a expressão da emoção produzida variam de maneira relevante. E essa variedade de emoções entre pessoas distintas é tão ampla, que se torna quase impossível, para um observador, fazer um julgamento sobre a intensidade dos sentimentos que por elas são vivenciados (Stephen, 1999).

Segundo uma outra definição muito útil, a emoção tanto é uma reação psíquica como física (tal como a raiva e o medo), que é vivenciada subjetivamente como um forte sentimento, e psicologicamente através de mudanças que preparam o corpo para uma ação imediata e vigorosa (Merriam-Webster, 1994).

Não resta dúvida de que as emoções são extremamente pessoais; por isso, cada pessoa as experimenta de uma forma distinta, conforme muito bem o diz um dos provérbios da Bíblia (14: 10):

> O coração conhece sua própria amargura, e nenhum estrangeiro partilha sua alegria.

Os Wingate (pai e filho) também expressaram, de maneira excelente, esse mesmo pensamento na enciclopédia médica da autoria de ambos (1988):

> Provoca-se sempre muita confusão quando se supõe que as emoções são ou deveriam ser as mesmas para cada pessoa, ou quando se pensa em definir as respostas físicas, sejam elas normais ou não.

Você já ouviu falar alguma vez das similaridades existentes entre estas definições?

- a "mente" começa e termina com pensamento e sentimento;
- o "espírito" é outro que começa com pensamento e sentimento; e
- a "emoção" também inclui o termo sentimento.

Para mim, a importância de tais conceitos deve-se ao fato de que os três fazem eco à minha visão; mesmo porque se encontram estreitamente

EMOÇÕES – O QUE SÃO E COMO NOS AFETAM

interligados e neles fica demonstrado que a mente e o espírito também estão intrinsecamente conectados, especialmente quando se trata de terapias alternativas. Na verdade, ambos são quase que uma coisa só, já que poder-se-ia dizer que a mente é o lugar onde mora o espírito; além disso, esse pensamento, junto à sensação de se "estar em casa", é aquilo que diz respeito à consciência, o que aliás é interpretado por muitos dicionários como um "despertar para a totalidade dos pensamentos, sentimentos e impressões". Robert Stephen disse-me incidentalmente que essa concepção está relacionada com a visão hebraica, uma vez que para ela existem somente duas dimensões fundamentais em cada pessoa, ou seja, a física e a espiritual, que abrangem os aspectos emocional e intelectual. E isso se torna ainda mais complexo quando nos damos conta de que no Oriente considera-se que o trono das emoções (Tan Den) situa-se no centro do abdome, embora durante o primeiro século esse mesmo centro emocional fosse concebido como estando nos intestinos, e não no coração ou no plexo solar, como é considerado nos dias de hoje.

De todo modo, a casa à qual me referi acima possui vários cômodos:

- um para as memórias e recordações (uma espécie de biblioteca) e também para as emoções e fatos previamente vivenciados, isto é, a nossa mente subconsciente;
- um para a formação de opiniões, onde podemos nos valer dos nossos pensamentos antes de expressá-los; infelizmente, raramente vamos a esse cômodo quando reagimos diante de alguém que nos despertou raiva;
- um para onde nos deslocamos quando queremos encontrar a nossa sanidade e onde cada indivíduo pondera consigo próprio;
- um para onde o nosso espírito se dirige quando tem que decidir sobre a disposição e o temperamento que devem ser assumidos, ou sobre qualquer outro pensamento ou sentimento (ou mesmo emoção, lembra a definição que extraímos dela?) a respeito de algo sobre o qual ele ainda não tem certeza;
- e, por fim, um cômodo absolutamente secreto, que é um lugar onde a nossa mente inconsciente abarca a totalidade da qual precisa para ser ela mesma.

Para lhe mostrar a intensidade do impacto que os óleos essenciais provocam nessa casa e em todos os seus cômodos, devemos primeiramente descobrir os meios através dos quais esses óleos chegam ao cérebro, local onde está situada essa casa. A capacidade do cérebro humano é de fato gigantesca, razão pela qual costumamos chamá-lo de nosso computador, ou de um verdadeiro painel de controle, embora atualmente só utilizemos cerca de dez por cento do seu poder (Hay, 1988; pág. 157). Eis por que seremos nós mesmos que iremos nos direcionar de maneira a pressionar positivamente as teclas desse nosso "computador" para que possam ser produzidas as palavras ou as formas desejadas pela nossa tela mental. Os óleos essenciais e seus aromas desempenham um papel importante em nossas emoções, por causa da originalidade e distinção do olfato, entre todos os outros sentidos, para provocar impactos sobre o nosso estado emocional, e isso porque existe uma conexão direta entre ele e o centro emocional do cérebro, ou seja, o sistema límbico. Por isso, os Capítulos 3 e 4 serão dedicados a duas histórias fascinantes: o caminho do aroma até o cérebro e a dinâmica do pensamento positivo no interior do relacionamento corpo/mente.

Os doces aromas são veículos dos mais doces pensamentos.

Walter Savage Lander

Como as Emoções nos Afetam

As emoções afetam os diferentes indivíduos das mais diversas maneiras; portanto, tudo vai depender do tipo de pessoa que você é e de suas crenças morais e do quão ativa é a sua consciência. De acordo com Herbert Vander Lugt, a idéia de que não somos explicáveis para ninguém, nem mesmo para Deus, constitui uma apelação fácil para muita gente. Esse mesmo autor também acredita que essa concepção contradiz um intenso sentimento interior que é nutrido por todos nós (e que costumamos chamar de consciência), segundo o qual existem algumas coisas que devemos fazer, e outras que não devem ser feitas (Vander Lugt, 1999). Encontramos um exemplo disso em alguém que, pelas suas fortes convicções morais, sente-se culpado quando rouba alguma coisa,

EMOÇÕES – O QUE SÃO E COMO NOS AFETAM 17

por menos valiosa que esta seja, e por isso é atacado pelo medo durante essa prática. Por outro lado, aquele que não possui princípios morais (ou seja, um amoral ou imoral) sentirá orgulho, em vez de medo, por ter "se dado bem". E o mesmo ocorre hoje em dia em relação ao sexo, pois para muitas pessoas ele é um "jogo" – um "dever" a ser cumprido –, enquanto vergonha, medo e culpa já não são mais as emoções atribuídas ao sexo clandestino.

O ato de acreditar e confiar em Deus, o Criador Divino, em algum Ser Superior, ou em qualquer Força Universal (na minha opinião, os três últimos são simplesmente outros nomes para Deus), também opera uma diferença no comportamento e, por conseqüência, nas experiências emocionais. Assim, quem não desenvolve a crença em Algo ou em Alguém que seja responsável pela criação do mundo e de tudo que é admirável, além de não compreender e de não ficar maravilhado com a simplicidade de toda a complexidade do ser humano, ou mesmo de uma singela margarida, será provavelmente uma pessoa cuja vivência se limitará à infelicidade e ao desespero. Por outro lado, aquele que de fato crê em alguma coisa será automaticamente inundado de esperança, sobretudo porque acredita que tudo lhe chega como uma espécie de dádiva. Aliás, esse tipo de indivíduo normalmente nutre muito mais respeito pelos seus semelhantes, pois é menos propenso a cultivar emoções como a inveja, a luxúria, o ódio e o desamor e, por isso, dificilmente magoa o próximo.

Por experiência, creio que a vida é sempre mais rica e especial, quando se segue algum código moral. Contudo, ninguém precisa ser "religioso" para que na sua vida esteja incluída a consideração pelos outros, embora as religiões mais conhecidas (islamismo, budismo, judaísmo, cristianismo) proponham um estilo de vida que pode ser benéfico tanto para quem o exerce como para aqueles que o circundam.

Lembro-me da época de minha juventude – e a mesma lembrança certamente terão todos aqueles que hoje já são avós –, quando os nossos pais não precisavam trancar as portas ou fechar as janelas antes de saírem. E nunca me esqueço de que, sem ter os meus pais por perto, sempre ia ao parque na companhia de minha irmã mais velha, que tinha apenas 12 anos de idade, e lá passeávamos por recantos que hoje seriam proibidos pelos pais por causa de toda a insegurança, ansiedade e preocupação que isso causaria. Enfim, nos dias passados, o medo diante dessas coisas não constituía o mesmo tipo de emoção atualmente tão conhecido.

Existem portanto muitos aspectos a serem considerados, quando se tem como objetivo o entendimento do universo das emoções, o que acaba complicando bastante a situação! Todavia, uma coisa é certa: as emoções influenciam a percepção, o aprendizado, a memória e o conjunto das ações criativas, empáticas e altruístas dos seres humanos (*Enciclopédia Britânica*, 1996).

Segundo Clive Wood (1990, págs. 46-49), quando os psicólogos discorrem a respeito da emoção, sempre se referem a ela como *afeto*. Assim, tanto o afeto positivo quanto o negativo podem ser medidos por uma escala (chamada Escala de Afeto Bradburn) e sempre que as pessoas são solicitadas a responder as suas questões, na maioria das vezes relacionam apenas os sentimentos que foram vivenciados de forma positiva:

- os *afetos positivos* variam do sentimento de interesse, maravilhamento, entusiasmo e excitação, até a sensação de sonolência, cansaço e de sentir-se "caindo aos pedaços";
- os *afetos negativos* podem variar da sensação de calma e tranqüilidade, até à de hostilidade, falta de comodidade e aborrecimento.

Agrupando as Emoções

As emoções podem ser classificadas de diversas maneiras, mas prefiro a primeira dentre as possibilidades que serão expostas a seguir, porque nela se evita a discussão a respeito do que é ou não negativo, na medida em que muitas das ditas emoções *negativas* podem ser *positivas* sob certas circunstâncias, e vice-versa.

Emoções Primárias e Secundárias

O sofrimento, o medo, a raiva, a culpa e a inveja são emoções geralmente consideradas como primárias. Ao passo que nas emoções secundárias estão incluídas a apatia, a melancolia, a confusão, a timidez, a inferioridade, etc. Certas emoções primárias como a de paz, alegria, amor e outras mais são normalmente mais bem acolhidas; no entanto, justamente *porque* são prazerosas, nem sempre constam dos livros que ensinam a lidar com os sentimentos. Além disso, mesmo levando-se em conta o fato de que essas emoções são de prazer, nem por isso deixam de ser prejudiciais quando excessivas; assim, o amor pode se transformar em obsessão, e a alegria em excesso tem tudo para se tornar destrutiva. Por isso, mesmo o equilíbrio entre as boas e as más emoções é sempre algo bastante delicado a ser tratado.

Emoções Prazerosas e Desagradáveis

Cada um de nós guarda consigo a sua própria noção sobre as diferentes emoções de prazer e de desprazer. Mas o que a maioria deseja é vivenciar apenas a felicidade, o carinho, a segurança, e sentir-se confortável o tempo todo. Enquanto alguns adicionam nessa lista um pouco mais de tolerância, ambição, excitação, paciência, fé e amor das outras pessoas, outros não fazem o mesmo. Assim, além do fato de essa simples classificação pessoal não precisar de mais explanações, ela é extremamente individual e por essa razão não pode ser aplicada para todos.

Emoções Tensas e Descontraídas

As emoções prazerosas são sempre descontraídas, uma vez que são secundárias na sua grande maioria, embora isso dependa da profundidade e intensidade do sentimento. Se aqui tomarmos a timidez como exemplo, veremos que ela não parece incomodar a quem é tímido, e alguns podem até achar que não o são; portanto, essa atribuição é quase sempre constituída pela opinião de quem observa. Mas o fato é que a timidez pode afetar com tal intensidade uma pessoa a ponto de ela nunca aceitar convites para festas ou para encontros e de não se sair bem em nenhuma entrevista profissional. Em suma, a timidez pode mesmo causar intensos desgastes emocionais.

Emoções Produtivas e Destrutivas

Tais emoções também podem ser vistas como *amigáveis e hostis*, mas prefiro vê-las como *positivas e negativas*.

Produtivo e destrutivo são denominações geralmente usadas no contexto do aconselhamento terapêutico, quando se fala a respeito de emoções (Vernon, 1998). Além de serem extremamente amigáveis, as emoções produtivas são aquelas que *produzem* ou geram (assim como podem ser produzidas ou geradas por algo) sentimentos positivos em determinadas situações, tanto em nós como nos outros; ao passo que as emoções destrutivas são aquelas que provocam um efeito negativo ou hostil, que tanto pode nos destruir (emocionalmente e às vezes fisicamente) como devastar a quem estiver envolvido emocionalmente conosco.

Na escolha de um termo adequado para descrever as emoções que fazem parte do chamado grupo destrutivo, sempre surgem algumas dificuldades. E isso porque, embora nenhuma delas possa ser propriamente positiva (da maneira como são o amor, a alegria e a felicidade), nem todas são negativas. Pois o pesar, o medo e algumas formas de culpa e de raiva podem ser indesejáveis e desagradáveis, ou até mesmo deprimentes, mas muitas vezes também são necessários, enquanto algumas outras emoções, como a ganância e o egoísmo, encaixam-se no mais das vezes nos domínios do *negativo*. O que há então de interessante em relação à primeira classificação (primárias e secundárias) é que ela dá margem a que as emoções de cada grupo possam ser produtivas ou destrutivas, ou mesmo positivas ou negativas, dependendo da situação e da pessoa.

As emoções produtivas são primariamente construtivas, sendo portanto benéficas para o bem-estar do indivíduo. E nessas emoções estão incluídos sentimentos como o de amor, paz, calma, alegria, esperança, paciência, carinho, entusiasmo, gratidão e fé; mas tenho certeza de que você poderá acrescentar mais alguns nessa lista! Estranhamente, caso alguém tente fazer uma lista de emoções produtivas ou positivas, essa será muito menor do que uma outra de emoções destrutivas ou negativas. No entanto, de acordo com Norman Bradburn (Escala de Afeto Bradburn, 1969), a maioria de nós vivencia na maior parte do tempo as emoções positivas, pois são justamente as que afetam quase todo o conjunto da experiência existencial.

Nas vezes em que escrevi uma carta para o editor do meu livro *The Aromatherapist*, fazia questão de finalizá-la com seis ou oito palavras que sempre começavam com a mesma letra, isto é, *carinhosamente, cuidadosamente, confiantemente, cortesmente*, etc. Era tão divertido para mim, que cheguei a comprar um dicionário de bolso; aliás, por meio dessa prática fiquei espantada pela constatação de que, com tantas letras no alfabeto, as palavras hostis freqüentemente excedem as amigáveis.

Na minha época de escola, os alunos tinham que saber de cor os versos coríntios, mas as nossas consultas não eram feitas nas traduções recentes da Bíblia, pois recorríamos a uma versão que penso ser muito mais poética. Ainda me lembro de que se tratava de uma versão menos extensa – se você ainda não a leu, creio que seria ótimo se a lesse! Até porque, nela, fala-se constantemente sobre esperança, fé e amor (algumas variantes bíblicas substituem a palavra amor por caridade, mas a minha preferência vai para a primeira). Enfim, o que quero dizer é que todas essas emoções são positivas, e, quando as cultivamos no íntimo do nosso ser, garantimos paz e contentamento para nós.

> Amor é paciência, amor é carinho.
> Ele jamais será inveja, nem bazófia, nem orgulho.
> O amor não é rude, não é egoísta, não se entrega facilmente
>   à raiva, e tudo o que traz é benéfico.
> Ele não se apraz com o mal, mas se delicia com a verdade.
> O amor sempre protege, sempre confia, e tem sempre esperança
>   e fé, além de sempre perseverar.
> O amor nunca decepciona (...)
> E embora, tanto quanto o amor, a fé e a esperança
>   também sejam permanentes,
> O amor é o maior dentre todos.

1 Coríntios: 13

Somente depois de satisfazer as necessidades básicas da alimentação e da segurança, é que se consegue vivenciar as demais emoções. E, nesse ponto, o amor é a necessidade mais importante de todas, pois dentre nós não há aquele que não precise amar e ser amado; na verdade, tão importante quanto dar amor é recebê-lo, quer ele venha dos pais, de um amigo, da esposa, do marido, do parceiro ou dos filhos. Pois, além de serem impulsos poderosíssimos, as necessidades de dar e receber amor exercem uma grande influência sobre as nossas vidas.

Acredito mesmo que, quando o verdadeiro amor é parte intrínseca do ser de uma pessoa, ela raramente vivencia emoções destrutivas tais como ódio, arrogância, raiva negativa, inveja e culpa. E, se por acaso essa mesma pessoa passar por alguma dessas emoções, a simples presença do amor tornará mais fácil a sua experiência, assim como a ajudará a melhor entender o outro.

> Amor e fidelidade preservam o rei; ele sustenta no amor o seu trono.
>
> Provérbios 20: 28

Até mesmo o medo pode ser afetado pelo amor, pois é esquecido inteiramente nas situações em que predomina a proteção de um ser amado, de um filho, ou até de um animal. Sem pensar duas vezes, qualquer um é capaz de se jogar nas águas turbulentas de um rio, de se envolver numa briga de rua, ou de atravessar uma rua movimentadíssima, com o único intuito de salvar a pessoa amada. João, um dos discípulos de Jesus, estava mais do que certo quando disse:

> Não existe medo no amor (...) o verdadeiro amor afugenta o medo.
>
> 1 João 4: 18

Logo a seguir, nomearei algumas emoções positivas (e/ou estados da mente) junto aos sentimentos que lhes são opostos. Aliás, devo lembrar que, quando o aroma de um óleo essencial (ou de uma mistura de óleos essenciais) é realmente do seu agrado, certamente preservará as emoções positivas que vierem a ser vivenciadas por você. No meu livro *Aromatherapy Workbook* (1993), descrevi, entre outras coisas, as maneiras pelas quais os óleos essenciais podem estimular uma atmosfera feliz em qualquer festa, bem como na celebração de Natal. Assim, se você quiser incrementar emoções positivas ou produtivas, ou mesmo preservar as que já lhe são inerentes – tais como a confiança, a felicidade, a segurança e a tolerância –, faça uso daqueles óleos que geram um efeito positivo sobre os sentimentos que lhe são opostos e que estão assinalados mais abaixo. Essa *oposição* entre sentimentos e emoções que lhe são contrá-

EMOÇÕES – O QUE SÃO E COMO NOS AFETAM   23

rios, e mais tudo o que lhe serve de acompanhamento serão discutidos detalhadamente no Capítulo 7, juntamente com os óleos essenciais que lhe dão ajuda e alívio:

- Felicidade, alegria, paz – *sofrimento*

  O sofrimento em demasia é prejudicial para os pulmões, mas a alegria tem o dom de combatê-lo.

  (Veith, 1992, pág. 120)

- Delicadeza, tolerância, afabilidade, compreensão, perdão – *raiva*

  A raiva é prejudicial para o fígado, mas a simpatia poderá combatê-la.

  (Veith, 1992, pág. 42)

- Confiança, bravura, coragem – *medo*
- Auto-estima, caridade, confiança, aceitação – *inveja*
- Honestidade, inocência, integridade – *culpa*
- Entusiasmo, paixão, vigor, persistência – *apatia*
- Serenidade, iluminação, compreensão, clareza mental – *confusão*
- Bravura, coragem, ousadia, confiança – *timidez*
- Atenção, amabilidade, constância – *desequilíbrio emocional*
- Senso de realidade, senso factual, senso do tangível – *divagação*

O Controle das Emoções

Embora ninguém precise de ajuda para apreciar emoções positivas, como a de felicidade e alegria, estas poderão ser promovidas, intensificadas ou prolongadas com o uso dos óleos essenciais. Quanto às emoções destrutivas, elas nunca são estimuladas pelos óleos, porque lhes fazem oposição, de maneira a desencorajá-las, diminuí-las e até mesmo anulá-las completamente. Os óleos essenciais podem portanto representar um papel importante na liberação ou no alívio das emoções destrutivas, do mesmo modo que os pensamentos positivos auxiliam a prevenir a recorrência delas. (*Ver Capítulo 4.*)

A civilização demanda autocontrole, que por sua vez institui um aprendizado para que não se aja sob o comando da emoção.

(Lindenfield, 1998)

Para muitas pessoas, o controle das emoções não é uma tarefa fácil, o que ocorre especialmente com os motoristas que dirigem a *raiva do trânsito* para os outros motoristas. Mas a maioria de nós também se aborrece de vez em quando com alguma coisa, de forma a cultivar o ímpeto de "esmurrar" aquele que foi o responsável por alguma palavra ou por uma determinada ação. No entanto, quando a emoção da raiva se manifesta, o mais aconselhável é que se faça um controle das próprias palavras ou uma tentativa de apaziguar os ânimos, para que a discussão não tome rumos desastrosos. Por outro lado, quando uma emoção é totalmente reprimida, também pode haver um prejuízo sério para a saúde, muito mais até do que se houvesse uma troca ríspida de palavras. Por isso mesmo, a expressão física da emoção seria a melhor saída para a saúde, pois só depois disso o indivíduo deveria "sair completamente do canal", conforme costumamos dizer. A raiva é então uma emoção vigorosa que, ao ser canalizada, é liberada de forma saudável, como, por exemplo, quando se esmurra um travesseiro; ao contrário disso, quando é suprimida, no mais das vezes volta-se para o indivíduo, transformando-se em depressão.

A raiva é uma loucura momentânea; portanto, controle a sua paixão ou ela o controlará.

Horácio

O melhor remédio para a raiva é o tempo,

Sêneca

porque

Um homem zangado abre a boca e fecha os olhos.

Cato

Conforme sugerido nas citações anteriores, não devemos agir segundo as demandas de nossas emoções, pelo menos neste mundo; o melhor será sempre procurarmos os meios de controlá-las sem no entanto reprimi-las. Até porque, quando as emoções são suprimidas ou sufocadas por muito tempo, sem a menor oportunidade de serem liberadas, acabam provocando efeitos desastrosos na saúde; portanto, lembre-se de que as atitudes mentais representam um papel preponderante na saúde diária, o que ocorre com muito mais constância do que se imagina! (Ver *Psiconeuroimunologia* no Capítulo 4.)

Emoções Destrutivas

Embora nem sempre sejam negativas, as emoções destrutivas são principalmente dolorosas e danosas para quem as cultiva. E, quando essas emoções *são* negativas, a sua expressão termina por ser danosa para todos os envolvidos.

À primeira vista, o termo *destrutivo* parece não ser o mais apropriado para descrever tais emoções; entretanto, quando percebemos que realmente existem duas possibilidades de interpretação para essa palavra, a tarefa de entender esse tipo de sentimento torna-se muito mais fácil. (Veja, mais adiante, *Amor-próprio*, que por sua vez também tem duas interpretações possíveis.)

Por exemplo, se fosse feita uma lista das emoções destrutivas e negativas, nela estaria obviamente representado um número muito maior de sentimentos destrutivos do que construtivos; mas, para a nossa felicidade, os sentimentos destrutivos geralmente nos afetam por períodos curtos. Entretanto, quando as emoções negativas começam a representar um papel muito importante em nossa vida, o melhor a fazer é tomar imediatamente algumas providências; se acaso não pudermos agir sozinhos, devemos procurar auxílio de uma pessoa experiente em auto-ajuda, ou até mesmo de um livro. Mas aqui devo dizer que qualquer tipo de auto-ajuda, incluindo o cultivo dos sentimentos positivos, torna-se muito mais fácil e eficiente com o apoio dos óleos essenciais, pois alguns simples aromas serão sempre benéficos ao estado mental, antes mesmo de a auto-ajuda e o pensamento positivo entrarem em cena. E agora vamos colocar o que foi dito, de forma mais clara:

- as emoções destrutivas danificam reiteradamente os nossos relacionamentos, uma vez que o ódio, a raiva, o egoísmo, a irritabilidade e outros sentimentos afins podem afetar adversamente a quem são dirigidos, "destruindo" de alguma forma (dependendo do período de tempo no qual a emoção é vivenciada) a consideração ou o respeito que essa pessoa possa ter por aquele que com ela age assim;
- as emoções destrutivas também podem ser autodestrutivas, afetando portanto os sentimentos de quem as nutre, além de sempre provocar uma baixa no sistema imunológico e, por conseqüência, doenças, caso sejam sofridas ou reprimidas por muito tempo.

Eis alguns exemplos:

> Do corpo de alguém culpado
> Procedem milhares de pensamentos e medos assombrados.
>
> William Wordsworth

> Cada pessoa culpada é o seu próprio verdugo.
>
> Sêneca

> O pesar é a agonia de um instante; mas a indulgência com o pesar é o erro de toda uma vida.
>
> Benjamim Disraeli

As emoções destrutivas não são uniformes, pois algumas são mais complicadas que outras. Além de ser conhecido como a doença da vida moderna, e de produzir um estado mental que afeta diretamente as emoções, o estresse excessivo é capaz de gerar sentimentos produtivos e destrutivos. (*Ver Capítulo 6.*)

Existem muitas respostas emocionais que podem ser mais ou menos controladas pelo indivíduo. No entanto, pelo fato de ser composto por um tipo de experiência emocional complexa, o sofrimento deixa as pessoas sem qualquer controle sobre os eventos, o que aliás acontece com mais intensidade quando outras emoções também estão em jogo; de fato, ele desenvolve-se habitualmente através de cinco estágios: descrença, choque, rejeição, raiva e aceitação (Stephen, 1998).

Certa vez li um comentário sobre uma aromaterapeuta que havia elaborado um treinamento para um determinado tipo de Terapia Emocional, em que ela dizia que esse método lhe fez perceber que as emoções encontram-se definitivamente separadas da mente e que, mesmo quando vêm à tona, não são tão fáceis de serem controladas como geralmente supomos (Rochfort, 1998).

Entretanto, se o indivíduo dedicar-se de maneira positiva e com fé em si mesmo, a sua mente poderá ser pelo menos persuadida a atuar sobre o seu próprio comportamento e suas emoções, trazendo-lhe, por extensão, a saúde. Diante então de uma tal importância da mente, achamos por bem descrever o seu papel com mais detalhes no Capítulo 4. E, por enquanto, é suficiente dizer que as emoções destrutivas são capazes de causar muitos danos e um mal-estar constante, além de poder prejudicar a saúde mental e física de quem quer que seja. Por isso, a introdução dos óleos essenciais, para que seja incrementada a positividade, nos servirá como uma receita segura para o êxito de nossa saúde física e mental.

> As pessoas nunca deixaram de acreditar que os odores são capazes de influenciar o humor e a saúde, da mesma forma que desencadeiam determinados efeitos e as levam a percebê-los.
>
> Knasko, 1997

Costuma-se dizer que uma emoção destrutiva pode ser ocasionalmente produtiva a ponto de gerar conseqüências satisfatórias. Um exemplo está naquele tipo de cobiça ou de inveja que venha a ser nutrido por uma pessoa em relação ao sucesso financeiro de uma outra, já que isso poderá motivá-la a realizar-se economicamente. No entanto, a comunidade não vê com bons olhos aqueles que são guiados por essa espécie de emoção para atingir os seus objetivos. Por outro lado, os que alcançam qualquer êxito, sem lançar mão das emoções destrutivas, não precisam de grandes esforços para serem admirados e bem-vistos por toda a comunidade.

> Henry Ford dizia o seguinte: Os homens de razão sabem que o trabalho é a salvação moral, física e social da raça; também sabem que esse esforço acaba nos dando a vida. No entanto, não devemos nos esquecer de Jacob Marley, em *Christmas Carol*, quando ele diz: "Negócios!? A

humanidade deveria ter sido o meu negócio! Aliás, o bem-estar, (...) a caridade, a piedade, a indulgência e a benevolência deveriam ter sido o meu negócio."

> Grounds, 1999

Embora nosso desejo não seja o de considerar como negativas as emoções destrutivas, como a avareza, a luxúria e a inveja, elas têm sido incluídas, desde a Antigüidade, entre as características que mais devem ser evitadas por todo aquele que vive a positividade, e isso porque:

> Quem é orgulhoso, esnobe, abusivo, desobediente com os pais, ingrato, profano, sem-amor, vingativo, difamador, (...) brutal, traiçoeiro, rude, preconceituoso, (...) nada tem a aproveitar de tais emoções (2 Timóteo 3: 2-5). Lute então pela retidão e também pela fé, amor, perseverança e gentileza (1 Timóteo 6: 11). E faça de tudo para adicionar virtude à sua fé; e à sua virtude acrescente conhecimento; ao seu conhecimento adicione autocontrole; ao seu autocontrole acrescente a afeição fraternal; e à sua afeição fraternal adicione o amor. Pois essas são as qualidades das quais você precisa (2 Pedro 1: 5-7).

Não dispus as emoções destrutivas conhecidas como ódio e arrogância em uma determinada classe, assim como não coloquei no Capítulo 7 uma lista específica de óleos essenciais para combatê-las, talvez porque nunca tive de lidar com elas em mim mesma (pelo menos de maneira consciente!) ou nas outras pessoas.

- O ódio é sempre uma emoção complicada (refiro-me ao ódio real e não àquele que é geralmente manifestado quando se diz "eu te odeio!"), porque no mais das vezes está relacionado com inveja, medo e sofrimento (quando se é ferido). Até mesmo a raiva pode estar envolvida com o ódio, na medida em que ambos são sentimentos rudes (o amor, a compaixão e a simpatia são os antônimos do ódio). Para ajudar então a diluir o verdadeiro ódio, você deveria experimentar as relevantes categorias dos óleos essenciais que constam no Capítulo 7.
- A arrogância é sempre negativa, sobretudo quando acompanhada pela soberba e pelo esnobismo. O orgulho também pode ser negativo, desde que acompanhado pela altivez, pelo desdém e pela vaidade. E

todas essas manifestações emocionais são antônimas da simplicidade, da modéstia, do respeito e da humildade. Caso essas emoções sejam devidamente conscientizadas, devem-se tentar os óleos essenciais ligados à desintoxicação e à limpeza, juntamente com aqueles destinados à saúde (cicatrizantes). (*Ver Capítulo 7.*)

Não incluí aqui a forma positiva do orgulho, ou seja, aquela que está associada ao auto-respeito, à dignidade, à auto-estima e à honra; os seus antônimos são a falta de autoconfiança e de amor-próprio. Os melhores óleos essenciais para a restauração da confiança são aqueles incluídos na categoria do medo. (*Ver Capítulo 7.*) Entretanto, é vital que esses óleos sejam acompanhados por uma mudança de atitude pessoal, e aqui é preciso lembrar que o conceito de pensamento positivo será de suma importância (*Ver mais detalhes no Capítulo 4*).

Entendendo as Emoções

A maioria de nós tenta viver a vida de maneira consciente e também procura ter consideração pelas outras pessoas. Eis por que tentamos "fazer tudo direitinho" e optamos por entender as chamadas emoções destrutivas em duas categorias:

• as emoções que experimentamos e que somente afetam a nós mesmos;
• as emoções que experimentamos e que também afetam os outros.

Na verdade, esse tipo de abordagem é sempre diferente e bastante pessoal, em conformidade com as distinções existentes entre cada um de nós. Para que seja estabelecido então, na medida do possível, um quadro claro das emoções que lhe são importantes e que por isso deverão ser trabalhadas, seria bem melhor se você fizesse a sua própria lista, procurando seguir uma classificação pessoal. Pois, a partir daí, você poderia selecionar as emoções que gostaria de vivenciar, e se decidir por aquelas que seriam controladas ou transformadas. Mas o fato é que uma tal tarefa não é nada fácil. Descobri isso, muito antes de conhecer a aromaterapia.

UM CASO

Eu e meu marido tínhamos acabado de inaugurar nosso próprio negócio e já estávamos envolvidos numa discussão – uma verdadeira briga – em torno do equilíbrio do orçamento. O meu estresse era tanto (embora, na época, eu não tivesse a consciência que tenho hoje a esse respeito) que um dia acabei me dando conta de que estava sempre impaciente ou então tratando muito mal os meus filhos e Len. Ainda bem que procurei valer-me dos pensamentos positivos para ficar mais atenta aos acidentes rotineiros e também para tentar mudar o meu humor (para a segurança de todos, é claro!). Mas foram necessários muitos meses de prática, na aplicação dessa forma de pensar, para melhorar um pouquinho de nada! Contudo, a minha recompensa veio ao cabo de três anos, quando o meu filho fez algo que normalmente me despertava raiva, dizendo-me logo em seguida: "E, então, você não vai dizer nada? Você sempre ficou uma fera quando eu fazia isso!" Sigo no entanto tentando mudar o que é preciso, e isso me fez descobrir, através do controle de minhas emoções destrutivas, ou da sua transformação para construtivas, que a minha vida tornou-se mais calma e feliz; além disso, tenho feito o que posso para banir (nem que seja um pouco só!) os sentimentos **de** culpa que passaram a me assolar quando eu tratava a minha família com emoções irracionais.

> Enquanto o homem paciente cultiva um enorme entendimento, o impaciente encontra-se a um passo da loucura.
>
> Provérbios 14: 29

> Uma resposta doce leva a raiva embora.
>
> Provérbios 15: 1

Existem ocasiões na vida em que uma ação específica produz determinadas emoções naquele que a pratica, e outras, opostas a essas, no seu receptor. Vamos tomar o roubo como exemplo. A sua prática desencadeia emoções destrutivas – sofrimento, raiva, frustração e, muitas vezes, desespero – em pessoas inocentes, ao passo que os ladrões (geralmente motivados pela cobiça) vivenciam apenas as emoções produtivas, como a satisfação, o júbilo e a felicidade pelos seus ganhos. Embora os ladrões

EMOÇÕES – O QUE SÃO E COMO NOS AFETAM   31

raramente experimentem o medo, o ato de roubar provoca neles uma espécie de excitação constituída por um frenesi bastante parecido com o medo, que no caso é uma emoção produtiva. Mas deixe-me falar agora de uma experiência que ilustra a forma pela qual as emoções se diferem de acordo com a situação e o caráter das pessoas que nelas estão envolvidas.

UM CASO

Uma vez, estávamos na França, quando chegamos em casa e ficamos sabendo que os nossos vizinhos tinham sido assaltados. Tal como ocorreria com qualquer um nessas circunstâncias, eles ficaram arrasados, mesmo porque haviam trabalhado muito para montar aquela casinha que Jacques construíra a partir de um celeiro, enquanto Jeannine produzia geléia e vinho; e fazia somente um ano que eles tinham investido num pequeno gerador elétrico para que pudessem ter luz elétrica e uma geladeira na casa – e todas as coisas, até mesmo a maior parte da mobília, foram roubadas. E o pior é que Jacques colocara trancas de ferro bem resistentes nas duas janelas e na porta da casa. Imagine só como ele deve ter se sentido, quando chegou com a mulher e encontrou a sua fortaleza arrombada! Para completar o desespero da situação, não tinham feito nenhum seguro.

As emoções que Jacques e Jeannine sentiram inicialmente foram todas destrutivas – choque, desespero, depressão, sofrimento, etc. –, ao passo que os ladrões devem ter experimentado excitação, júbilo, alegria (em todas as suas formas), obviamente acompanhados pelo sentimento de triunfo. Portanto, Jacques e Jeannine eram os únicos que precisavam de ajuda positiva – e de óleos essenciais – para aliviar as suas emoções destrutivas e readquirir o seu costumeiro equilíbrio emocional. Quanto aos ladrões, não precisavam de nada, já que tiveram uma "recompensa" positiva para as ações negativas que praticaram.

O maior incentivo para o transgressor é a esperança de violar a lei com impunidade.

Cícero

Entendendo os Outros

Antes de iniciarmos uma incursão nas relações humanas, para que possamos conhecer e entender os outros vamos primeiro olhar para nós mesmos. Se quisermos viver a vida com uma certa dose de felicidade e contentamento, devemos aprender a aceitar os nossos aspectos destrutivos, da mesma maneira que aceitamos os produtivos. Pois se aprendemos a nos aceitar por inteiro, certamente estaremos em condições de aceitar os outros.

Quando nos assumimos como pessoas que refletem o valor do amor, esse gesto acaba moldando as nossas crenças no amor, bem como as nossas atitudes e todo o nosso comportamento em relação aos outros. Por outro lado, quando os nossos valores trabalham no sentido de somente usar as pessoas como um meio para atingir os nossos objetivos, nenhuma palavra do mundo é capaz de nos ajudar a compreender os outros, e muito menos a nos entender.

Na medida em que amadurecemos, adquirimos um conjunto de valores que, a princípio, originam-se dos nossos pais, pois afinal são os primeiros a estabelecer os nossos modelos de comportamento. Mas, infelizmente, são os próprios pais que geralmente esperam das crianças muito mais do que o razoável. E por isso a quase todos nós é dito que a expressão ou mesmo o sentimento da raiva é errado, pois nunca se deve permitir que os maus pensamentos entrem na cabeça de ninguém, assim como se deve ser sempre bom, sem que jamais se faça uso do egoísmo, ou se insista no próprio caminho, sem levar em conta os outros; enfim, a nós é costumeiramente dito que a nossa obrigação é a de dar sempre a vez às outras pessoas e às regras sociais.

Entretanto, a maioria de nós se adapta muito pouco à imagem que nos é criada pelos nossos pais; por isso, os sentimentos de culpa estão sempre nos assolando. Assim, quando percebemos que não somos aquele tipo de pessoa que satisfaz a expectativa dos outros, dá-se início a uma espécie de autocondenação, por vezes bastante sutil, que acaba influenciando o nosso comportamento, de maneira a desenvolver em nós alguma forma de autodefesa. Por isso precisamos resolver o nosso conflito entre aquilo que realmente somos e aquilo que poderíamos ser, ou pelo

EMOÇÕES – O QUE SÃO E COMO NOS AFETAM

menos entendê-lo, isso se formos livres o bastante para amadurecer a nossa compreensão em relação às outras pessoas.

Creio que você já deve ter lido nos jornais umas tantas histórias sobre algum autor famoso, sobre uma atriz brilhante, ou algum homem de negócios muito bem-sucedido – representantes daquilo que parece ser o pináculo do sucesso –, que subitamente pôs fim à vida com um tiro de revólver, com gás, ou pulando do trigésimo nono andar. E o curioso, aqui, é que todos se perguntam pela razão de um tal ato. Até que, na maioria das vezes, os amigos e os parentes mais chegados terminam por revelar que essas pessoas famosas não se consideravam tão bem-sucedidas assim, pois haviam criado uma "imagem falsa" de si mesmas e por isso não conseguiam satisfazer todas as expectativas. Existem muitos exemplos que se encaixam nesse quadro, como Tony Hancock, Marilyn Monroe e Elvis Presley.

Daí ser de grande importância a percepção de que aquilo que uma determinada pessoa faz não reflete necessariamente a sua verdadeira personalidade, já que essa faz parte de sua interioridade, estando portanto escondida do mundo exterior. Na verdade, a infelicidade dessas pessoas deve-se ao fato de que não conseguem resolver o conflito interior que as faz oscilar entre aquilo que *sentem* e o que são, ou, melhor, entre aquilo que *realmente* são e o que *desejariam* ser.

A experiência de vida, aliada à compreensão dos pais, professores e amigos, sempre ajuda a perceber que o comprometimento é essencial para que se possa viver uma vida normal, e que qualquer tentativa para ser perfeito é de todas as maneiras irreal, uma vez que, por mais que se deseje, isto se encontra além de toda a capacidade humana. Eis por que não há aquele que não precise chegar a um acordo com os seus defeitos e falhas, como também com suas virtudes e habilidades, sem nunca deixar de levar em conta aquilo que ele é de fato, aquilo que ele deseja ser e aquilo que poderá realisticamente alcançar (o que, aliás, geralmente é muito mais do que a maioria acredita), pois só assim se consegue lutar pelos próprios objetivos.

Falta de Amor-Próprio, de Autoconfiança e de Auto-Estima

Não são poucas as pessoas que não conseguem aceitar sua maneira de ser e que por isso começam a se ver como inferiores ou imprestáveis. Quem é assim não gosta de si mesmo e, por conseqüência, muitas vezes não desperta a afeição das outras pessoas. Quem sofre de anorexia, por exemplo, não consegue aceitar o seu modo de ser, nesse caso por se considerar gordo (quando na realidade não o é) e por sofrer em função disso. As emoções extremas, como a autocondenação e os complexos de inferioridade, são por demais destrutivas; as últimas podem até provocar tendências suicidas na pessoa. Um número surpreendente de indivíduos sofre de algum complexo de inferioridade, ou por achar que é menos inteligente, ou por pensar que não tem tanto talento quanto os amigos. Tais complexos fazem com que as pessoas sejam demasiadamente auto-críticas e, como forma de compensação, é com muita freqüência que se acabam tornando bastante críticas em relação aos outros.

Uma análise positiva da situação poderia dar a essas pessoas um direcionamento emocional que acrescentaria resultados benéficos tanto para as suas próprias vidas como para a família e a comunidade em geral.

Amando a Nós Mesmos

A suprema emoção do amor torna-se mais verdadeira quando se é capaz de amar os outros por aquilo que eles são e não por aquilo que costumam aparentar ou fazer.

> A expressão do amor talvez seja uma das lições mais importantes que os seres humanos, enquanto encarnações deste planeta físico, têm que aprender. Se não houvesse o amor, a existência seria árida e sem sentido. Torna-se, no entanto, necessário que se aprenda a amar não somente aquilo que se encontra ao nosso redor, mas também a si próprio.
>
> Gerber, 1988

A Bíblia nos diz que devemos amar nossos vizinhos da mesma forma que nos amamos. No entanto, segundo a voz corrente, não é certo fomentarmos a emoção do amor-próprio, já que só devemos nutrir o amor pelo outro. De minha parte, concordo que seja errado amar a si mesmo de maneira egoísta, orgulhosa ou arrogante, pois quando se age assim termina-se por ser estúpido e contra o bem geral. Contudo, será sempre fundamental amar a si mesmo de um modo correto, não só compreendendo as próprias emoções, antes de projetá-las sobre os outros, como também entendendo as emoções que *eles* estejam sentindo. Assim agindo, seremos sempre úteis para as outras pessoas.

Vejamos um exemplo disso: numa situação de vida e morte, como no caso de um acidente aéreo, as mães são aconselhadas a colocar a máscara de oxigênio antes de cuidar dos seus filhos. Embora essa ação possa parecer egoísta, se isso não fosse feito ambos poderiam perder a vida. De maneira similar a essa, se o meu marido pulasse num rio para salvar alguém, sem antes vestir o colete salva-vidas, ele não teria realmente nenhuma consideração pelos outros, simplesmente porque não sabe nadar, e por isso estaria caindo na água de maneira irrefletida, colocando em risco de morte sua própria pessoa e quem estivesse em dificuldade.

UM CASO

Há alguns anos, ocorreram algumas tempestades terríveis na costa noroeste da Inglaterra. E o fato é que, em certa ocasião, uma senhora estava fazendo a sua costumeira caminhada com o seu cachorro, quando de repente uma onda enorme o levou. Ao ver o desespero dessa senhora, uma jovem policial lançou-se ao mar para salvar o cão, e afogou-se.

Os indivíduos saudáveis são capazes de se aceitar exatamente como são, sem que as emoções negativas como a inveja, o ódio, a vingança ou o ciúme desempenhem um grande papel nas suas vidas; portanto, não ficam a gastar o tempo desejando ser diferentes daquilo que realmente são, o que não quer dizer que essas pessoas estejam inteiramente autosatisfeitas, pois o que de fato ocorre é que conseguem aceitar as deficiências ou falhas que nelas existem e com isso acabam adotando atitudes positivas em prol do seu próprio aperfeiçoamento, assumindo ações também positivas no sentido de melhorar cada vez mais.

Nunca deixa de ser doentio e irreal qualquer sofrimento que seja provocado por emoções como a culpa, a vergonha e a tristeza por alguma coisa que está além do nosso controle, como, por exemplo, a forma pela qual fomos feitos; quando estivermos livres desses sentimentos desnecessários, estaremos prontos para seguir na direção do aperfeiçoamento do nosso eu e de uma vida mais agradável através de um contato mais estreito com as outras pessoas. A aceitação serena de nossas emoções nos dá a capacidade de "nos vermos como os outros nos vêem" e também enfatiza toda a comunicação que com eles venhamos a manter. Além disso, desde que não estejamos obsessivamente atentos às nossas próprias emoções, seremos capazes de dar mais apoio e atenção aos outros.

O Amor a Si Mesmo

Amar a si mesmo não significa "que se é melhor do que os outros", nem quer dizer que se é mais importante do que as outras pessoas, pois essa frase simplesmente expressa a idéia de que nos aceitamos como somos e que estamos cientes de nossas próprias faltas. Mas o mais importante é que com essa atitude tornamo-nos capazes de mudar tudo aquilo que não queremos ou não apreciamos em nós mesmos, e de tal maneira que, a cada "mudança", passamos a nos *amar um pouquinho mais*.

É claro que, nesse processo, também estão incluídos o perdão e nossa capacidade de nos perdoarmos.

> O significado fundamental do perdão é a aceitação daquilo que é essencial em si mesmo e em cada um dos outros seres humanos, pois assim é concedida a cada pessoa a dádiva de não ser julgada (...) O perdão começa então em nós mesmos e depois se estende a todos os outros.
>
> Borysenko, 1988, pág. 176

Nunca diga "vou vingar-me do mal".

Provérbios 20: 22

EMOÇÕES – O QUE SÃO E COMO NOS AFETAM

Nem sempre é fácil levar avante um ato de perdão, mas não será muito pior arruinar o resto de sua vida por alguma coisa que está perdida no passado, ou que afeta somente você mesmo e não a pessoa responsável? O perdão será então o ato que irá libertar você de todo e qualquer ressentimento, sem mencionar o fato de que esse ressentimento certamente estará prejudicando tanto o seu corpo como a sua mente. Isso quer dizer que *você* será o principal beneficiário e ainda ficará livre para viver positivamente e para começar a se amar, passando, por extensão, a também amar os outros. Por isso, a melhor coisa a fazer é começar por perdoar a pessoa que lhe tenha eventualmente causado mal. Lembre-se: quanto mais você dirigir amor e sentimentos positivos aos outros, mais receberá em troca – a ponto de se ver realmente surpreendido com as dádivas recebidas –, e mais crescerá substancialmente o seu *amor por si mesmo*. Portanto, se você quer que a vida comece a trabalhar a seu favor, pare de sentir tanta culpa e largue de mão a mania de se criticar tanto, procurando enfim perdoar a si próprio.

O *Course in Miracles* afirma que "toda doença tem como origem o estado de impiedade" e que "nós devemos olhar ao redor para sabermos a quem precisamos perdoar" (Hay, 1988, pág. 14).

Se somos nós então que tomamos a decisão de amar, perdoar e praticar o *carinho*, decerto todo o processo se inicia com o amor a si mesmo.

Conclusão

Talvez, até aqui, ainda não tenhamos entendido que devemos tentar desencorajar emoções, como

> ódio, discórdia, ciúme, acessos de raiva, ambição egoísta (...) e inveja, para procurar dentro de nós o amor, a alegria, a paz, a paciência, a delicadeza, a bondade, a fidelidade, a gentileza e o autocontrole. Pois não há nenhuma lei que seja contra todos esses sentimentos.
>
> Gálatas 5: 20.23

Pela prática dessas últimas qualidades, as emoções destrutivas que constam da primeira parte da citação acima, emoções que aliás são bastante negativas, dificilmente integrarão nossa personalidade ou caráter. E, se juntarmos a essas qualidades os óleos essenciais, conseguiremos lidar mais facilmente com as emoções que são autodestrutivas, sem serem negativas, tais como o medo, a culpa, o sofrimento, etc. Mesmo porque uma vida feliz e mais saudável deveria ser o principal objetivo de todos, e isso só é possível com o amor, com pensamentos positivos (*ver Capítulo 4*) e com os óleos essenciais.

2 O Que Influencia as Nossas Emoções?

Já não resta a menor dúvida quanto ao fato de que as situações e experiências que circulam ao nosso redor podem influenciar as emoções que sentimos e expressamos. Mas a recíproca também é verdadeira, pois as emoções que expressamos e sentimos habitualmente são capazes de influenciar as situações e experiências que ocorrem em nossas vidas. Vamos então examinar, primeiro, aquilo que pode influenciar as nossas emoções.

Experiências que Afetam as Emoções

As emoções que sentimos ou expressamos podem ser influenciadas por diversas situações e até mesmo pelo clima! Um dia de sol eleva automaticamente o nosso espírito, tornando-nos muito mais felizes, ao passo que um dia chuvoso quase sempre nos remete a sentimentos depressivos. Tanto o nosso estilo de vida como a nossa personalidade (intimamente ligada ao comportamento) também podem exercer uma enorme influência sobre as emoções que são costumeiramente vivenciadas por nós. E mais importante ainda é que a mente (ou seja, o modo de pensar), a saúde, as experiências passadas, o toque, os aromas, enfim, tudo isso desempenha um papel diariamente fundamental em qualquer "decisão" a respeito das emoções que serão ativadas. Por vezes, tais influências encontram-se separadas, mas na maioria das vezes aparecem interligadas; mesmo porque, quando há mais de uma emoção envolvida, resulta a vivência de uma quantidade maior de emoções. Vamos logo olhar mais detalhadamente essas influências.

Estilo de vida

O modo pelo qual vivemos a vida, ou seja, aquilo que é normalmente chamado de estilo de vida, representa um papel bastante importante no nosso desenvolvimento pessoal, seja mental (incluindo aí as emoções) ou corporal. Tudo o que se segue faz parte do nosso estilo de vida:

- O modo de pensarmos e agirmos.
- A quantidade de exercícios que fazemos, quer sejam atividades desportivas ou, num sentido mais individual, caminhadas e ginásticas diárias.
- As horas de sono que nos reservamos; a necessidade de sono varia de pessoa para pessoa. Por isso, cada um de nós está ciente do quanto é necessário para um despertar refrescante, de maneira a tornar-se capaz de abraçar o dia sem se sentir cansado.
- As escolhas recreativas; a música que ouvimos, os livros que lemos, o tempo que reservamos para a televisão, e os passatempos que cultivamos (das artes marciais ao tricô).
- O tipo de alimento que comemos; quando a nutrição das pessoas deixa a desejar, o seu bem-estar emocional é obviamente afetado de maneira adversa (Wallace, 1999). As doenças crônicas, como a artrite e a bronquite, são exacerbadas pela alimentação incorreta, mas podem ser atenuadas com uma dieta adequada.
- O tipo de trabalho que temos; se não gostarmos dele, ou se não estivermos felizes no seu exercício, a nossa atitude perante a vida será inteiramente diferente daquela assumida por quem ama o trabalho que faz.
- A responsabilidade de conduzir a família, quer tenhamos filhos ou não; pouco importa se nos dedicamos a uma disciplina necessária para isso, ou se não nos incomodamos com o comportamento dos demais membros da família.

Todos esses aspectos da vida afetam o nosso modo de pensar e nossas emoções. Por isso, nenhum terapeuta, independentemente de qual seja a sua formação acadêmica, irá propor um tratamento, sem antes investigar tudo o que for possível a respeito do paciente, pois ninguém recupera a saúde perfeita, seja no plano físico ou no mental, sem mo-

O QUE INFLUENCIA AS NOSSAS EMOÇÕES?

dificar alguns *hábitos* do seu estilo de vida. Infelizmente, nem sempre é muito fácil, ou possível, mudar integralmente o estilo de vida; no entanto, será *sempre* possível transformar pelo menos alguns dos seus aspectos.

Experiências Passadas

Se a criança convive com a crítica exagerada,
ela aprende a condenar.
Se a criança convive com a hostilidade,
ela aprende a brigar.
Se a criança convive com o ridículo,
ela aprende a ser tímida.
Se a criança convive com a vergonha,
ela aprende a ser culpada.
Se a criança convive com a tolerância,
ela aprende a ser paciente.
Se a criança convive com o encorajamento,
ela aprende a confiar.
Se a criança convive com o elogio,
ela aprende a apreciar.
Se a criança convive com a segurança,
ela aprende a ter fé.
Se a criança convive com a aprovação,
ela aprende a gostar de si mesma.
Se a criança convive com a aceitação e a amizade,
ela aprende a encontrar amor no mundo.

Anônimo – citado em Bennett, 1989

Estou quase certa de que nenhuma criança convive com todos os conteúdos dos adjetivos citados acima, sejam eles positivos ou negativos, embora não haja qualquer dúvida quanto ao fato de que todos nós vivemos alguns deles, a despeito de serem vantajosos ou inconvenientes, e de que todos eles acabam moldando nossas vidas e determinando a forma pela qual olhamos e tratamos os outros. Mas o fato é que tais influências emocionais, psicológicas e espirituais tanto se revelam *no* corpo (saúde: boa ou deficiente) como *através* dele (comportamento, atitude, etc.).

Não há quem não goste de relembrar suas experiências prazerosas, pois nos fazem sentir a felicidade de reviver as emoções pelas quais passamos nos tempos de outrora, que, no caso, serão sempre de amor, alegria, tranqüilidade, paz, etc. Por outro lado, a lembrança das experiências desagradáveis nunca é emocionalmente compensadora, pelo simples fato de que despertam emoções, como o ódio, a raiva e a inveja.

Vejamos um exemplo. A criança que teve experiências com pais cruéis e negligentes, ao se tornar um adulto, acaba desenvolvendo atitudes e emoções perante a vida inteiramente distintas daquelas que são vivenciadas por quem teve na infância uma casa impregnada de amor irradiante. E o mesmo ocorre com aqueles que optam por uma carreira odiada e que foi sugerida ou forçada pelos pais. Em ambos os casos, a culpa será sempre atribuída às emoções destrutivas que venham eventualmente a surgir como resultado. Também é provável que as crianças venham a rejeitar a abordagem dos pais, adotando para com as outras crianças uma técnica completamente diferente de tudo aquilo que lhes foi imposto. Em qualquer desses casos, o passado acaba afetando a forma de pensar das pessoas e, por conseqüência, as suas emoções, nas diferentes circunstâncias.

UM CASO

Na minha época de colégio, a nossa casa recebia regularmente uma visita quase sempre inesperada. Tratava-se de uma amiga minha que muitas vezes não recebia atenção dos pais por causa da idolatria que eles dedicavam ao filho homem. Ela vivia então sofrendo críticas na sua casa, até mesmo quando conseguiu o título de enfermeira, depois de várias tentativas (seu irmão formou-se em medicina). Por isso, essa menina adorava visitar os meus pais, que nunca deixaram de demonstrar afeição por ela, o que, aliás, não era nem um pouco fácil para eles, já que a rejeição a Daphne terminou por influir no seu comportamento, e, assim, ela passou a fazer tudo o que estivesse a seu alcance para ganhar atenção. Numa certa noite de Natal, por exemplo, já era bem tarde quando ela bateu à nossa porta; no entanto, quando abri para ver quem era, já não havia ninguém ali. Debrucei-me então na sacada da janela para espiar melhor, e de repente alguém pulou na minha frente, assustando-me com um grito pavoroso. No instante em que percebi que era Daphne, a minha vontade foi literalmente a de esganá-la! Depois que me recuperei do susto, ela me disse que não queria voltar para a sua casa porque já era muito tarde, e a sua mãe talvez ficasse furiosa. Diante disso, nem preciso dizer onde é que ela passou a noite, não é?

Embora sentíssemos muita pena dela, todos nós temíamos as suas visitas impulsivas e emocionais, mas nem por isso deixávamos de demonstrar o quanto estávamos felizes em vê-la. Até que Daphne parou de nos visitar por um período de um ano. Ficamos sabendo que havia seguido a sugestão dos seus pais para "ter o seu próprio espaço", pois ela já estava "bem grandinha" e podia tomar conta de si mesma. Mas, depois desse tempo sem aparecer, um belo dia ela foi nos visitar. E, nessa última visita, percebemos que Daphne havia sofrido transformações substanciais. Apesar de esse seu aparecimento não ter tido nenhum aviso prévio, nem por isso ele deixou de ser, digamos, completamente "normal"; no entanto, ela nos pediu mil desculpas por todos aqueles anos de visitas malucas e inesperadas. Além de também nos ter contado que, pelo fato de estar morando sozinha, muita coisa havia mudado; por isso mesmo, uma de suas colegas enfermeiras (cujo pai era psicólogo), que vivia discutindo com ela por causa do seu comportamento, tornara-se uma de suas melhores amigas. Quatro anos depois, Daphne casou-se com um enfermeiro que trabalhava no hospital em que ela também trabalhava.

Segundo o Dr. Perry, da Baylor College of Medicine, em Huston, "a experiência é o arquiteto-chefe do cérebro", e certamente isso também é verdadeiro para o mundo das emoções.

> A psicóloga Geraldine Dawson vem monitorando, junto aos seus colegas da Universidade de Washington, os padrões das ondas cerebrais de algumas crianças nascidas de mães diagnosticadas como portadoras de depressão. Quando bebês, essas crianças demonstraram uma atividade reduzida (...) na área do cérebro, que funciona como o centro da alegria e de outras emoções relacionadas com o carinho e o amor (...) Geraldine descobriu ainda que as mães distantes, irritáveis ou impacientes acabam tendo bebês com cérebros tristes; ao passo que as mães deprimidas, que a despeito disso procuram superar a melancolia com uma dedicação aos seus bebês através de muita atenção e jogos prazerosos, possuem filhos que desenvolvem uma atividade cerebral bem mais significativa.
>
> Nash, 1997

Superando Tudo

Como atitude mais importante, deve-se tomar consciência de que as experiências do passado não podem ser mudadas (o que passou, passou!), até porque, quando se continua remoendo tudo o que ocorreu antes, na suposição de que o passado é o único responsável por aquilo que se passa no presente, acaba-se gerando apenas sofrimentos e ressentimentos, sem que nunca seja oferecida qualquer espécie de solução. Por isso, a atitude mais sensata será sempre a de deixar o passado de lado, para começar tudo de novo, pois todas as coisas em que pensamos no aqui e agora terminam sendo projetadas em nosso futuro (Hay, 1988, pág. 35). Além do mais, é bem provável que os pais das crianças citadas também tenham tido uma vida bastante difícil, já que possivelmente não tiveram oportunidade de conhecer nada diferente daquilo que vivenciaram. De modo semelhante, talvez aqueles pais que obrigam os seus filhos a trabalharem muito cedo estejam pensando que estão fazendo o melhor para eles; quem sabe, não é? Mas, seja como for, quando cultivamos por um longo tempo o ressentimento e o criticismo exagerado, impedimo-nos de visualizar um futuro feliz e com isso não realizamos as transformações necessárias para que possamos desfrutar uma vida saudável e agradável. Pois o fato é que tais pensamentos e emoções improdutivas podem afetar o nosso sistema imunológico, resultando daí alguma doença. Eis por que concordo plenamente com Louise Hay, quando ela afirma: "Punirmo-nos no presente por uma dor que alguém nos causou no passado é sempre uma grande tolice de nossa parte!" (Hay, 1988, pág. 13). Portanto, nunca devemos esquecer que "hoje é o primeiro dia de toda a nossa vida".

Saúde

Como a Saúde Interfere nas Emoções

A realização do universo de esperanças que toda e qualquer pessoa tem em relação à vida depende, em grande parte, da sua saúde. Assim, quando alguém está estressado ou deprimido, a sua saúde é afetada negativamente, refletindo na sua psique com o surgimento de emoções improdutivas (destrutivas), tais como o desespero, a desesperança, a inveja, a frustração e muito provavelmente a irritabilidade e as mudanças constantes de humor. A história que virá a seguir vai ilustrar muito bem a influência que uma saúde abalada pode ter sobre as emoções.

UM CASO

Aqueles que leram o meu livro *The Aromatherapy Workbook* já sabem que minha mãe sofreu durante 44 anos (até a sua morte, aos 74 anos de idade) com uma dolorosa forma de artrite. Ela quase nunca se via livre da dor, até mesmo quando tomava analgésicos; não conseguia andar e raramente dormia, a despeito de todos os remédios que tomava para isso; enfim, a sua vida resumia-se a um grande sofrimento. Afora isso, ela perdeu o meu pai aos 62 anos de idade e, pelo fato de naquela época encontrar-se no hospital com os quadris inteiramente danificados, ficou bastante deprimida e ao mesmo tempo furiosa porque ainda estava viva, enquanto uma outra senhora, que ostentava uma saúde perfeita e ainda tinha o marido a seu lado, havia falecido. O que quero dizer aqui é que a proporção de emoções destrutivas que a minha mãe apresentava superava largamente as suas emoções produtivas ou positivas e por isso quase só vivenciava aqueles sentimentos negativos citados há pouco.

Quando uma pessoa é sempre importunada pela dor, ou mesmo quando não pode andar ou sofre alguma outra condição negativa de saúde, as suas emoções destrutivas acabam sendo, ao longo da vida, muito mais evidentes do que as produtivas. E com isso predominam o ciúme e a inveja ("fulano não sofre como eu"), a raiva ("o que fiz para merecer isso?"), a frustração ("eu costumava fazer isso com tanta facilidade!"), o medo ("o que será que vai acontecer comigo?") e a depressão. Enfim, é sempre muito difícil, para qualquer um, nutrir esperanças, quando a sua saúde parece piorar progressivamente.

Como as Emoções Interferem na Saúde

O outro lado da moeda aparece quando as emoções conseguem influenciar a saúde, seja para o bem ou para o mal. Pois as emoções positivas ou produtivas preservam o corpo saudável, ao passo que as destrutivas ou negativas acabam causando efetivamente vários danos nas células, ocasionando assim as doenças. Embora isso seja feito de forma tanto consciente como inconsciente, a maioria das pessoas recai na segunda forma, uma vez que vivenciam regularmente as emoções destrutivas, que nem sempre são negativas, e assim interferem de modo inconsciente na própria saúde. Esse tipo de indivíduo nunca se permite ser ajudado quando nele não há o reconhecimento (ou a percepção) de que está vivenciando habitualmente emoções como o ciúme, a culpa, o ressentimento, a desaprovação, etc.

> A medicina reconheceu há muito tempo as conseqüências fisiológicas dos estados emocionais sobre a saúde, e isso tanto para o melhor como para o pior. Algumas condições como a colite (...) e a hipertensão são conhecidas como manifestações de estados emocionais negativos.
>
> Bennett, 1989

Embora todas as doenças possam ser curadas, o mesmo não ocorre com todos os pacientes. O escritor Harold Nicholson escreveu uma vez que "um dos pequenos prazeres da vida é ficar ligeiramente doente". Existem, no entanto, algumas pessoas cujo *maior* prazer é ficar doente, pois realmente adoram estar assim. Em geral, a doença delas não é tão séria, de maneira que poderiam ter um alívio fácil e rápido com uma mudança de pensamento ou com a utilização dos óleos essenciais. Mas, na verdade, essas pessoas nunca *pretendem* ficar completamente curadas, porque a doença é um meio pelo qual elas chamam a atenção para si (sobretudo daqueles que lhes são próximos).

UM CASO

Conheci uma faxineira que era casada com um homem que sofria de asma crônica. Toda vez que ela saía com as amigas, ele tinha um ataque; e, se convidasse alguém para visitá-los, ele também tinha um ataque. Um dia, ela me perguntou se os óleos essenciais poderiam ajudá-lo, e acabei lhe sugerindo os mesmos óleos que havia prescrito para Len (meu marido), assim como indiquei o mesmo modo de uso. Mas aí ela me disse que o seu marido não acreditava nas terapias alternativas ("essas

O QUE INFLUENCIA AS NOSSAS EMOÇÕES? **47**

coisas não funcionam!"); por isso, tive que sugerir uma outra forma de uso, de maneira que ele não percebesse que os óleos lhe seriam aplicados. Ela passou então a fazer uso dos óleos essenciais por meio de um vaporizador, dizendo ao marido que aquilo era para perfumar os cômodos da casa. Acontece que ele começou a gostar daqueles aromas e de tal maneira, que em poucas semanas a senhora N. pôde constatar que o seu marido já estava respirando com muito menos dificuldade.

Ela cometeu, no entanto, o erro de fazer um comentário a respeito dessa melhora, o bastante para que no dia seguinte ele não quisesse mais que a casa fosse perfumada, pois isso lhe estava "fazendo muito mal". Depois, em conversas com essa mulher, acabei descobrindo que ele nunca tivera um ataque quando ela saía para fazer compras ou quando ia trabalhar, pois as crises só aconteciam quando ela fazia algo pessoal ou agradável, ou quando saía de casa para se divertir, ou seja, ele provocava *conscientemente* uma crise para chamar a atenção da esposa e com isso demonstrava o seu velho medo de melhorar e ter que trabalhar, sem mencionar o fato de que passaria a ter que dividir as responsabilidades da casa, em vez de ser servido por uma escrava.

Se pessoas, como esse homem, quisessem realmente melhorar (até porque vivem *dizendo* que de fato querem), certamente alcançariam esse objetivo, desde que se libertassem das emoções que governam o seu comportamento. Contudo, o medo de melhorar, e de com isso perder o domínio sobre os outros, predomina na maioria das vezes. Portanto, antes que seja dado início à verdadeira cura, é preciso que haja o reconhecimento desse medo e mais ainda o seu tratamento.

Personalidade e Comportamento

*O Modo pelo qual a Personalidade e o Comportamento
Interferem nas Emoções*

Nossos pensamentos exercem influências que se revelam em cada um dos aspectos de nossas vidas. Por isso mesmo, quando acreditamos ou fazemos uso da violência e de emoções, tais como a culpa, o medo e outras afins, a nossa personalidade envolve-se com o modo pelo qual pensamos: nos relacionamentos mantidos com as outras pessoas, no êxito profissional, na prosperidade, na segurança pessoal, nas relações sexuais (Bennett, 1989). Mas a nossa atitude em relação a todas essas coisas é enormemente influenciada pelos anos vivenciados em nossa infância, razão pela qual a personalidade e o comportamento não podem ser inteiramente separados das experiências passadas.

Obviamente, não se devem colocar as pessoas dentro de "caixas" específicas para entender suas personalidades, pois esse é um outro campo bastante complexo e individual, até porque os diversos tipos de personalidade reagem de maneiras distintas em circunstâncias semelhantes. Por exemplo, o tipo extrovertido não sente qualquer embaraço ou medo quando é chamado ao palco de um teatro para participar de um ato; por outro lado, o introvertido ficará certamente embaraçado ou amedrontado se for abordado dessa forma.

UM CASO

Recentemente, eu e Len estávamos almoçando no jardim de nossa casa, na França, quando em dado momento um carro passou devagar, até que de repente parou à nossa frente. Como não conhecíamos as pessoas que estavam nele, pensamos que talvez estivessem querendo perguntar alguma coisa. No entanto, mantiveram-se no carro, olhando por um bom tempo para nossa casa, tanto quanto para nós dois, dando demonstrações de que só queriam bisbilhotar, o que me fez então dizer para Len: "Jamais faríamos isso, não é?" Acontece, porém, que a maioria das pessoas são iguais a mim e a Len, pois, embora quase todo mundo seja capaz de contemplar uma casa ou um jardim ao passar por uma rua, poucos diminuiriam a marcha do carro, assim como não parariam, caso houvesse alguém na casa ou no seu jardim. Conclusão: quando os proprietários de algum lugar estão presentes, não se deve parar para ficar bisbilhotando; mas, enfim, isso demonstra que existe uma grande diferença de personalidade entre nós e os passageiros daquele carro.

UM CASO

Antes da sua artrite piorar, minha mãe era uma pessoa maravilhosa. Meu pai chegava mesmo a chamá-la de seu "anjo"; além disso, estava sempre procurando por novas terapias e idéias que pudessem levá-la a recuperar o seu estado de saúde original, pois ele queria de volta o seu anjo inteiro. Hoje, tenho certeza de que o sofrimento dela foi o causador de algumas de suas emoções destrutivas e de umas tantas coisas surpreendentemente ridículas (para nós) que ela fazia. Minha mãe foi excessivamente orgulhosa de sua casa e por essa razão a mantinha impecável, limpando-a todos os dias, mas sempre com muito bom humor. Já meu pai adorava ter gente ao seu redor e por essa razão as nossas refeições eram sempre seguidas por divertidas audições de piano, pois ele era um excelente pianista. Mas o fato é que tudo foi mudando drasticamente, à medida que a artrite tomava conta da vida de minha mãe.

Eu e minha irmã, na época ainda adolescentes, tínhamos que fazer todo o trabalho diário da casa, até mesmo lavar e passar, e ao mesmo tempo nos dedicávamos às tarefas da escola e, mais tarde, da universidade. Uma vez contrataram uma faxineira, que acabou permanecendo lá em casa por pouco tempo. Ainda me lembro de que, quando chegávamos da faculdade, a nossa mãe nos pedia para "dar uma checada" no banheiro, nas escadas e em outros lugares, simplesmente para comprovarmos que o trabalho não estava sendo feito da forma como ela queria. E com isso nós éramos obrigadas a concordar que as torneiras não tinham sido polidas, ou que os cantinhos das escadas estavam cheios de pó, e por aí afora. Enfim, ao assumir tais características perfeccionistas, a personalidade de minha mãe foi sendo influenciada pelas suas emoções, e o pior é que, se tudo estivesse bem feito, ela era tomada pela irritabilidade e pela impaciência.

O chão da saleta de entrada da casa era a grande obsessão de minha mãe, até porque a sala era muito bonita, ampla e quadrada; além disso, era coberta por um linóleo que ostentava um enorme tapete persa no centro. Sempre que políamos o chão, tínhamos que pôr algumas folhas de papel marrom sobre as partes do linóleo que eram costumeiramente pisadas, pois só assim o mantínhamos limpo e nos salvávamos de ter que repetir a mesma tarefa algumas vezes no mês. Quando chegava uma visita, nós duas corríamos para retirar os tais papéis, mas de nada adiantou porque a paranóia de minha mãe chegou a tal ponto, que ela passou a colocar jornais sobre os papéis marrons para proteger o piso da sujeira! Mas o pior é que raramente desfrutávamos do maravilhoso brilho que havíamos dado ao assoalho, à custa de muita "cera nos joelhos".

Só fui aprender como certos tipos de personalidade e de emoção podem ocasionar doenças, depois que li um livro intitulado *You Can Heal Your Life* (Hay, 1988). Fiquei surpresa ao ler que as pessoas que sofrem de artrite ficam "obcecadamente perfeccionistas e que precisam mesmo ser 'sempre' perfeitas". (Uma outra coisa da qual já tomei consciência é de que a artrite também pode se desenvolver a partir de um padrão contínuo de autocrítica; por isso, venho trabalhando bastante comigo mesma nesse sentido!) Assim, acabei percebendo meu perfeccionismo exagerado em relação a pequenas coisas, como panos de prato impecavelmente dependurados, ou linhas divididas com extrema exatidão para o encaixe perfeito dos cantos, afora alguns outros detalhes; e tudo isso era sempre feito, mesmo que me custasse muito cansaço! Decidi então mudar meus hábitos, sobretudo porque me vi obrigada a curar uma artrite (*ver Capítulo 4*) que passou a dar os seus sinais em mim na mesma idade em que se manifestou na minha mãe, pois nem preciso dizer que não desejava trazer de volta todo aquele sofrimento a que já havia assistido. Contudo, aqui ainda busco a perfeição, só que agora de uma maneira diferente, isto é, bem mais produtiva e com uma atitude mental modificada.

A personalidade de minha mãe interferiu de tal forma nas suas emoções, que ela passou a nutrir um medo constante de perder seus apetrechos de cozinha, e por isso mantinha uma duplicata para cada um dos seus itens. Mais tarde, numa época em que ela já tomava 22 pílulas por dia, foi tomada por um pavor imenso de que os remédios não durassem até o momento em que tivesse uma outra consulta médica. E o seu estresse era tanto, que, a cada intervalo entre as consultas, procurava aumentar o estoque de pílulas, independentemente do quanto já tinha em seu poder. Quando mamãe faleceu, fomos limpar a casa e acabamos encontrando comprimidos na sua bolsa, na cozinha, no banheiro e no seu quarto; na verdade, coletamos ao todo dois sacos cheios de caixas de remédio!

Além de trazer esgotamento às emoções, o padecimento físico faz com que a personalidade se volte com muita facilidade para dentro de si mesma, influenciando assim a sua capacidade de sentir. E esse processo termina por formar um círculo vicioso, porque as emoções também podem interferir na personalidade, quando são vivenciadas por um longo período.

Toque

O toque institui um comportamento básico e necessário para todos os seres humanos, além de representar um papel significativo na manutenção da saúde e na tranqüilização das emoções turbulentas. De acordo com Montague (1986), um especialista em toque, aquele que está de alguma forma insatisfeito e que por isso necessita do toque termina por adotar um comportamento desequilibrado em resposta à sua insatisfação.

Em determinado hospital, chegou-se à conclusão de que os adolescentes com distúrbios de comportamento possuem um gosto significativo pelo gesto de tocar e de ser tocado; como resultado de um tratamento que levava em conta esse aspecto, foi observada uma redução dos impulsos violentos que esses jovens apresentavam (Hooper, 1988). Os centros e escolas que introduziram o uso dos óleos essenciais e do toque naqueles que apresentavam dificuldades de aprendizado constataram a diminuição da dispersão e da agitação nessas pessoas, já que elas passaram a dormir melhor, predispondo-se até a receber "espontaneamente" as massagens dos terapeutas.

São nossos pensamentos que dão início ao toque; portanto, seu aparecimento é um indicativo de nossa atividade mental. Mas o toque também é capaz de transmitir aquelas emoções que nos são difíceis de expressar em palavras. Assim, quando seguramos a mão de uma pessoa, ou quando simplesmente a abraçamos no momento em que está sofrendo, expressamos melhor nossas emoções do que com palavras. O toque pode ser também usado para demonstrarmos o quanto amamos alguém.

Aromas

Alguns estudos já demonstraram que os aromas são capazes de influenciar o nosso comportamento (Ehrlichman e Bastone, 1992), sobretudo porque estamos sempre rodeados pelos aromas em nossa vida diária, embora infelizmente muitos deles sejam sintéticos. Praticamente, cada produto que compramos contém, de alguma maneira, um aroma, desde os cosméticos e os produtos que usamos nos cabelos, até os líquidos para limpeza e os aromatizantes de ambientes. Dentre os odores naturais presentes ao nosso redor, existem alguns agradáveis, como os florais, e outros nem tanto, como o suor.

Qualquer um desses aromas (ou odores) é capaz de interferir em nossas emoções e, muitas vezes, intensamente; em certas ocasiões, tal influência vem de aromas que foram vivenciados por nós e que nos afetam de diversas maneiras, dependendo das lembranças que vêm à tona. Mas eles também podem alterar os nossos sentimentos. Assim, numa descrição dos efeitos dos aromas sobre as emoções, exposta no artigo de um jornal que fazia comentários a respeito da aromaterapia, os seus autores chegaram às seguintes conclusões, depois de nove anos de experiência:

- A fragrância é capaz de induzir a mudança de humor, e, embora isso possa parecer sem importância, traz realmente um enorme benefício para o nosso bem-estar.
- A fragrância pode reduzir o estresse de uma pessoa que já esteja completamente esgotada, muito embora esse mesmo efeito seja mínimo em alguém que não apresente qualquer tipo de estresse (Warren e Warrenburg, 1993).

Os pesquisadores de um instituto politécnico americano realizaram algumas experiências para ver como as fragrâncias poderiam alterar a forma de pensar e o comportamento dos indivíduos. E descobriram que eles perseguiam objetivos mais altos, desde que estivessem em aposentos aromatizados, e com isso ficavam mais dispostos a negociar amigavelmente, resolvendo as suas diferenças com muito mais êxito do que aqueles que ficavam em cômodos nos quais não havia qualquer fragrância (Baron, 1990).

Os aromas que são relembrados (sejam eles trazidos à mente de maneira consciente ou inconsciente) produzem efeitos tanto positivos como negativos. Por isso, as emoções que um aroma desperta podem ser distintas em diferentes pessoas, conforme as experiências passadas de cada uma. Por exemplo, um homem poderá fazer associações prazerosas com o odor de um batom, caso o tenha vivenciado previamente numa noite romântica com uma linda mulher; no entanto, a emoção que vier à tona poderá ser desagradável, caso a experiência com esse batom tenha sido com um copo sujo num restaurante.

A história que será narrada a seguir mostra uma experiência infeliz do passado que foi trazida inconscientemente à tona por um aroma e depois conscientizada através de uma conversa com uma enfermeira habilidosa.

UM CASO

Como é sabido, os hospitais exalam um odor bastante peculiar. Quando, então, um dos nossos amigos levou a sua esposa ao hospital para ter o primeiro filho, foi acometido por um estranho sentimento: uma mescla de pânico e náusea. Mas preferiu não dar importância a essa sensação, pois queria concentrar-se no parto de sua esposa. Entretanto, quando retornou ao hospital no dia seguinte (a sua esposa havia tido alguns problemas no parto, e o mesmo acontecera com a sua filhinha recém-nascida), passou pela mesma experiência, bem como nas visitas posteriores. Ao mencionar o fato para uma das enfermeiras, esta lhe perguntou se já havia estado algum dia num hospital em outra situação, e como resposta o nosso amigo disse apenas: "Que eu me lembre, não!" No entanto, naquele mesmo dia a mãe dele foi fazer uma visita à nora e à neta, e foi ela quem lhe disse que, com dois anos, ele havia acompanhado o pai até o hospital para visitar o seu irmãozinho que nascera. Como a referida enfermeira estava fazendo um curso de terapias alternativas, mostrou-se bastante interessada e fez mais algumas perguntas para a mãe do nosso amigo. E, pelo que ela lhe contou, quando ele foi levado ao hospital por seu pai, naquela época, havia sido a primeira vez que se separara de sua mãe; assim, o cheiro daquele ambiente, experimentado por ele nas visitas que fizera à mãe por dois dias consecutivos, por alguma razão acabou ficando gravado no seu subconsciente.

A Mente (o Nosso Modo de Pensar)

No curso de dinâmica da mente que freqüentei há 26 anos, a primeira coisa que aprendi foi a seguinte: *nós não somos um corpo com uma mente, mas uma mente que possui um corpo*; não é de admirar então que a força mental esteja em cada célula do nosso corpo, além de ser o aspecto mais importante do nosso ser. E, quanto mais a investigarmos, mais a encontramos em todas as dimensões e recantos da vida, razão pela qual todo ser humano é um produto dos seus próprios pensamentos.

A influência exercida pelos nossos pensamentos (pela mente) sobre as nossas emoções encontra-se aparentemente situada em toda e qualquer circunstância, quer estejamos conscientes disso, ou não. Em contrapartida, os nossos pensamentos (a mente) também são influenciados pela continuidade das diversas circunstâncias que ocorrem em nossa vida cotidiana. Vejamos alguns exemplos:

- As formas pelas quais pensamos e nos comportamos podem afetar o nosso estilo de vida.
- As formas pelas quais pensamos e nos comportamos dependem de nossa personalidade, e vice-versa; ambas afetam as nossas emoções.
- A nossa saúde depende freqüentemente do estilo de vida que temos, mas a recíproca também é verdadeira, pois certas condições de nossa saúde são capazes de nos colocar numa cadeira de rodas ou num hospital; entretanto, as duas variáveis podem ser afetadas pelo modo como pensamos, que por sua vez interfere em nossas emoções.
- As experiências que vivemos no passado são capazes de influenciar o nosso modo de pensar, a nossa saúde, o nosso estilo de vida, e por aí afora; entretanto, embora a saúde e o estilo de vida não sejam capazes de transformar as experiências passadas, a nossa forma de pensar consegue modificar a *percepção* que temos dessas mesmas experiências. Todas essas coisas afetam então a nossa forma de sentir e, portanto, as nossas emoções.

- Da mesma forma que os aromas podem estar ligados às experiências passadas, quer tenham sido essas agradáveis ou não, eles também são capazes de influenciar os efeitos indesejáveis das vivências desagradáveis do passado, quer tenham sido psicológicas ou físicas. As duas variáveis possuem uma conexão com a forma pela qual pensamos e por isso afetam subseqüentemente as nossas emoções.

Até onde é compreendido o corpo físico, sabe-se que somos geralmente o resultado daquilo que comemos.

> Se o seu corpo for nutrido com um tipo correto de alimento, a sua saúde será intensificada tanto quanto a sua vitalidade, e com isso você terá garantido o seu bem-estar, além de ter reduzido o risco de doenças sérias. Uma evidência tão simples como essa constitui a base da naturopatia, pois estabelece uma parceria entre o poder de cura da natureza e a capacidade de autocura do próprio corpo.
>
> Hartvig e Rowley, 1996

Justamente porque comemos para viver, tudo aquilo que comemos é de suma importância, uma vez que o alimento nos dá energia e vitalidade. E, pelo fato mesmo de ser essa a pedra que serve de fundamento para o nosso "ser", devemos sempre ingerir o melhor tipo de alimento, já que só assim conseguiremos ajudar o nosso corpo a funcionar com eficiência. Todos conhecem as conseqüências que ocorrem quando se come excessivamente, porque, além de não ser necessária, a energia excedente transforma-se em gordura. Por isso, vamos logo tomar consciência de que certos alimentos podem nos tornar doentes, enquanto outros nos provocam indigestão, ou danificam o nosso sistema digestivo e, por conseqüência, todo o nosso corpo. As pesquisas já confirmaram que uma dieta rica em vegetais frescos, frutas e grãos integrais é capaz de proteger o corpo de doenças como a diverticulite, o câncer de cólon, as hemorróidas, o cálculo biliar e os distúrbios cardíacos (Hartvig e Rowley, 1996, pág. 10). Portanto, porque somos apenas nós mesmos que escolhemos aquilo que comemos, seremos também os únicos responsáveis por toda e qualquer resposta que o nosso corpo venha a dar aos alimentos. Se ingerirmos então alimentos saudáveis, dizendo "não" para os ingredientes que podem nos fazer mal, estaremos aumentando a energia e a vitalidade do nosso corpo.

De modo semelhante, também somos capazes de escolher os pensamentos que teremos, e por isso será de nossa total responsabilidade o fato de possuirmos pensamentos agradáveis e positivos ou, pelo contrário, desagradáveis e negativos. Até porque tudo aquilo em que o ser humano pensa e acredita termina por se manifestar na sua vida. Portanto, da mesma forma que já se reconhece a evidência de que somos aquilo que comemos, hoje em dia já é também reconhecido o fato de que somos aquilo que *pensamos*; em suma, somos realmente um produto que resulta daquilo que comemos e pensamos.

> Quem vive continuamente descontente, criticando a si mesmo e aos outros (ou nutrindo outras emoções negativas), será justamente aquele que atrairá doenças e desastres pessoais. Por outro lado, tudo o que há de melhor sempre acontece com aquele que é realmente feliz e satisfeito.
>
> Price, 1993

Conclusão

A observação de todos os aspectos, capazes de interferir na mente, portanto, nas emoções, será sempre a melhor e mais importante atitude que se poderá ter na vida; o mesmo pode ser dito em relação às diferentes emoções que vão ocorrendo de acordo com o tempo. Temos, pois, a opção de prosseguirmos do jeito que somos, mesmo que não estejamos completamente felizes – e muita gente faz isso –, *ou* de modificarmos conscientemente a nossa atitude através da mudança do nosso modo de pensar, pois acredito mesmo que a nossa maneira de pensar exerce uma grande influência em nossas vidas e, por conseguinte, em nossas emoções. (*Ver Capítulo 4.*)

3  Aromas e Óleos Essenciais nas Suas Relações com as Emoções

> Experimente os perfumes das flores e da natureza em geral
> Para ter paz na mente e alegria na vida.
>
> Extraído dos escritos de Wang Wei, século VIII

Como a Aromaterapia Afeta as Emoções

Dentre os nossos sentidos, o olfato é o mais desconcertante e evocativo, sobretudo porque nos fornece informações a respeito daquilo que não somos capazes de ver ou ouvir. Chega-se até a afirmar que "o olfato parece estar plugado em nossas emoções", que por sua vez estão conectadas com as situações e o perfume das pessoas.

Que os aromas são capazes realmente de interferir na saúde já é bem conhecido e até provado; mesmo porque todos os livros de aromaterapia demonstram muito bem a forma pela qual os diferentes aromas exercem efeitos positivos sobre determinadas doenças. A maior parte da informação a respeito dos efeitos das plantas medicinais sobre a saúde foi coletada no curso de milhares de anos de um uso que se tornou tradicional; dessa forma, embora os efeitos dos óleos essenciais sejam ligeiramente diferentes daqueles produzidos pelas plantas ao inteiro (por causa da destilação), as propriedades de ambos são quase todas similares. Contudo, os óleos essenciais levam uma vantagem sobre as plantas ao inteiro (especialmente quando secas), porque possuem um aroma concentrado, que em alguns deles chega até a cem vezes mais. Será, então, justamente sobre o aroma que falaremos neste capítulo.

> Embora a utilização dos aromas não constitua uma prática da medicina, o fato é que ela poderia ser muito proveitosa, pois alguns dos aromas são deprimentes, enquanto outros são inspiradores e revigorantes.
>
> William Temple, *Essay on health and long life*, 1690

Não resta qualquer dúvida quanto ao fato de que todo aroma é capaz de nos despertar uma emoção interior quando o inalamos. Mas, para sabermos se a emoção que iremos sentir será agradável ou desagradável, vamos depender dos seguintes fatores:

- A natureza do próprio aroma; por exemplo, todo mundo considera o cheiro do ovo podre como desagradável, assim como todos se sentem felizes quando cheiram uma rosa.
- A nossa experiência prévia de um aroma em particular; em geral, considera-se o cheiro da gasolina como desagradável, ao passo que para algumas pessoas ele evoca o sentimento de liberdade de uma deliciosa viagem de carro. O cheiro das flores, por exemplo, pode ser associado, por certa pessoa, com o funeral do seu pai, e por isso mesmo evocará uma emoção de tristeza (Classen e outros, 1994).

Tudo isso nos leva a crer que as emoções evocadas pelos aromas são bastante individuais; será portanto difícil estipular quais serão os efeitos que um determinado aroma poderá produzir nos diferentes indivíduos. Até porque cada percepção em particular é afetada pela mescla de suas experiências passadas com as emoções, junto à sua reação específica ao aroma.

Por que então, às vezes, algo tão simples como o aroma é capaz de suscitar emoções intensamente poderosas? Para responder isso, vamos dar uma olhada no que ocorre no interior de nossa mente e de nosso corpo, quando entramos em contato com o aroma. Mas iremos, primeiramente, nos deter na rota tomada pelas moléculas voláteis dos óleos essenciais, quando estes são inalados.

Uma Explicação da Inalação

A maior parte dos efeitos curativos dos óleos essenciais ocorre, sobretudo, através da própria inalação, por via da mente e de alguns caminhos emocionais. No início dos anos 20, os cientistas Gatti e Cayola (1923) observaram os efeitos terapêuticos dos óleos essenciais e concluíram que tanto a ação sedativa como a estimulante eram obtidas mais facilmente pela inalação do que pela ingestão. E ainda notaram que os óleos essenciais seriam de fato instrumentos ideais para o desenvolvimento de estados mentais e emocionais, sobretudo quando cuidadosamente selecionados sob uma base holística (Price e Price, 1999, pág. 149).

Mas o processo de inalação não é assim tão simples, bem como os outros processos do nosso corpo, pois ele opera quase que como por milagre, ou seja, independendo quase que inteiramente de nossa ajuda ou das outras funções do nosso corpo, de maneira a assegurar que possamos "trabalhar" com eficiência.

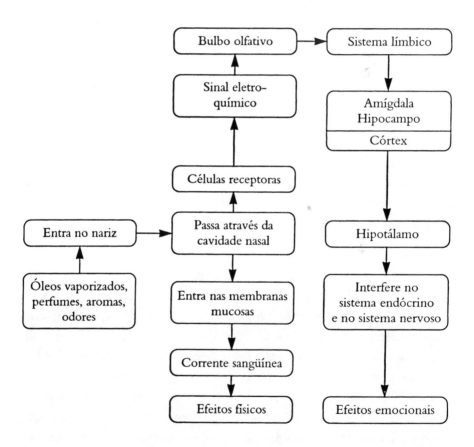

Darei somente uma versão simples de como a inalação funciona, mas creio que será o bastante para que se comprove como ela é fascinante, e também para mostrar o espaço no qual as emoções se agrupam. Tão logo as moléculas do óleo essencial encontram o seu caminho no nariz, elas seguem simultaneamente duas vias; a maioria das moléculas dirige-se inevitavelmente para os pulmões, enquanto outras dão sinais de que vão diretamente para o cérebro.

Rota 1 – Os Pulmões

Os óleos essenciais desencadeiam um efeito físico imediato sobre os pulmões, assim como são capazes de passar diretamente desse lugar para a corrente sangüínea, que os transporta para o corpo todo. Pelo fato de esses óleos serem facilmente dissolvidos nos tecidos gordurosos, como os do sistema nervoso central (SNC), é facilitada a passagem das moléculas aromáticas do sangue para tais tecidos gordurosos (Buchbauer, 1993). Uma vez no sangue, esses óleos podem gerar efeitos sobre qualquer órgão pelo qual eles passem (mesmo que já estejam em estado extremo de diluição). A ação deles poderá ser então revitalizante, até mesmo no caso de o órgão estar gozando de ótima saúde; se alguma parte do corpo pela qual o sangue passe não estiver funcionando bem, os óleos essenciais poderão provocar um efeito benéfico (dependendo, é claro, de qual for esse mau funcionamento).

Rota 2 – O Cérebro

Quando os óleos essenciais são inalados, as suas moléculas perfumadas também são levadas pelo ar diretamente para o alto do nariz, onde está situado o epitélio olfativo, que é quase do tamanho de um selo postal. Na delgada mucosa do topo do nariz estão os cílios, receptores pequenos e delicados que são bastante parecidos com cabelos (talvez mais de 50 milhões); é justamente nesse lugar que começa a troca de informação, uma vez que cada molécula detém uma mensagem e necessita transmiti-la ao cérebro. Cada pequeno cílio possui um sem-número de diferentes padrões microscópicos de depressões, nas quais uma só molécula com a mesma forma e tamanho pode se encaixar, tal qual um serrote, ou como se fosse a chave no buraco de uma fechadura. Eis por que cada molécula inalada (quer seja de um óleo essencial ou de qualquer outro aroma) precisa encontrar o cílio exato, ou seja, aquele que possui a chave para destrancar a sua mensagem (Van Toller, 1993).

Essa teoria da "chave e fechadura" foi exposta pela primeira vez por J. E. Amoore, em 1962. Embora ainda não tenha sido comprovada e não explique os fatos de maneira satisfatória, ela é freqüentemente aceita, apesar de não ser a única teoria a respeito desse tema. A BBC apresentou um programa com os "Códigos do Nariz" (1995) no seriado chamado *Horizontes*, e nele Luca Turin sugeriu uma teoria diferente, segundo a qual a energia vibratória das moléculas constitui o fator crítico para que possamos distinguir um odor. Alguns acreditam que a questão de como os seres humanos e outros mamíferos são capazes de detectar os odores ainda está longe de ser determinada (Williams, 1996); mesmo assim, Dodd e Skinner (1992) ficaram surpresos quando conheceram especialistas em perfumes, que sustentavam a hipótese vibratória dos mecanismos olfativos. Mas o fato é que ainda não conhecemos com exatidão o mecanismo pelo qual os seres humanos e os animais são capazes de detectar os aromas.

Sabemos no entanto que, tão logo a molécula perfumada se encaixa no cabelo olfativo, a sua mensagem aromática específica é transmitida por via do bulbo e do trato olfativo para a região do cérebro (conhecida como sistema límbico), que ativa a memória, os sentimentos e as respostas emocionais. (*Ver diagrama na página seguinte.*) Essas mensagens são convertidas em ação, que, de acordo com a situação, resulta na liberação da euforia, do relaxamento, da sedação ou das estimulações neuroquímicas (Price e Price, 1999, pág. 150). As diferentes moléculas aromáticas tanto causam a liberação como o bloqueio de neurotransmissores específicos (Schmidt, 1995), que serão mencionados adiante, com mais detalhes. Já se chamou o sistema límbico de rinencéfalo e também de "cheiro do cérebro"; pelo fato de nele serem guardadas as memórias passadas, os aromas têm sido utilizados com sucesso na estimulação das mentes que sofrem de amnésia (Price, 1991). Suzanne Fischer-Rizzi, a quem tive o prazer de conhecer há alguns anos, escreveu o seguinte:

> O mecanismo regulador de nossa vida mais íntima encontra-se no interior do sistema límbico, que é a essência secreta do nosso ser. Nessa região, assentam-se a nossa sexualidade, os impulsos de atração e repulsão, o conjunto de nossas motivações e humores, a memória e a criatividade, e ainda o nosso sistema autônomo.
>
> Fischer-Rizzi, 1990

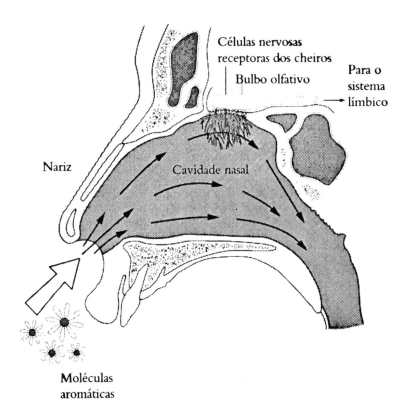

Moléculas aromáticas

O fato de as moléculas não-aromáticas passarem incidentalmente pelo nariz não as torna capazes de encaixar-se nas depressões dos cabelos olfativos; nesse caso, o estabelecimento da sensação do olfato não será portanto possível.

O número de moléculas que chegam ao cérebro depende do quão profundamente respiramos. Assim, quando a respiração é normal, é sempre pequena a quantidade de moléculas que atingem os delgados "cabelos", esses mesmos que transmitem sinais para o cérebro por via das células receptoras e do bulbo olfativo. (*Ver o diagrama*.) Entretanto, quando a respiração é profunda, ocorre um estímulo que carrega os óleos essenciais diretamente para o topo do nariz, fazendo com que uma quantidade maior de moléculas seja aprisionada pelos cílios; por conseqüência, o cérebro acaba apreendendo um aroma muito mais intenso.

Justamente por causa da já mencionada conexão direta que há entre o nariz e o cérebro, não resta dúvida de que a inalação é a rota mais rápi-

AROMAS E ÓLEOS ESSENCIAIS

da e eficaz para o tratamento dos problemas emocionais. Vejamos, aqui, uma afirmação de Turin (1995):

> O nariz é uma máquina fantástica, que está sempre disponível para as moléculas, por mais desconhecidas que estas sejam (...) E o processo que nele ocorre é inteiramente distinto daquele que se dá com uma vacina, uma vez que, por meio desta, a formação dos anticorpos só é obtida uma semana depois de a molécula ser injetada. Portanto, o resultado é bem mais rápido por via nasal, porque através dela não há nenhuma demora. Enfim, o nariz constitui um sistema que está sempre pronto para tudo, e de forma absolutamente disponível.
>
> **Turin, 1995**

A fácil passagem dos óleos essenciais através da barreira de sangue do cérebro deve-se ao fato de que eles se dissolvem, sem a menor dificuldade, em substâncias gordurosas, quer dizer, eles são lipofílicos (Buchbauer, 1993). As substâncias que são conduzidas pelo sangue até o cérebro precisam atravessar a sua barreira sangüínea, que não é nem um pouco permeável. E um exemplo disso está no fato de que a maioria das drogas e medicamentos que não são lipofílicos encontram muita dificuldade para atravessar essa barreira; por isso mesmo, terminam produzindo efeitos colaterais indesejáveis, o que aliás não ocorre com os óleos essenciais. (Os óleos essenciais também podem apresentar efeitos colaterais, mas em geral não são desfavoráveis.) Em função do que foi dito, os médicos quase sempre prescrevem uma dosagem mais alta do que a necessária para as drogas e medicamentos, pois só assim se garante um efeito benéfico. Além disso, à medida que o médico se assegura de que a condição do seu paciente suporta satisfatoriamente a dose prescrita, ele se vê na necessidade de prescrever dosagens mais altas ainda. (Ver, abaixo, *Um Caso.*) É bem verdade que às vezes a dose prescrita chega a ser muito alta; no entanto, é sempre melhor prevenir do que remediar, quando a saúde de alguém está em jogo (Rowe, 1999).

UM CASO

Quando Len (meu marido) tomou pela primeira vez os seus comprimidos para pressão alta, sofreu diversos efeitos colaterais indesejados. Mas, por sorte, tivemos um médico que também era nosso amigo, e por isso lhe perguntamos se Len não poderia experimentar uma dosagem mais baixa. Dessa forma, com a ajuda de sua mulher que era enfermeira e monitorava a pressão sangüínea de Len a cada dois ou três dias, a sua dosagem foi sendo reduzida ao longo de três meses (durante os quais também foram usados os óleos essenciais como reforço), até que fossem atingidos 87,5% de redução na potência dos comprimidos, e com isso desapareceram todos os efeitos colaterais indesejados.

Len sentiu um certo medo, sobretudo na noite que antecedeu o início da redução da dosagem dos medicamentos, devido à sua insegurança diante desse novo procedimento, mesmo sabendo que ficaria sob uma supervisão diária (o corte da pílula pela metade lhe daria uma redução imediata de 50% nos medicamentos que iria ingerir). Entretanto, ainda nessa noite que precedeu à redução, enquanto nós dois preparávamos os óleos essenciais que lhe serviriam de ajuda na diminuição de sua pressão alta (lavanda, limão, manjerona e ylang-ylang) e também seriam de valia como reforço durante a redução da dosagem dos medicamentos, ele começou a ficar mais calmo. E, pensando no fato de que a manjerona e o ylang-ylang são excelentes como auxílio ao sono, coloquei ao lado da cama dele um lenço embebido com esses dois óleos. Assim, além de ter dormido bem, ele despertou na manhã seguinte sem nenhuma apreensão em relação à "aventura" em que se lançara. Darei abaixo algumas explicações um pouco mais detalhadas sobre esses óleos:

- A manjerona acalma o sistema nervoso e por isso ajuda a dormir; ao que tudo indica, é uma erva capaz de relaxar a pressão no peito, que é geralmente um dos sintomas do medo. Na condição de tônico respiratório, pode ajudar a diminuir o ritmo da respiração rápida, evidente nos estágios primários. Enfim, além de ser um tônico para os nervos, ela acalma e regula o batimento cardíaco.
- O ylang-ylang é calmante e sedativo, e por isso também pode abaixar o ritmo do batimento cardíaco que está muito rápido. E, ao que parece, é capaz de relaxar os espasmos do medo que afetam adversamente o sistema digestivo.

(No Capítulo 7 estão as propriedades completas de todos os óleos que dizem respeito ao medo.)

No Capítulo 2 pudemos observar a forma pela qual os diversos aspectos de nossas vidas (saúde, personalidade, estilo de vida, experiências passadas e aromas) podem interferir na nossa maneira de sentir e pensar, e, por conseqüência, em nossas emoções. Mas, na realidade, os aromas desempenham um papel muito maior do que aquele que imaginamos! Apesar disso, dentre os nossos cinco sentidos – paladar, audição, visão, olfato e tato –, o olfato é justamente aquele sobre o qual menos conhecemos. Na época em que fiz o ginásio, o curso de anatomia incluía a anatomia da língua, do ouvido, do olho e do sistema nervoso, porém não se fazia qualquer menção ao nariz, nem se dava qualquer explicação de como sentimos os odores, a despeito de o olfato ser um dos nossos sentidos mais importantes. Até mesmo Aristóteles admirou-se com o aspecto estético do olfato, observando que os odores prazerosos contribuem para o bem-estar da humanidade (Ohloff, 1994, pág. IX).

O olfato é certamente o mais sutil dos nossos sentidos. Todos sabemos que, quando ouvimos um barulho desagradável, basta tapar os ouvidos para deixar de escutá-lo, assim como os olhos também podem ser fechados quando não queremos ver aquilo que estamos vendo; geralmente não precisamos tocar (ou comer) o que não desejamos; contudo, é sempre extremamente difícil deixar de sentir um aroma, já que todos nós somos obrigados a respirar, e a respiração normalmente ocorre por intermédio do nariz. Até mesmo quando tentamos respirar apenas pela boca, uma parte do odor é absorvida pelo nariz, o que quer dizer que os aromas se recusam a ser confinados em um espaço específico, pois se espalham naturalmente, difundindo-se pelos arredores e mesclando-se facilmente com os outros odores, até criarem novos aromas. Uma vez no cérebro, eles agem imediatamente sobre o centro nervoso no topo do nariz (os cílios), propiciando uma reação emocional que tanto pode ser agradável como desagradável (Genders, 1972).

UM CASO

Ainda me lembro de minha época no colégio interno e sobretudo de um certo dia quando descobri que o cheiro horrível que saía da portinhola da cozinha era do meu prato com repolho, que ficava me esperando porque eu sempre relutava em pegá-lo. Embora até então adorasse o repolho que minha mãe cozinhava em casa, depois desse dia desejei nunca mais ver um prato igual. Porém, isso não era possível naquela escola, pois tínhamos que comer tudo o que era colocado no prato! E parece até que essa iguaria era feita para que passasse a tarde inteira vomitando na privada, antes que me dispusesse a comê-la! Mas, depois de passar duas vezes por esse suplício, concluí que a melhor coisa que podia fazer era comer o repolho enquanto ele estivesse quente. Mesmo assim, era necessário que eu apertasse o nariz, já que dessa maneira grande parte do gosto dele ia embora.

Será sempre difícil fazer uma opção por um determinado sentido do qual se pode mais prescindir. De minha parte, sempre pensei que os dois sentidos mais valiosos, e também mais fáceis de se perder, são a visão e a audição. Mas devo admitir que teria muita dificuldade, se tivesse que escolher um deles para perder. Entretanto, um dia li algo a respeito de um homem que havia perdido o olfato e percebi que, se eu o perdesse, isso seria para mim uma verdadeira tragédia. O que aliás foi muito bem ilustrado por Sacks:

> Era como se de repente eu tivesse ficado cego. A vida perdeu muito do seu sabor, e digo isso sabendo que quase ninguém se dá conta do imenso e precioso "sabor" que há no olfato. Nós todos "cheiramos" as outras pessoas, "cheiramos" os livros, "cheiramos" a cidade, "cheiramos" a primavera; no entanto, nem sempre fazemos isso de maneira consciente, embora não haja um só instante em que deixe de haver um rico pano de fundo inconsciente para tudo. Enfim, todo o meu mundo tornou-se subitamente mais pobre.
>
> Sacks, 1987

A interpretação de um dado aroma é a mesma para cada pessoa?

A resposta para essa pergunta é "não"! Como já foi dito, cada aroma em particular é feito de diferentes moléculas, assim como existe um determinado "entalhe" no qual cada uma das moléculas pode se encaixar. Dessa forma, sem a presença de um ou dois desses entalhes, o aroma da substância percebida torna-se diferente, fazendo com que a sua inter-

AROMAS E ÓLEOS ESSENCIAIS

pretação seja nitidamente individual, uma vez que esta irá diferir ocasionalmente da que é feita pelas outras pessoas. Levando em conta que as distinções da visão são amplamente reconhecidas e visíveis em qualquer cenário e que as variações auditivas talvez sejam menos óbvias, mas qualquer um é capaz de reconhecer a sua existência, por que então supor ou esperar que todos tenham a mesma experiência em relação aos aromas? (E levo isso adiante, perguntando-me se cada um de nós não teria uma diferente experiência com o toque!)

UM CASO

No curso avançado para o diploma de aromaterapeutas qualificados, tivemos que explorar o olfato profundamente. Assim, o Dr. George Dodd, um dos palestrantes que nutria um enorme interesse por este sentido, deu a cada um de nós a amostra de um líquido que possuía um aroma específico. Depois de termos cheirado ao mesmo tempo a nossa porção, ele nos perguntou se havia alguém que não conseguira sentir nenhum cheiro; na classe, havia ao todo 24 alunos, e somente duas pessoas ergueram as mãos. Em seguida, ele quis saber quantas pessoas haviam gostado do odor, e dessa vez quatro pessoas levantaram as mãos. E, quando perguntou se havia alguém que não o apreciara, 18 pessoas se manifestaram. Por fim, indagou se nós sabíamos que aroma era aquele; pois bem, os primeiros interrogados não faziam a menor idéia do que se tratava, enquanto alguns disseram, sem muita certeza, que aquele odor lhes evocava o suor – e acertaram!

Qualquer um Pode se Beneficiar com a Aromaterapia?

Os aromas são capazes de afetar e beneficiar aqueles que não possuem o sentido do olfato?

Anosmia é o termo empregado para a perda do olfato. Mas uma pessoa pode sofrer de anosmia total, que se resume à incapacidade de não sentir nenhum aroma, assim como pode ser passível de uma anosmia parcial na qual não são percebidos apenas determinados odores; ou de anosmia temporária, geralmente causada por um forte resfriado ou por uma sinusite crônica, que se extingue quando a condição física retorna ao seu estado normal.

A essa altura, creio que você já esteja se perguntando o seguinte: "Se alguém não consegue registrar o cheiro, como é que ela poderá se beneficiar com a inalação dos óleos essenciais?" Mas, aqui, é preciso lembrar o que discorri há pouco sobre a inalação, quando afirmei que os óleos essenciais seguem duas rotas: a primeira, diretamente para o cérebro, e a segunda por via dos pulmões, e daí para a corrente sangüínea. Por isso mesmo, a anosmia não cria obstáculos para que os óleos sejam absorvidos de maneira que possam atingir o cérebro.

O que pode ser dito de quem não tem o sentido do olfato?

Embora não sejam muitas as pessoas que sofrem de anosmia total, muitas são vítimas de anosmia parcial e quase sempre sem se dar conta disso. Isso ocorre quando, no início do processo olfativo, o cílio apresenta uma única forma de depressão na qual uma só molécula aromática é capaz de se encaixar; assim, quando os cílios de alguém se ressentem das depressões necessárias para certos aromas, o odor inalado não é reconhecido. Portanto, se aquela peça molecular, que faz parte do olfato e se assemelha a uma serra, não encontrar nenhum lugar para encaixar-se, como conseqüência nenhum sinal poderá ser transmitido para o cérebro (Price e Price, 1993, pág. 153). Mas, na verdade, essa "deficiência" nunca é tão óbvia quanto a da visão; além disso, quando uma pessoa percebe que este último sentido está falhando, ela tem o uso dos óculos como alternativa para retificá-lo. Por outro lado, ainda não existem maneiras fáceis de detectar diferenças na capacidade olfativa.

Será que perdemos o nosso olfato quando dormimos?

Ao que tudo indica, os seres humanos reagem aos odores, até mesmo quando estão dormindo (Badia e outros, 1990). Ocorre no entanto que o uso prolongado dos aromas é capaz de ajudar a restaurar o sentido perdido do olfato (ver, a seguir, *Um Caso*), o que aliás tem sido demonstrado em testes (Holley, 1993), assim como vêm sendo notavelmente demonstrados os vários efeitos fisiológicos do olfato, tanto em pessoas normais quanto naquelas que sofrem de anosmia (Nasel e outros, 1994). Os efeitos dos aromas também têm sido observados em

AROMAS E ÓLEOS ESSENCIAIS

determinadas circunstâncias nas quais o seu nível é tão baixo que as pessoas não conseguem detectá-los (Kirk-Smith e Booth, 1990).

Eis por que a resposta para essa pergunta é Sim!

De acordo com as pesquisas que acabei de mencionar e levando também em conta a minha própria experiência prática, acredito que seja seguro afirmar que os aromas desencadeiam um efeito positivo nas pessoas, até mesmo

- quando o aroma não é percebido;
- quando essas pessoas sofrem de anosmia;
- quando estão passando por uma anosmia temporária, seja por causa de um resfriado ou de uma sinusite;
- quando estão dormindo.

UM CASO

Um dos meus clientes havia sofrido de uma sinusite crônica por muitos anos, a ponto de seu olfato se deteriorar; poderíamos até dizer que ele tinha passado por uma anosmia temporária e ao mesmo tempo prolongada. E só depois de uma cirurgia, que não surtiu grandes efeitos, é que esse homem se deu conta de que a sua vida sem a capacidade olfativa o fazia sentir-se miserável, especialmente quando voltava do trabalho e não conseguia sentir o cheirinho da comida que sua mulher preparara (diga-se, de passagem, que era uma excelente cozinheira!). Mas o pior é que nem o sabor ele conseguia sentir, pois o olfato e o paladar estão intimamente ligados.

Depois que a sua esposa ouviu-me no rádio, ambos vieram me ver, embora vivessem a 60 milhas de mim. Apliquei então uma massagem "sanduíche" na sua face, suplementada por um TSR (Trabalho Suíço de Reflexo; uso o termo *suíço* porque "elaborei" essa forma bem-sucedida de aromaterapia para os pés quando estava de férias na Suíça), retornando em seguida para a massagem no seu rosto. Dois dos óleos que utilizei na minha mistura sinérgica eram particularmente poderosos – *Mentha x piperita* (hortelã-pimenta) e *Eucalyptus globulus* (eucalipto) –, ainda que o paciente não fosse capaz de detectar nenhum deles.

Depois de me visitar por três sábados seguidos para tratamento, esse homem afirmou que já estava sentindo algum odor. Coloquei então algumas gotas de hortelã-pimenta num pedacinho de pano e o levei até as proximidades do seu nariz. Ele emitiu imediatamente um suspiro de prazer e logo me disse: "Estou sentindo um cheiro de hortelã, está muito fraco, mas posso senti-lo!" Após seis meses de tratamento, ele já havia recuperado quase que totalmente o seu olfato, a ponto de conseguir apreciar alguns dos aromas que exalavam dos pratos preparados pela esposa, e isso fez com que a vida se tornasse muito mais feliz para o casal.

Eu já estava esperando por alguns bons resultados, por menores que viessem a ser, pois havia lido a respeito de descobertas recentes que indicavam a restauração da sensibilidade, em homens e animais portadores de anosmia parcial, para alguns odores, através de repetidas exposições a esses (Wysocki e outros, 1992). Mas o fato é que esses resultados foram bem melhores do que eu esperava, sem mencionar o surpreendente efeito colateral que se deu com a melhoria de qualidade da convivência deles!

O Efeito dos Aromas sobre as nossas Emoções

Diariamente, somos invadidos por aromas e odores – não há escapatória! –, mas infelizmente a maior parte deles é sintética, sobretudo nos produtos domésticos e nos cosméticos. Os aromaterapeutas consomem horas de trabalho, na tentativa de imitar determinados odores naturais, porque o seu trabalho, tal como o de um perfumista, é o de misturar substâncias sintéticas, já que não são avessos ao uso delas. Mas o que espanta a mim e ao meu marido é a rejeição, por parte de alguns aromaterapeutas, ao uso dos óleos essenciais nas salas de espera, nos sanatórios e nos hospitais; para tal, valem-se do argumento de que não desejam "infringir a liberdade de escolha pessoal de cada um". Segundo eles, uma pessoa que esteja no leito de um hospital, por exemplo, poderá não gostar da mistura de óleos essenciais de alguém que esteja no leito ao lado. Assim, receosos de transgredir a liberdade civil dos outros, alguns especialistas chegam a ponto de não fazer uso dos óleos que servem de ajuda para dormir, quando numa mesma enfermaria todos estão sofrendo de insônia. Entretanto, os óleos essenciais são puros e naturais; aliás, na maioria das vezes são os únicos produtos naturais que exalam de um prédio inteiro! Ao longo dos meus 23 anos de aulas e palestras, sempre fiz uso da mistura dos seus aromas e nunca deixei de comprovar a forma prazerosa com que todos a recebiam; portanto, a meu ver, a idéia de "liberdade civil" é difícil de engolir nesse contexto.

Jamais ouvi falar de alguma pessoa que tenha desaprovado a aplicação de um aroma refrescante e perfumado no elevador, e este é um só exemplo; por isso, estou certa de que ninguém aprovaria o banimento dos perfumes utilizados nos aeroportos, porque alguns passageiros poderiam não gostar de um ou outro aroma em particular. Apesar de hoje em dia já haver nos restaurantes as mesas para os não-fumantes, será que estes têm o direito de interferir nas mentes daqueles que estão sentados no outro lado da área delimitadora? Será que as pessoas seriam capazes de desaprovar o cheirinho de pão que emana das padarias, muito embora eu tenha a certeza de que são poucos aqueles que detestam o odor de um pão recém-assado? Será que alguém faria oposição à utilização de fragrâncias exóticas para alegrar uma festa? Espero que não! Até porque a música estridente é bastante usada nos restaurantes, nas lojas e em outros locais, bem como as luzes "psicodélicas", e, embora sejam amplamente aceitas, ambas podem causar constrangimentos.

Conforme você deve ter notado, o simples fato de pensar nesse tipo de assunto já está afetando as *minhas* emoções, e isso somente porque alguém sugeriu ou poderá insinuar que as coisas mais preciosas para mim – as mesmas que sempre serviram de ajuda para todos aqueles com os quais mantive contato – não deveriam ser permitidas nos lugares onde se reúnem diversas pessoas. Mas sei que ninguém, *ninguém,* sem exceção, jamais reclamou de nenhum aroma – argumentando que preferia algum outro – dos óleos essenciais que foram utilizados por mim nos mais diferentes lugares, sejam os que empreguei nos hospitais e sanatórios com o propósito de difundir a saúde no ambiente, ou aqueles que pus como acompanhamento em jantares para obter um efeito relaxante, ou mesmo os que coloquei nas festas de Natal para criar um odor sazonal. Decididamente, na minha opinião, não é mesmo possível que alguém possa ser afetado, de maneira adversa, pelos aromas dos óleos essenciais, como querem fazer crer aqueles que argumentam isso com base na liberdade civil.

O que mais influencia a minha reação (e por conseqüência as minhas emoções), diante de quem sustenta esse ponto de vista, é a evidência de que os odores (geralmente sintéticos) são freqüentemente usados em quase todos os lugares, e nem por isso aparece alguém para falar em liberdade civil, sem mencionar o fato de que os aromas sintéticos podem realmente produzir um efeito adverso sobre a saúde; no entanto, não somos capazes de fazer nada quanto a isso, pois nesse caso nos vemos sem qualquer escolha. Um integrante do PV (e provavelmente outros mais) acredita que muitos dos seus problemas de saúde foram adquiridos no trabalho por causa dos "aromatizantes" de ar comerciais (Lawson, 1995), ou seja, aqueles que não desprendem aromas naturais, tal como acontece com os que exalam das misturas de quase todo *potpourri* encontrado à venda e que também causam problemas para certas pessoas.

UM CASO

Há vários anos que eu e Len temos estado em diversos países. Len é asmático, e quando ele tem as suas crises, atualmente raras, fazemos uso dos óleos essenciais para poupá-lo dos nebulizadores. Contudo, certos cheiros terminam por agravar as crises, e dentre eles estão alguns perfumes, ou melhor, alguns componentes de determinados perfumes que prejudicam os seus pulmões. (Mas não há um só óleo essencial, dentre os 160 existentes, que o afeta adversamente.) Pois bem, em nossas viagens, já aconteceu de Len ser acometido pela sua crise, pelo menos umas três vezes, logo depois de termos embarcado no avião, por causa de algum perfume de alguém sentado próximo a nós. Isso ocorre normalmente com aqueles perfumes que são comprados nas *Free-Shops* dos aeroportos, mas o fato é que o meu marido se vê obrigado a mudar para uma outra poltrona, ou mesmo para a 1ª classe, quando o avião está cheio.

Ainda me lembro de um outro desastre que lhe ocorreu num elevador que tinha acabado de ser limpo (mais tarde, descobrimos que haviam usado um aerossol de limpeza). Assim que Len entrou nesse recinto, começou a passar mal; a partir desse incidente, antes de entrarmos em qualquer elevador, primeiro dou uma checada para ver se não recebeu uma limpeza recente, pois, se há algum odor, o meu marido respira profundamente e fica segurando a respiração até chegarmos ao andar para onde temos que ir. Felizmente, para ele, no mais das vezes, os andares são sempre baixos! Afora a sua ojeriza pelos produtos de limpeza utilizados nos elevadores, Len não consegue entrar em lojas onde são vendidos os *potpourris* de aromas sintéticos, já que eles também detonam nele uma crise de asma, mas, nesse caso, tem a liberdade de optar por não entrar na loja.

A essa altura, creio que você já se esteja perguntando o que isso tudo tem a ver com as emoções. Ocorre, no entanto, que tais experiências sempre provocam em Len a emoção do medo. Em certa ocasião, na América, ele teve uma crise fortíssima por causa de alguma coisa que exalava de uma fazenda, que se encontrava perto de onde estávamos. A crise foi tão forte, que tive de levá-lo às pressas para um hospital, situado a 20 milhas de distância, e lá permaneceu internado por três dias. Enfim, jamais me esquecerei disso e muito menos ele!

Atualmente, antes de qualquer viagem, nós sempre nos preparamos para essas eventualidades, carregando uma mistura sinérgica, que é composta dos seguintes ingredientes:

- Manjericão: por ser um regulador do sistema nervoso, ajuda a aliviar a tensão mental e a ansiedade.
- Manjerona: além de ser um excelente calmante, é um tônico respiratório que relaxa os espasmos dos brônquios.

Além disso e apenas por precaução, nunca viajamos sem os óleos que servem de auxílio para os sintomas físicos da asma: uma mescla de manjericão, eucalipto, hortelã-pimenta, lavanda e hissopo.

Em certa ocasião, li um livro adorável intitulado *Perfume,* escrito por Patrick Süskind; trata-se de um daqueles livros que não se consegue parar de ler; sua história gira em torno de um perfumista que viveu a sua vida à procura de algo que pudesse finalizar a sua "obra-prima". O personagem central diz inúmeras vezes que o aroma é o irmão da respiração, e que os seres humanos não têm como se defender disso. Mas, em certo trecho, ele também diz:

> O aroma é capaz de penetrar no verdadeiro âmago dos homens, pois vai diretamente para os seus corações, onde permite que seja feita uma decisão entre a afeição e o desrespeito, a sensualidade e o prazer, bem como entre o amor e o ódio. Portanto, as leis dos odores regem o coração do homem.
>
> Süskind, 1986

O autor refere-se certamente a todos os aromas, quer venham dos animais, ou das plantas; mas estou segura de que não existe um só óleo essencial (pelo menos no uso corrente da aromaterapia) que possa evocar desprazer ou ódio nas pessoas. No entanto, as suas palavras ilustram muito bem o quão fortemente todos nós somos afetados pelos aromas de todas as espécies.

Segundo uma pesquisa, os odores agradáveis interferem de maneira prática na criatividade, como também na avaliação e nas memórias pessoais. Quando esses odores agradáveis foram comparados com os odores desagradáveis, chegou-se à conclusão de que eles:

- estimulam a criatividade;
- fazem com que a avaliação das palavras e das imagens das pessoas seja mais positiva;
- enfatizam muito mais as memórias felizes (Warren e Warrenburg, 1993).

Muitos escritores, filósofos e médicos da antiga Grécia discorreram sobre a influência dos aromas sobre os seres humanos. Na *Odisséia* de Homero, por exemplo, escrita setecentos anos antes da Era Cristã, foi revelado o segredo do "Buquê de Vênus", o mesmo que tornava Afrodite irresistível (Ohloff, 1944, pág. VIII). Galeno, o célebre médico grego mencionado antes, recomendava o uso de ervas aromáticas para combater as convulsões histéricas e, além disso, considerava a fragrância do narciso (a fragrância da planta e não do seu óleo essencial) o "alimento da alma". A fragrância do jacinto (e não do seu óleo essencial) era recomendada pelos gregos para revigorar e reanimar a mente

AROMAS E ÓLEOS ESSENCIAIS 75

cansada (Lawless, 1994). E, assim, comprovamos que os aromáticos foram valorizados durante séculos, por causa dos seus efeitos sobre a mente, além de terem sido eficazmente utilizados no combate às doenças, sendo sempre prescritos por suas propriedades estimulantes e tranqüilizantes e, portanto, por sua capacidade de alterar os humores.

UM CASO

Um amigo recente – que sabe pouco a respeito da aromaterapia e dos óleos essenciais, mas que projeta jardins e, por conseqüência, está familiarizado com os aromas – visitou-me quando eu estava escrevendo este livro, e aproveitei a ocasião para perguntar-lhe sobre os efeitos que os aromas exercem sobre ele. E obtive a seguinte resposta: "Para mim, o impacto do aroma ou da fragrância é tão importante quanto o de qualquer outro estímulo capaz de criar humores específicos, sentimentos e outros estados mentais. Isso pode ser mais bem percebido toda vez que se entra em áreas ou em aposentos com um novo aroma, pois a nova fragrância logo dissipa qualquer tipo de entrave emocional que esteja presente, transformando assim o estado mental do indivíduo. O poder do sistema olfativo é tanto, que até mesmo uma leve fragrância tem a capacidade de aumentar ou modificar os estados emocionais."

Ele continua: "Valendo-me de minha experiência pessoal, posso afirmar que a vaporização [na verdade, esse meu amigo usou a palavra *queima*; ver na página seguinte] da fragrância de um certo tipo de cedro ajuda-me a concentrar e a relaxar quando estou trabalhando no computador. Entretanto, pelo fato de as demais fragrâncias possuírem efeitos diferentes, e também devido à minha familiaridade com elas, costumo fazer uso de grupos distintos de flores em determinados recantos, para criar climas específicos. Por exemplo, a inalação profunda do aroma de certas rosas e da silindra estimula o relaxamento, ao passo que a reunião do viburno, do apócino, do jasmim e do *Osmanthus americanus* produz um fabuloso leque de odores bastante revigorantes."

De tudo o que foi dito pelo meu amigo, separei algumas coisas interessantes:

- Ele tem o hábito de agrupar os aromas, e isso fortaleceu a minha crença de que se deveria sempre usar mais de um óleo essencial para estabelecer uma sinergia, não somente porque o seu efeito será maior do que o obtido com um só óleo, mas sobretudo porque se acaba formando uma dimensão mágica "extra" quando se utiliza uma mistura.
- Embora ainda não tivesse recebido nenhuma informação a respeito de uma pesquisa sobre o jasmim, realizada no Japão, na qual foi descoberto que essa planta (e também o seu óleo essencial) é na verdade estimulante e não relaxante (Torii e outros, 1988), como muitos de nós pensávamos, esse meu amigo afirmou o mesmo!

Todo óleo essencial é feito de diferentes moléculas, e cada uma possui forma e tamanho próprios, algumas evaporando muito mais rápido do que as outras. As moléculas individuais que evaporam mais rapidamente (e também os óleos essenciais que contêm uma alta proporção de moléculas leves e voláteis) são chamadas de *notas altas*. E as que evaporam de maneira mais lenta (e também os óleos essenciais que contêm uma alta proporção de moléculas pesadas com pouca volatilidade) são chamadas de *notas baixas*. Quanto às moléculas e óleos essenciais que se situam entre as duas modalidades citadas, são chamadas de *notas médias*. A indústria perfumista deu essas classificações aos óleos essenciais e aos seus componentes individuais, porque a volatilidade constitui o fator mais importante na elaboração do perfume.

A diferença de volatilidade é portanto fundamental quando se faz uso dos óleos essenciais no vaporizador ou como é errônea e freqüentemente chamado, no *queimador*. Por isso, embora o meu amigo tenha usado o termo *queimar*, prefiro dizer *vaporizar*, até porque as palavras *queimador* e *queimar* sugerem o ato de atear fogo em alguma coisa, além de estarem associadas com a fumaça cáustica. Quando os óleos essenciais são utilizados através das populares lâmpadas e dos vaporizadores elétricos, ficam muito mais próximos das fontes de calor; dessa forma, pelo fato mesmo de que as moléculas mais leves e médias desses óleos são as primeiras a vaporizar, as notas baixas são as últimas a "sair" e, ao terminarem o seu movimento, deixam um resíduo resinoso com um odor bastante desagradável. Para minimizar então esse resultado, procure sempre colocar um pouco de água no prato para evitar que o óleo seque.

Conclusão

Já apareceram muitas publicações com diversas pesquisas sobre os efeitos que os óleos essenciais exercem sobre a mente, e todas são unânimes ao afirmar o sucesso considerável que tais óleos obtêm nesse campo. Embora eu tenha selecionado para este capítulo algumas referências a essas pesquisas, nos próximos capítulos acrescentarei outras. No entanto, creio já ter deixado claro que o rápido reconhecimento das moléculas aromáticas por parte do cérebro indica a inalação como um método excelente para o "tratamento rápido" das emoções, como, por exemplo, quando se tem um choque súbito ou uma reação exaltada diante de uma determinada situação.

4 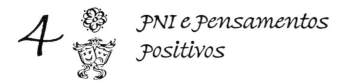 PNI e Pensamentos Positivos

A psiconeuroimunologia (PNI) é praticamente uma ciência nova, porque só veio a ser conhecida a partir dos anos 80. E essa ciência, que trata da interação entre o estado emocional e a saúde geral, também pode ser definida como "o estudo das formas pelas quais os pensamentos podem interferir no cérebro, de maneira a afetar diretamente a saúde das células de todas as partes e sistemas do corpo".

Quando entendemos perfeitamente o funcionamento dessa relação entre corpo e mente, tornamo-nos capazes de apreciar as influências exercidas pelos pensamentos positivos e as formas pelas quais podem neutralizar os padrões negativos da *saúde*, muitas vezes introduzidos pelos padrões dos pensamentos negativos. Portanto, quando nos conscientizamos da interferência em nossa saúde por parte da interação existente entre o corpo e a mente, não chegamos à outra conclusão senão a de que existe uma grande importância no modo pelo qual pensamos; no entanto, depois disso é preciso que se dê um passo adiante, accitando o fato de que em cada ser humano existe realmente um imenso poder capaz de modificar as coisas. E é justamente aí que a crença em Deus, ou no Criador Divino, ou no Poder Universal, entra em cena!

É sempre uma tarefa difícil qualquer discussão sobre a PNI, sem que haja menção ao poder do pensamento positivo, já que ambos estão intimamente relacionados; mesmo assim eu gostaria de

- apresentar a PNI e o modo pelo qual ela funciona;
- expor os estados mentais que exercem influências negativas ou positivas sobre a saúde;
- descrever os diferentes ritmos do cérebro e as funções da mente;
- divulgar as maneiras pelas quais os aromas (e, por extensão, os óleos essenciais) influenciam os níveis cerebrais;

- especificar os níveis cerebrais mais adequados para exercerem influências sobre a mente;
- explicar o pensamento positivo (dinâmicas da mente);
- demonstrar os modos pelos quais se pode praticar o pensamento positivo para se obter êxito.

Introdução

Tudo quanto é forma de funcionamento humano mantém um envolvimento íntimo com a energia. E todos os padrões energéticos emitidos pelo corpo humano, e que podem ser demonstrados por via da fotografia Kirlian, são diferentes na saúde e na doença, além de serem influenciados significativamente pelos processos mentais e pelos estados emocionais. Infelizmente, grande número de pessoas ainda acredita que a sua existência esteja restrita a um confinamento nos aspectos físicos, ou seja, no corpo propriamente dito; no entanto, o que essas pessoas não percebem é que assim estão explorando e vivenciando apenas *um quinto de todo o seu potencial*. Elas não conseguem, portanto, apreciar e usufruir os quatro quintos restantes, que representam o mais "alto grau" da completude do eu (Bennett, 1989).

Se, no entanto, conseguirmos entender de que forma a PNI e os pensamentos positivos interferem em nossas vidas, seremos capazes de aceitar mais facilmente o que foi dito e que, à primeira vista, pode parecer bizarro. Mas, antes, vamos nos deter um pouco nesse termo, pois, quando o dividimos, verificamos que a extensão de psico-neuro-imuno-logia já nos diz exatamente tudo aquilo que nele está envolvido, ou seja, o estudo (*logia*) da mente (*psique*), do sistema nervoso (*neuro*), e do sistema imunológico (*imuno*).

O Sistema Imunológico

Foi somente nas últimas décadas que o sistema imunológico tornou-se uma parte da anatomia, junto aos nove sistemas já conhecidos por séculos (ósseo, muscular, circulatório-cardiovascular, linfático, digestivo, excretório, glandular, reprodutor e nervoso). O sistema imunológico é a defesa que todo corpo tem contra a doença; assim, quando uma criança é imunizada contra certas doenças que poderão surgir, o seu corpo produz anticorpos que irão combater com êxito o vírus da vacina. Tais anticorpos permanecem no interior do corpo humano como forma de prevenção a uma possível instalação futura da doença na criança; em suma, a vacina fortalece o sistema imunológico.

Toda vez que alguém está sob um severo estresse, ou sofrendo de uma doença prolongada, ocorre um enfraquecimento do sistema imunológico, pois este se torna incapaz de produzir uma quantidade suficiente de anticorpos para impedir a introdução de germes que venham a entrar em cena; portanto, o estresse e o enfraquecimento do sistema imunológico viabilizam a doença.

As questões que todos nós gostaríamos que fossem respondidas são as seguintes:

- De que forma a nossa maneira de pensar será capaz de exercer forte influência em nosso sistema imunológico e em nossa saúde geral (física, emocional e espiritual)?
- Qual é o fator que faz com que a interação existente entre o corpo, a mente e o espírito acabe tendo uma influência considerável tanto na saúde como na doença?
- O pessimismo é capaz de interferir diretamente no nosso sistema imunológico?

A explicação da base física da psiconeuroimunologia será dada um pouco mais adiante, mas desde logo quero dizer que será difícil traduzir toda a sua maravilha e sobretudo a conexão deslumbrante que há entre os efeitos psicológicos e físicos.

A partir do momento em que houve uma união entre psicólogos, neurocientistas e imunologistas, o cérebro e os sistemas cardiovascular, nervoso e imunológico passaram a ser pesquisados, nos últimos anos, de maneira mais independente; como conseqüência desse trabalho, descobriu-se uma relação íntima e real entre esses sistemas, o que deu origem a uma nova disciplina: a psiconeuroimunologia.

Segundo uma explicação de Joan Borysenko, em seu livro *Minding the body, mending the mind*, o grupo de mensageiros hormonais denominados neuropeptídios tanto é produzido pelo cérebro quanto pelo sistema imunológico e pelas células nervosas em vários outros órgãos. Contudo, as áreas do cérebro que controlam as emoções são particularmente bem supridas com receptores para tais neuropeptídios, assim como também é esse órgão o que possui áreas receptoras para dois outros elementos que são produzidos somente pelo sistema imunológico. Isso nos fornece um admirável "sistema duplo de comunicação, que faz uma ligação entre a mente, o sistema imunológico e, potencialmente, os demais sistemas: uma via pela qual as nossas emoções (como, por exemplo, os desejos e medos) podem afetar a capacidade de defesa do nosso corpo" (Borysenko, 1988).

Nos últimos dez ou quinze anos,

> (...) o estudo das conexões entre a mente e o corpo teve um grande avanço. E com isso aprendemos que existem ligações diretas entre o cérebro, o sistema nervoso, as glândulas produtoras dos hormônios e o próprio sistema imunológico.
>
> Wood, 1990, pág. 119

Os Estados da Mente que Interferem na Saúde

A importância do que foi dito acima é realmente imensa, pois, ao contrário do que se pensava, os sistemas nervoso e imunológico são interligados, e por isso a comunicação existente entre eles afeta a saúde para o bem e para o mal, dependendo parcialmente de tudo aquilo que se passa na mente. E uma tal interação "parece mesmo afetar o comportamento, a emoção e o humor, como também o desempenho físico" (Wingate e Wingate, 1988). Quando um corpo está combatendo, por exemplo, uma infecção, essa intercomunicação informa ao cérebro tudo o que está ocorrendo nele. Assim, quando estamos sofrendo de um estresse intenso, ou então de depressão ou de emoções destrutivas – angústia, melancolia, desolação, pesar, tristeza, dor e preocupação –, essa mesma intercomunicação suprime a capacidade de o nosso sistema imunológi-

PNI E PENSAMENTOS POSITIVOS 83

co destruir a bactéria causadora de uma possível infecção, o que acaba resultando em doença. A gravidade de qualquer doença dependerá então do tempo pelo qual um determinado estado mental ou emocional fez parte da vida de quem contraiu a doença e também do grupo e da intensidade de tais estados.

A medicina psicossomática (mente/corpo) prioriza a mente para depois estender-se ao corpo. (Ver *Um Caso*, pág. 46.) Segundo ela, tudo aquilo em que acreditamos torna-se a biologia do nosso corpo; eis por que a mente do sofredor acaba criando o seu próprio cenário de infelicidade e dor. Portanto, os nossos pensamentos e as nossas emoções (e, conseqüentemente, as nossas palavras) são os fatores que determinam a decisão das células de nosso corpo para tomar a via da saúde ou da doença. Por isso mesmo, as emoções positivas são capazes de produzir um efeito benéfico, enquanto as negativas geram efeitos patológicos (que mantêm uma relação estreita com a doença, quando não são a sua causa).

UM CASO

Quando eu era adolescente, uma das minhas tias favoritas faleceu. Como ela e tio Wilton não tinham filhos, a vida de ambos era vivida na base de um para o outro. Assim, quando a tia Maidie faleceu, meu tio, que era um homem bastante sadio, perdeu o interesse pela vida e passou a repetir que queria morrer para estar com ela. Depois disso, embora a família tentasse confortá-lo, ele acabou também falecendo em três meses. E o seu médico foi o primeiro a dizer para todos nós que não havia razão para a sua morte; que, na opinião dele, meu tio havia morrido de tristeza. Enfim, depois de tantos anos de experiência, hoje já posso entender que isso deve ter sido realmente verdadeiro.

Segundo diversos pesquisadores que examinaram a relação entre as emoções e a doença, a depressão e o pesar estão fortemente associados com a supressão do sistema imunológico. Se observarmos aquilo que é dito nos funerais pelos familiares e amigos do morto, chegaremos à mesma conclusão daquilo que já era reconhecido há 100 anos: "A depressão do espírito daqueles que vivem circunstâncias melancólicas (...) os dispõe aos piores efeitos do abatimento." (Editorial: *British Medical Journal*, 1884.)

Vários psicólogos que estudaram a vida de pacientes com câncer descobriram que muitos deles tinham passado por depressões, antes do desenvolvimento da doença, alguns por causa do falecimento da esposa ou do esposo, e outros por verem um filho sendo diagnosticado como portador de leucemia (Gerber, 1988).

UM CASO

Uma das minhas amigas perdeu a sua única filha quando esta estava com 18 meses. Depois disso, o sofrimento de Sônia arrastou-se por muitos anos e, a cada nova oportunidade, ela aproveitava para falar de sua filha, revivendo mais uma vez toda a sua dor. Até que, passados sete anos, terminou por desenvolver um câncer, e não houve um só médico que se sentisse constrangido em afirmar a hipótese de que a sua doença estava ligada ao seu sofrimento. Embora o prognóstico fosse sombrio, a minha amiga estava determinada a enfrentar o seu câncer, mas o maior problema é que ainda não conseguia se perdoar por aquilo que tinha ocorrido com a filha. E isso porque não havia jeito de ela aceitar a idéia de que não poderia ter feito nada diferente do que fez para impedir que sua filha morresse. Portanto, para dar início ao processo de cura, era necessário que ela se conscientizasse desse fato, pois só assim se libertaria da culpa.

Quatro meses mais tarde, Sônia começou a estudar aromaterapia, com a intenção de compreender o funcionamento do corpo humano, pensando que assim nunca mais deixaria de reconhecer quando alguém estivesse doente, e isso a fez dedicar-se ao estudo do pensamento positivo. Depois então de dois ou três anos, através dos seus próprios pensamentos e atitudes positivas, mas valendo-se para isso de imagens e visualizações também positivas, ela se viu curada do seu câncer. Entretanto, Sônia também fez uso dos óleos essenciais, sobretudo de uma criação que ela chamou de "um abraço dentro da garrafa" – de fato, uma delícia! –, que era uma mistura composta dos seguintes ingredientes: olíbano e rosas perfumadas, ambos macerados no óleo de flor de limão. Dessa forma, ela acabou se libertando do passado, aceitando o fato de que o seu sofrimento não iria trazer a sua filha de volta, até porque essa atitude só lhe causava uma vida de contínuo remorso, além de lhe fazer suprimir os próprios sentimentos em relação ao seu marido, sem que houvesse qualquer resultado disso. Por fim, resolveu realmente todos esses conflitos, assumiu a perda da filha; com isso ela encontrou uma nova felicidade e fortaleceu o seu casamento.

O excesso de dor pela morte é sempre uma loucura, pois é uma injúria para o vivo e não alcança o morto.

Xenofonte

A psiconeuroimunologia é uma ciência que nos faz entender que de alguma forma "nós somos aquilo que pensamos", porque nos prova que as emoções e pensamentos negativos são feridas auto-infligidas que abalam efetivamente o sistema imunológico, pois tornam o corpo vulnerável a uma vasta gama de processos doentios. Essa ciência nos deixa bastante claro que o nosso sistema imunológico encontra-se sob a influência das nossas experiências mentais e emocionais, das quais *nós* mesmos somos o leme. Por isso, os nossos pensamentos são uma espécie de "diretor geral" do nosso corpo, já que ele acaba reproduzindo de maneira obediente todos os desejos ditados pelos nossos processos mentais. De modo semelhante, as emoções destrutivas terminam inevitavelmente se expressando de maneira negativa no corpo, pois a raiva, o ódio, o ciúme, a inveja, a culpa, a cobiça, a falta de amor-próprio e de autoconfiança, o medo e o pesar também interferem no sistema imunológico, predispondo-o ao colapso da saúde.

Vale aqui observar um fato triste: os atores que representam repetidamente a peça *Macbeth,* de Shakespeare, assim como os cantores que interpretam continuamente canções melancólicas, estão sempre adoecendo. Isso ocorre porque as suas mentes enviam com freqüência comandos negativos para os seus sistemas imunológicos. Também tenho notado que aquele que tem o costume de sempre vestir-se de preto (um hábito que se deve à moda e à forma pela qual os astros do *rock* geralmente se vestem), sem o cuidado de adicionar um lenço, uma blusa, uma gravata, ou qualquer outro acessório colorido, possui quase sempre uma visão pessimista da vida, e com isso tende a expressar pensamentos agressivos, negativos e destrutivos.

Por outro lado, os pensamentos felizes e positivos (e as cores alegres!) exercem uma influência positiva sobre o comportamento das células corporais, resultando disso um estímulo (mesmo quando não se está saudável) tanto para a saúde como para o bem-estar em geral. Segundo Norman Cousins, o riso serve de excelente ajuda para a recuperação da doença depressiva. Por essa razão, ele costuma utilizá-lo quando os remédios alopáticos não o aliviam. Nessas ocasiões, ele se tranca numa sala com uma pilha de vídeos de Charlie Chaplin e, rindo, consegue trazer a sua saúde de volta! (Cousins, 1979.)

UM CASO

Pratico algo parecido com o que acima foi dito, sobretudo quando me estou sentindo meio "para baixo" (ainda que isso não aconteça com freqüência), pois esse artifício ajuda-me a dispersar os pensamentos tristes ou pessimistas que me estão assolando. A primeira vez que o experimentei foi numa ocasião em que eu dirigia um carro na direção do meu trabalho; era um dia chuvoso, o tráfego encontrava-se literalmente congestionado, e eu estava bastante preocupada com um sem-número de coisas que teria de fazer dali por diante. Resolvi então abrir um *enorme* sorriso, embora dentro de mim não houvesse a menor vontade para rir. Depois de alguns minutos com os lábios escancarados naquele sorriso estampado literalmente de orelha a orelha, de repente me dei conta de que não estava mais estressada e muito menos preocupada, pois passara a ficar bem comigo mesma. O meu sorriso tornou-se então real e, por incrível que pareça, cheguei no meu trabalho, dez minutos depois, inteiramente relaxada! E o fato é que essa mudança do meu estado emocional terminou por beneficiar as pessoas que atendi naquele dia, pois as minhas palavras eram ditas com uma atmosfera feliz e tranqüilizadora. Depois disso, passei a me valer do mesmo método, toda vez que me sinto desanimada, irritada ou triste, e garanto que *sempre* funciona. É claro que essa atitude não poderá resolver de fato o *motivo* pelo qual alguém está deprimido, irado ou mal-humorado, mas irá certamente alterar o cenário que venha a se formar em sua mente e qualquer emoção que venha a ser vivenciada; por isso, afirmo, com toda convicção, que esse método teve grande sucesso com todos aqueles aos quais o recomendei.

Esse exercício será sempre excelente para qualquer ocasião em que você esteja vivenciando pensamentos destrutivos ou negativos, tanto a respeito de si mesmo como dos outros. E também serve de introdução para uma sessão de pensamento positivo; portanto, experimente-o! O uso do sorriso forçado constitui uma atividade consciente para que haja a iniciação no processo de cura, seja ele corporal, mental ou espiritual. Um tal exercício põe então a própria positividade em ação, e por isso requer algum esforço para a sua realização. Por outro lado, a ausência de sorriso não requer esforço algum, mas o fato é que, sem o riso, acaba-se retardando inconscientemente a melhoria da saúde. Procure portanto pensar muito bem em qual será a sua escolha, pois de minha parte o que posso dizer é que todo esse esforço será sempre valioso!

UM CASO

Uma de minhas amigas nunca deixa de dizer que está *cansada* quando a cumprimento. É bem verdade que tem três filhos pequenos, e dois deles já estão em idade escolar (um, em período integral, e o outro em três manhãs por semana), mas acontece que ela não trabalha fora; no entanto, tenho muitas outras amigas (com dois e até quatro filhos) que trabalham fora de casa durante toda a semana, e delas sempre recebo um caloroso "muito bem, obrigada!" quando as cumprimento. Apesar desse seu aspecto, Ângela é uma moça adorável e parece mesmo ser muito saudável e bem-casada; por isso, vivo tentando convencê-la a se dar conta de que quanto mais ela disser que está cansada, mais cansada ficará, e que, assim, cedo ou tarde a sua saúde será abalada. Embora, infelizmente, ela nunca tenha manifestado fé nas minhas palavras, um estudo que foi realizado nos anos 70 revelou que a maior causa da fadiga é psicológica, e não física. Assim, ao contrário das pessoas que não apresentam problemas emocionais, quem é deprimido ou ansioso tem probabilidade sete vezes maior de se sentir extenuado (Chen, 1986).

Apesar de Ângela não ser uma pessoa deprimida, está sempre ansiosa. E um exemplo disso ocorre quando uma de suas crianças leva um tombo, pois ela sai correndo atabalhoadamente, sem nunca deixar de achar que o seu filho quebrou algum osso; do mesmo modo, se algum dos seus filhos bate com a cabeça em algo, ela imagina imediatamente que os seus olhos e até mesmo o seu cérebro foram afetados, e logo convence o marido a sair correndo para o médico. O caso de Ângela não é tão sério, mas serve como exemplo de como o estado mental é capaz de causar uma fadiga física.

Ritmos Cerebrais

Toda vez que alguém está sob um forte estresse ou sofrendo o debilitamento de uma doença prolongada, o seu cérebro passa a ter um ritmo bastante diferente daquele que ocorre em quem está completamente tranqüilo. Na verdade, o cérebro humano possui quatro níveis de consciência em diferentes freqüências; dentre estes, o Nível Beta é aquele no qual vivemos diariamente e que opera a freqüência mais alta (ou mais rápida): sua marca mais alta está por volta de 25 Hertz. Cada um desses níveis opera numa faixa relativamente baixa, e o Nível Delta é aquele que funciona com a freqüência mais baixa dentre todos, apresentando normalmente a marca de 4 Hertz, ou menos.

- O *Nível Beta* é aquele que apresenta a freqüência mais alta dentre os quatro níveis, em torno de 14 a 25 Hertz, e todos os adultos pensam por meio dele quando estão em vigília. Assim, quanto mais alto estiver esse nível, mais despertos e alertas estaremos; porém, quando nos encontramos agitados ou sob estresse, o nosso funcionamento se dá bem próximo do limite máximo de sua escala. Embora nesse Nível Beta tenhamos fisicamente o controle dos nossos cinco sentidos — vendo, tocando, sentindo, ouvindo e cheirando regularmente —, quando estamos nele ficamos limitados em nossa relação com o tempo/espaço do aqui e agora. É nesse nível que desenvolvemos a crítica e o julgamento.

PNI E PENSAMENTOS POSITIVOS

- O *Nível Alfa* situa-se na freqüência de 8 a 13 Hertz e só é alcançado quando os adultos estão verdadeiramente relaxados. Ao acordarmos pela manhã, encontramo-nos automaticamente nesse nível, e é nele que os sonhos geralmente ocorrem. Quando estamos no Nível Alfa, o nosso cérebro torna-se suscetível para receber as boas impressões, e com isso fica mais apto ao trabalho criativo e aceita mais facilmente as visualizações que lhe sugerimos. Nesse nível, somos capazes de ver, tocar, ouvir, cheirar e sentir o *interior de nossa mente*; assim, podemos contemplar as cenas das férias que um dia desfrutamos, ou sentir o cheiro do mar, ouvindo o estalar das ondas e tudo o mais que se encontre em nossa mente. Ainda nesse nível, o tempo e o espaço desaparecem, e a nossa maneira de ser torna-se extremamente criativa.

Ao longo do dia, oscilamos continuamente entre os níveis Beta e Alfa.

Mas é no Nível Alfa que executo as dinâmicas de minha mente e o pensamento positivo; mesmo porque, um dia freqüentei um curso onde foi ensinado aos alunos como alcançar o estado de relaxamento e a melhor forma de utilizá-lo.

Todas as crianças com cerca de sete anos de idade encontram-se, na maior parte do tempo, no Nível Alfa. Elas são reconhecidamente bastante imaginativas e por isso estão sempre a brincar com amiguinhos imaginários, falando com brinquedos que lhes respondem, e por aí afora. Por viverem nesse nível, essas crianças são mais receptivas às influências que circulam em torno delas; eis por que o poema estampado no início do Capítulo 2 é tão verdadeiro! Os pais deveriam então prestar muita atenção na forma de agir com os seus filhos e naquilo que falam na sua frente, pois toda e qualquer situação é uma realidade para as crianças, sem mencionar o fato de que elas dedicam uma atenção muito maior a todo tipo de coisa e que recordam muito mais do que imaginamos.

- O *Nível Teta* possui uma freqüência de 4 a 7 Hertz; as suas ondas são praticamente irregulares, e nunca estamos nele em nosso estado consciente. O sono é bem mais profundo nos períodos iniciais do seu ciclo, e essa profundidade ocorre no Nível Teta. Entretanto, as crianças alcançam ocasionalmente esse nível cerebral, sobretudo nos seus primeiros anos de vida. Embora os adultos não sejam capazes de alcançá-lo quando estão em estado de vigília, isso acaba sendo possível quando praticam a ioga, o pensamento positivo e a meditação. Todos aqueles que atingem esse nível conseguem controlar a dor física e o sangramento; no entanto, para isso é necessário que se faça um curso de dinâmica da mente. O Nível Teta também pode ser desencadeado por meio do estado hipnótico.

- O *Nível Delta* possui uma freqüência de apenas 4 Hertz ou menos. Os bebês, ainda na fase uterina, encontram-se nesse nível de consciência, e nos primeiros dias depois do parto eles passam a oscilar entre os quatro ritmos cerebrais. Ao longo das primeiras semanas, ficam na maior parte do tempo no Nível Delta, embora deslocando-se gradualmente para o Nível Teta; mas até os sete anos de idade vivem grande parte do seu tempo no Nível Alfa; as crianças só passam a estar plenamente no Nível Beta quando atingem os 12 ou 14 anos de idade. O Nível Delta quase não ocorre nos adultos, a não ser nos estados *extremamente* profundos do sono (geralmente quando sedados) e também sob o efeito anestésico.

O homem primitivo vivia a maior parte do tempo nos três níveis mais baixos, e por isso foi maravilhoso quando ele começou a utilizar o nível mais alto, ou seja, o Beta, pois esse passo representou um progresso e uma evolução, ou, melhor, a civilização. Depois disso, através dos séculos, o homem fez cada vez mais uso do Nível Beta; no entanto, a sua capacidade olfativa sofreu um decréscimo, na medida em que foi superando a necessidade de caçar para alimentar-se, e isso acabou ocasionando uma diminuição do seu Nível Alfa. Atualmente, pelo fato mesmo de vivermos num mundo mais agressivo que nos induz ao estresse, precisamos recuperar, o mais rápido possível, a nossa capacidade de viver num estado mental calmo e tranqüilo (Everett, 1973).

O Efeito dos Aromas sobre os Níveis Cerebrais

Foram realizados recentemente alguns estudos sobre as formas pelas quais as substâncias aromáticas exercem a sua ação sobre a mente e o corpo através da inalação, ou seja, sobre os quatro níveis distintos da atividade cerebral.

Ao efetuar algumas experiências com a intenção de descobrir os efeitos de diversos óleos essenciais e absolutos sobre os níveis cerebrais, o americano John Steele concluiu o seguinte:

- O manjericão, o alecrim, a pimenta-do-reino e o cardamomo induzem padrões predominantemente Beta, os quais estão associados com a atenção e o estado de alerta.
- A flor-de-laranjeira, o jasmim e a rosa (aqui não se trata dos óleos essenciais e sim dos absolutos, mais pesados e doces) induzem a variedade dos níveis mais baixos da atividade cerebral, ou seja, o Alfa, indicando um estado mental agradavelmente tranqüilo, e o Teta, indicando um estado mental muito próximo do sonho, com lampejos intuitivos (Steele, 1984).

O professor Torii realizou alguns estudos, no Japão, com o objetivo de determinar as funções estimulantes, sedativas ou neutras de certos aromas. E os seus resultados, dependentes da percepção individual e da experiência feita com os óleos escolhidos, mostraram que

- a lavanda é sedativa;
- o jasmim é estimulante;
- o gerânio e o pau-rosa tanto são estimulantes como sedativos (Torii, 1988).

O escritor Michel Eyquem de Montaigne – nascido em 1533 e em determinada época prefeito de Bordeaux – foi quem inventou a forma literária do ensaio; o seu *Ensaio sobre o Cheiro* foi publicado em 1580, e nele foram ditas as seguintes palavras:

> Os médicos poderiam (...) fazer um uso muito maior dos aromas, porque de minha parte tenho percebido as mudanças que eles me causam, atuando sobre o meu espírito (...) e isso me faz concordar com a teoria de que a introdução do incenso e do perfume nas igrejas (...) teve como objetivo tanto a elevação dos espíritos como a excitação e purificação dos sentidos, de maneira a deixar a todos num melhor estado de contemplação.

Fazendo Uso do Nível Alfa para Direcionar a Mente

A freqüência de onda cerebral mais usada para influenciar a mente – e por conseqüência as emoções – é a do segundo nível da consciência, ou seja, a do ritmo cerebral Alfa. Pois nesse ritmo ou nível, ficamos com a mente totalmente aberta e daí entramos em completo estado de relaxamento; nele também há a redução de nossa atividade mental, e isso deixa espaço para que os pensamentos "organizados" assumam uma precedência sobre os outros. É nesse nível, portanto, que ocorre todo tipo de visualização (uma prática encorajada aos seus pacientes pela Bristol Cancer Help Centre, entre outras instituições), que tem a intenção de desenvolver e criar novos projetos, e também a meditação e a prece, além de ser aí que entram em ação os pensamentos positivos.

Se formos então capazes de acionar o ritmo Alfa, seremos indivíduos muito mais eficazes, porque estaremos na posse de um poder extra e com isso nos tornaremos mais inspirados e mais aptos a desenvolver o nosso sexto sentido. Embora algumas pessoas já sejam naturalmente inspiradas, de maneira intuitiva ou acidental, como o foi Beethoven, por exemplo; a grande maioria necessita receber ensinamentos para chegar a isso. É bem verdade que todos nós possuímos o mesmo "equipamento", mas o fato é que precisamos realmente aprender a usá-lo, ou seja, encontrar o meio de fazê-lo funcionar a nosso favor; além do mais, todos nós possuímos diferentes talentos que esperam vir à tona, caso já não estejam evidentes.

Existem diversos métodos que podem nos ajudar a alcançar esse nível da mente; entre eles incluem-se a meditação, a dinâmica da mente, a música, a prece e a ioga. Pela manhã, logo que acordamos, sempre estamos naturalmente em profundo estado de relaxamento. Por isso, escolho esse momento para fazer as minhas rezas e praticar os meus pensamentos positivos. Mas a pesquisa citada acima também confirma que os óleos essenciais sedativos – tais como o de camomila romana, laranja, bergamota, lavanda e melissa – podem ser usados para induzir o cérebro a entrar no Nível Alfa, e com isso os pensamentos positivos acabam sendo assimilados com mais facilidade, assim como é criado um campo muito mais propício para imagens e visualizações.

O meu desejo era o de esmiuçar a dinâmica da mente neste livro, mas o seu espaço insuficiente me obrigaria a escrever um outro. Talvez, um dia, eu o escreva, embora por enquanto não seja possível! Até porque eu precisaria de mais tempo e espaço para um aprendizado mais apurado de todos os métodos a serem utilizados, a qualquer hora do dia, para que possam ser alcançados os Níveis Alfa e Teta das ondas cerebrais. No Nível Alfa, capacitamo-nos a obter a saúde física e mental, o bem-estar em geral e ainda os objetivos que traçamos para a nossa vida, além de adquirirmos uma impressão mais positiva sobre a saúde e o bem-estar das outras pessoas. Contudo, independentemente do que possa vir a ser aprendido, não resta dúvida de que muitos leitores serão capazes de atingir esse nível, quer pela prece e a fé em Deus, quer pela meditação e a ioga, ou então pela dinâmica da mente. No entanto, caso você tenha alguma dificuldade para levar avante qualquer desses meios, faça uso de um dos óleos essenciais sedativos e relaxantes. Mas lembre-se de que será muito importante que você seja responsável por si mesmo e pela sua saúde, e de que tenha uma fé vigorosa no poder do pensamento positivo, pois só assim haverá uma transformação genuína de sua vida!

A British Psychological Society realizou uma pesquisa com 474 alunos, para verificar se havia alguma correlação entre a prece pessoal e o bem-estar (superação da ansiedade e da depressão e aquisição da auto-estima). Os resultados foram apresentados por via radiofônica e mostraram aqueles que têm o hábito de rezar como sendo mais felizes do que as pessoas que não se dedicam a essa prática (Maltby e outros, 1999).

Pensamento Positivo

Os pensamentos positivos repetidos com freqüência são capazes de propiciar o bem-estar físico e mental, sem o uso da meditação, da dinâmica da mente, ou da ioga. Mas vale lembrar que é fundamental repetir constantemente tais pensamentos; portanto, é preciso que isso seja feito *todo dia* e que seja emitido em voz alta, ou então escrito, ou mesmo cantado. Eu fui apresentada ao poder do pensamento positivo através de um livro do meu pai (cujo título é *O Poder do Pensamento Positivo*), escrito em 1953 por Norman Vincent Peale, e reeditado 26 vezes até 1992. No primeiro capítulo, o autor diz o seguinte:

94   AROMATERAPIA E AS EMOÇÕES

Acredite em si mesmo! Tenha fé nas suas habilidades! Sem falsa modéstia e com uma razoável confiança nos seus próprios poderes, você conseguirá a realização e a felicidade (...) A autoconfiança conduz à auto-realização e ao sucesso.

Peale, 1992

Uma de suas principais afirmações é idêntica ao que hoje vivo dizendo diariamente para mim mesma, ou seja: "Através dEle, serei capaz de fazer qualquer coisa, pois é Ele que me dá a força." (Filipenses 4: 13.) Alguns anos depois de ter lido esse livro, um amigo me deu uma fita de Anne Infante com a gravação de algumas afirmações positivas (*ver a pág. 103*); pois bem, não só a coloco toda manhã, quando dirijo o meu carro até o trabalho, como também a faço tocar na garagem, já que nesse local eu e meu marido jogamos todo dia uma partida de tênis, por uma hora e meia. E posso garantir que tanto o livro como a fita produziram resultados maravilhosos na minha vida.

Têm sido escritos muitos livros sobre o pensamento positivo (algumas vezes com outros nomes que significam a mesma coisa) porque, conforme já sabido, esse assunto exerce uma enorme influência sobre a maneira de viver de todas as pessoas, e por isso mesmo é um tópico freqüente nos livros de várias outras disciplinas complementares que giram em torno da autoconfiança e do sucesso nos negócios.

Se as pessoas fossem indagadas a respeito de como vêem a vida, as respostas seriam as mais variadas. Eis por que Clive Wood levou avante uma experiência para descobrir a porcentagem das pessoas que "afirmam a vida" e das que "negam a vida". Os seus resultados foram bastante interessantes, e os principais tópicos que ele extraiu das respostas foram os seguintes:

- Os que afirmam a vida demonstram entusiasmo, sociabilidade, despojamento, felicidade, satisfação com o seu viver, otimismo e uma excelente saúde física.
- Os que negam a vida demonstram insociabilidade, egoísmo, instabilidade emocional, depressão, pessimismo, falta de objetivo, e insatisfação com o seu viver (Wood, 1990, págs. 21-23).

PNI E PENSAMENTOS POSITIVOS   95

Os que afirmam a vida são pensadores positivos naturais ou, então, praticam essa atitude mental com êxito, enquanto os que negam a vida precisam urgentemente de algumas lições a respeito do pensamento positivo. Aliás, seria uma boa idéia se nas escolas houvesse aulas sobre essa forma de pensamento, pois essa medida capacitaria as pessoas a extraírem benefícios de todos os aspectos da vida, e ainda daria a elas a oportunidade de transformar tudo aquilo de que não gostam. E isso também reduziria a quantidade e/ou a freqüência de emoções destrutivas que viessem a predominar em nossas vidas, favorecendo portanto todas as circunstâncias que estão ao nosso redor.

Enfim, todos nós carecemos de uma prática maior do pensamento positivo para que as emoções destrutivas não se apossem "daquilo que temos de melhor" e, por conseqüência, não sejam capazes de interferir adversamente em nossa saúde. Se houver então, continuamente, esse tipo de prática em sua vida, você não só intensificará a sua saúde, como acabará realizando os seus desejos com determinação, *amor* e muita *fé*. Você já reparou que as pessoas sempre se referem ao livro do qual mais gostam como a sua "bíblia"? Pois bem, isso acontece porque a Bíblia Sagrada contém um sem-fim de verdades, servindo portanto de auxílio para uma vida bem-sucedida. Já citei no Capítulo 1 um trecho de 1 Coríntios 13 sobre o amor, e agora gostaria de citar dois trechos mais, só que dessa vez sobre a fé:

> A fé existe quando se está seguro daquilo que se almeja, mas não se vê.
>
> Hebreus 11: 1

> Se você **não** consegue se manter firme na sua fé, não conseguirá se manter em nada.
>
> Isaías 7: 9

Depois que você acabar de ler o que está escrito a seguir, tenho certeza de que compreenderá o porquê de o pensamento positivo estar irremediavelmente interligado à PNI.

Quando entrei para o curso de dinâmica da mente, não estava certa ainda a respeito do que iria aprender. Durante as aulas, asseguraram que o curso seria de grande valia para os negócios e que além disso nos manteria a todos sempre saudáveis. Por isso, não cheguei a imaginar que ele mudaria completamente a minha vida! No primeiro dia de aula, perguntaram-nos sobre aquilo que queríamos transformar em nossas vidas, e depois nos mostraram o melhor modo de realizar o nosso intento, segundo o qual a medida de todo sucesso depende apenas da força do pensamento aliada à crença de que é sempre possível realizar todos os aspectos da vida, de maneira a mudá-la para melhor.

UM CASO

Ao completar os meus 30 anos de idade, já estava quase como que "esperando" que a artrite viesse a se desenvolver nas minhas mãos, até porque o seu processo havia iniciado, nessa mesma época, em minha mãe, e já me tinham dito que essa doença é hereditária. Impressionada com isso, nem bem havia terminado o meu aniversário, e eu já começava a perceber que não conseguia segurar direito o pano de prato (tal como havia acontecido com a minha mãe!); depois disso, os meus dedos passaram a doer e a inchar, e o osso da base do meu dedo polegar tornou-se dolorido e aumentou de tamanho. Assim, quando completei 40 anos, as minhas juntas já estavam bastante doloridas e inchadas; mas, para a minha felicidade, alguém me persuadiu a entrar em um curso de dinâmica da mente. Contudo, o motivo real pelo qual fui impelida a essa nova experiência não teve qualquer relação com a minha artrite, e por isso mesmo constituí uma outra história.

A primeira coisa que nos disseram no curso é que deveríamos abandonar os maus hábitos, como o tabagismo, por exemplo, e que poderíamos curar alguns problemas de saúde – tais como insônia, constipação e outros mais – através do simples uso de nossas mentes. A idéia logo me pareceu incrível e, à medida que a semana foi passando, fiquei cada vez mais fascinada. Antes mesmo do término dessa semana, já conseguia dormir bem a noite inteira e depois acabei jogando fora as pílulas; além disso, curei uma constipação que me atormentava desde os meus 14 anos de idade, pois o meu intestino passou a funcionar como um relógio, depois de quatro semanas (e ainda funciona). Mas o melhor de tudo é que aprendi um meio para me livrar da artrite, embora isso tenha exi-

PNI E PENSAMENTOS POSITIVOS   97

gido mais tempo para apresentar bons resultados. Assim, passei a praticar diariamente naquele *workshop* a visualização do Nível Alfa e através dela conversava firmemente com as minhas mãos – nesse caso, no Nível Beta –, afirmando para elas que eu *não* teria a tal da artrite.

Um belo dia, de repente, me dei conta de que já não sentia nenhuma dor nos meus dedos há nove meses e que já conseguia segurar o pano de prato sem qualquer desconforto. Isso ocorreu há 27 anos; entretanto, embora as minhas juntas tenham adquirido um formato "engraçado" e desengonçado, graças à dinâmica da mente e dos pensamentos positivos acabei ficando livre da artrite e de sua terrível dor.

Dentre as coisas que as outras pessoas falaram de si mesmas naquele curso de dinâmica da mente, selecionei as seguintes:

- Fumar é só um dos vários maus hábitos que tenho! / Eu não consigo parar de fumar, mas adoraria se o conseguisse!
- Nunca terei dinheiro suficiente para sair de férias! / E muito menos para um carro novo e outras coisas mais!
- Odeio o meu trabalho, mas acho que vou ficar por lá pelo resto de minha vida, igualzinho ao meu pai!
- Não consigo dormir sem pílulas!
- Aposto que terei a mesma artrite que atacou a minha mãe!
- Creio que serei gorda para sempre; nenhuma dieta funciona comigo!
- A minha irmã tem uma vida bem melhor do que a minha!
- O que eu gostaria mesmo é de ser tão bem-sucedido como... (um vizinho, um amigo, etc.).

O fato é que todas essas expressões são bastante negativas, e como são! Mas o grande problema é que a nossa mente é extremamente obediente; por essa razão, ela realiza todas as mensagens que lhe enviamos (lembre-se dos elos e interconexões que existem entre as emoções, o corpo e o cérebro). Assim, se dissermos contínua e diariamente para nós mesmas "eu estou tão gorda!", não haverá outra saída senão a de sermos sempre gordas. Isso mesmo, a coisa se passa simplesmente assim! Pois a mente é condicionada a realizar as crenças do seu dono e tudo aquilo que ele a instrui a fazer, quer sejam instruções positivas ou não. E o resultado desse processo assemelha-se ao que ocorre no adestramento de um cão, ou seja, um animal bem-adestrado fará tudo aquilo que o seu dono quiser, até mesmo atacar e morder as pessoas, como no caso de um cão policial.

UM CASO

Um dos meus amigos, que é ministro da igreja, resolveu perder peso e aliou a essa idéia a decisão de arrecadar mais dinheiro para a nossa congregação; estava realmente muito gordo, pois já pesava 120 quilos! E, para isso, solicitou aos paroquianos uma libra por cada quilo que perdesse, deixando todo mundo feliz, porque ninguém acreditava que fosse capaz de perder tanto peso no período estipulado (seis meses), sem mencionar o fato de que adorava comer muito e ainda levaria um certo tempo para dar início à sua dieta.

Pois bem, Bob me confidenciara que, uma vez que já havia tomado tal decisão, o seu primeiro passo seria a diminuição da quantidade de alimentos que costumava ingerir. E fez isso tão bem que, em poucas semanas, o teto quase caiu em cima de nossas cabeças quando percebemos o quanto teríamos que pagar. Ao fim do período estipulado (no Natal), ele já tinha perdido cerca de 35 quilos, atingindo a incrível marca de 85 quilos, e com isso ficou muito mais atraente.

Entretanto, ele me disse que "a mudança só pode ocorrer porque todos vocês a desejaram, e, além disso, tenho muita prática e experiência!".

Não há dentre nós quem não seja capaz de transformar as suas "misérias" em felicidade; mas para isso, em vez de vivermos reclamando constantemente da vida, é necessário que mudemos conscientemente o nosso pensamento, treinando a nossa mente para que ela execute tudo aquilo que realmente desejamos. Portanto, tudo o que devemos fazer é acreditar na capacidade que temos para transformar o nosso modo habitual de pensar. E, além disso, *devemos* repetir diariamente as seguintes frases:

PNI E PENSAMENTOS POSITIVOS

- Para mim, vai ser muito fácil deixar de fumar, pois me sentirei muito melhor sem os cigarros.
- Eu sou rico; eu tenho muito dinheiro; eu vou até os Açores no ano que vem; eu serei capaz de comprar um carro.
- Conseguirei facilmente aquele emprego do qual tanto gosto.
- Eu sou capaz de dormir sem pílulas.
- Eu me recuso terminantemente a ter artrite (ou qualquer outra doença).
- Estou maravilhosamente em forma e posso realizar qualquer que seja a dieta.
- Os meus negócios estão fazendo um tremendo sucesso, e tudo vai de vento em popa!
- Adoro a minha irmã!

Nunca é demais repetir que *todos nós somos aquilo que pensamos*; portanto, se afirmarmos continuamente uma série de coisas positivas para nós mesmos, elas se tornarão reais, mas para que isso de fato aconteça serão necessários um trabalho árduo, determinação, e principalmente muita fé no método.

UM CASO

No instante em que, há 29 anos, eu e Len iniciamos o nosso negócio, a nossa casa estava 90% hipotecada, e no banco havia somente 100 libras para as nossas emergências. Entretanto, depois de ter freqüentado um outro curso de dinâmica da mente, só que dessa vez juntamente com Len, eu o convenci a abandonar o trabalho que tanto detestava, para que pudesse pôr em prática os seus conhecimentos de tricologia, porque isso seria muito útil para nós dois, já que eu era cabeleireira e tinha um pequeno salão no vilarejo onde morávamos. O dinheiro que ganhamos deu para pagar a hipoteca e educar os nossos filhos, e por essa razão decidimos abrir um salão de beleza e de cabeleireiro mais próximo do centro da cidade, onde também haveria uma clínica que reuniria a tricologia, a sauna e o solário (uma máquina que existia antes da invenção das esteiras de sol).

Uma de minhas amigas, que além de ser uma de minhas clientes era corretora de imóveis, acabou encontrando um lugar ideal para nós. Acontece, porém, que o imóvel custava muito mais do que podíamos pagar. Por isso, eu e meu marido decidimos pôr em prática o que havíamos aprendido no curso de dinâmica da mente, concentrando-nos diariamente na idéia de que aquele imóvel seria nosso. Mas nós também estávamos preocupados com os riscos que assumiríamos, sobretudo porque teríamos que fazer algumas reformas no imóvel. Entretanto, uma semana mais tarde, a corretora retornou com a notícia de que os proprietários já estavam propensos a aceitar uma oferta abaixo do preço pedido antes e desejavam iniciar as negociações imediatamente. E foi também a corretora quem percebeu que estávamos tomados pelo medo e pela dúvida, embora estivéssemos ansiosíssimos para aceitar uma nova proposta. Ela nos disse então com firmeza: "Por ora, vocês me dão um cheque de 100 libras, e depois veremos como é que vai ficar." E assim foi feito!

Trabalhamos como troianos, por três meses, até que decidimos inaugurar a loja numa segunda-feira de setembro. Solicitei então à editora de um jornal local que anunciasse a inauguração do Ramo de Bétula, nome que demos à loja, oferecendo em troca o nosso tratamento "completo" (sauna, solário, massagem, estética facial e corte de cabelo). E, algumas semanas antes da inauguração, escrevi para todos os médicos e enfermeiras da área, convidando-os para o coquetel que seria oferecido nessa ocasião.

Na semana anterior à inauguração, os tapetes dos cômodos ainda não tinham sido entregues, e muito menos a sauna, ou seja, estávamos precisando realmente do curso de dinâmica da mente, pois só assim conseguiríamos manter o nosso equilíbrio. Por fim, a sauna acabou chegando na sexta-feira, e naquela mesma tarde fomos buscar pessoalmente os tapetes, antes que fosse tarde demais. Mas eu também havia pedido emprestado à minha irmã uma peça maravilhosa de tapeçaria, para colocar na parede que ficava atrás do balcão de entrada, que ela nos entregou na tarde de sábado. Aproveitamos então a ocasião de sua chegada para exibirmos orgulhosamente o nosso trabalho.

Depois de termos mostrado o lugar das vendas, a cozinha e o barzinho, fomos ao andar de cima, onde minha irmã deu uma olhada nos tapetes e nas cortinas ainda não instaladas; depois continuamos a nossa exibição, dirigindo-nos para um outro piso, para que ela visse o aparelho de emagrecimento, o solário e a sauna também não-instalada (todas essas coisas eram bastante conhecidas na época). Ao final, minha irmã olhou-me seriamente, dizendo-me com uma voz que gelou o meu coração: "Por acaso vocês estão pensando que vão terminar em tempo?" E, não satisfeita, continuou, com sua voz de descrédito: "Afora isso, vocês acreditam mesmo que as pessoas virão?"

Jamais esquecerei aquele momento, pois a verdade é que subitamente entramos em pânico. Mas o fato é que terminamos tudo o que tínhamos que fazer, por volta do meio-dia do domingo, completamente exaustos e ansiosos em relação à possibilidade de que não fosse nenhum dos convidados. Preparamos então a comida para acompanhar o coquetel e depois fomos para a cama, porque além de exaustos estávamos inteiramente insones, onde fizemos uso do nosso aprendizado da dinâmica da mente, visualizando um sem-fim de pessoas entrando pela nossa porta no dia seguinte. Acordamos às seis horas para preparar sanduíches, em seguida nos arrumamos e depois esperamos pelos convidados.

A inauguração recebeu cerca de 27 pessoas; nenhum médico compareceu, mas em compensação algumas de suas esposas estiveram presentes, levando consigo as amigas, e também uma dúzia e meia de outras pessoas que se informaram a respeito do evento pelos jornais. Nem seria preciso dizer que ficamos com muito medo sobre o que poderia ocorrer depois daquele dia, sobretudo porque enviamos mais de 100 convites e havíamos trabalhado bastante nos nossos *workshops*. No entanto, pelo fato de termos divulgado o trabalho que ali desenvolveríamos, e também por termos mostrado pacientemente todas as instalações e exibido a cada um dos convidados a nossa lista de preços, durante o coquetel *oito* pessoas marcaram hora para uma série de tratamentos estéticos, o que foi o bastante para pagar *duas* semanas de salário às *duas* moças que havíamos contratado uma semana antes.

Através dessa história, você tem como perceber a diferença que existe entre os pensamentos positivos e os negativos, e como eles interferem na mente, pois aquele que vive pensando no pior termina por atrair eventos negativos. Mas a história ainda mostra a importância do passo à frente na vida das pessoas, quando eles procuram "ver o lado brilhante" das situações e visualizam conscientemente tudo aquilo que desejam, não só naquilo que diz respeito à saúde e outros aspectos, como também em relação à *atitude* que vão ter. Portanto, sem os meus pensamentos positivos, a negatividade de minha irmã seria capaz de produzir efeitos desastrosos sobre o bom andamento da inauguração da loja, e até mesmo sobre o nosso futuro!

UM CASO

Talvez como uma seqüela da história que acabei de narrar, nas sextas-feiras sempre fico totalmente atolada com os muitos clientes que querem fazer o cabelo comigo. Isso quer dizer que ocasionalmente sempre acabo deixando alguém esperando, sobretudo quando uma cliente se atrasa. Entretanto, se na prática de dinâmica da mente que realizo toda manhã antes de ir para o trabalho eu me lembrasse de visualizar a mim mesma, nas manhãs das sextas-feiras, fazendo o cabelo das clientes com mais velocidade, nunca mais haveria ninguém esperando, por mais que o dia estivesse cheio. E o mais impressionante é que, no dia em que me lembro de fazer essa visualização, tudo acaba dando certo, ao contrário do que acontece quando me esqueço disso, pois *sempre* acabo deixando alguém para trás. Mas logo aprenderei a não esquecer!

Praticando o Pensamento Positivo

Cerca de dez anos após essa experiência, um aromaterapeuta e antigo aluno dos meus cursos deu uma palestra sobre o pensamento positivo nesse nosso estabelecimento. Naquele dia, aprendi que, embora os pensamentos sejam tremendamente poderosos, as palavras são mais poderosas ainda – talvez até dez vezes mais. E isso porque, quando não são expressos, os pensamentos afetam somente a nós mesmos, ao passo que a palavra falada é capaz de agradar, aterrorizar, influenciar, machucar, animar ou aborrecer as outras pessoas. Por essa razão, é sempre melhor pensar bastante – e refletir muito bem – antes de falar, seja lá o que for.

PNI E PENSAMENTOS POSITIVOS

Pois, "quando se fala aos outros sem cuidado", pode-se causar muito mais sofrimento ou ansiedade do que quando se consideram as palavras antes de emiti-las.

> Deus criou o mundo através da palavra, mas você também é capaz de criar um pequeno mundo com suas palavras. O mundo de Deus foi só maravilha, até que as palavras do homem o transformassem naquilo que hoje ele é... A sua palavra poderá então pintar seu próprio quadro para o mundo, e esse quadro tanto poderá ser maravilhoso como horrível... Mas, caso você venha a olhar essa tela, segure bem a sua cabeça para que ela não caia quando aparecerem as cores horrorosas que são produzidas pelas palavras descuidadas... *Por outro lado,* toda vez que você emitir uma palavra com zelo e carinho, (...) o seu retorno virá sempre cheio de amor. (*A expressão em itálico é minha.*)
>
> **Dr. Lascelles**

Em 1986, ganhei aquela fita cassete que foi mencionada na página 94 e da qual foi dito que precisa ser entoada em voz alta; pois bem, o conteúdo dessa fita ajudou-me a reforçar a dinâmica de minha mente de um modo feliz e prazeroso, e por isso vou exibir as suas primeiras palavras:

> Fazemos uso das afirmações para mudar os nossos velhos padrões de pensamentos negativos em pensamentos novos e abundantes que possam atuar em nosso benefício. Costuma-se dizer que nós somos a soma total dos nossos pensamentos; portanto, quando não estamos contentes com a nossa maneira de ser, torna-se fundamental uma transformação de nossa forma de pensar. E são as afirmações que constituem um meio positivo e divertido para iniciar essa tarefa.

Eis aqui algumas regras muito simples:

- Observe tudo aquilo que por você é dito, pois, se as suas palavras forem negativas e desesperançadas na descrição de si mesmo ou daqueles que o rodeiam, o melhor a fazer é transformar imediatamente essa forma negativa de pensar em pensamento positivo. Lembre-se: nós acabamos sendo aquilo no que pensamos todos os dias.
- As afirmações funcionam de acordo com o grau de energia que você põe sobre elas. Portanto, não seja tímido com essas afirmações e procure energizá-las, emitindo-as através de palavras, cantando-as em alto

e bom som, revelando-as e expressando-as com muita alegria e convicção. E, se não houver muita fé de sua parte em relação a elas, nem isso vai importar, pois, quando começarem a funcionar, você certamente ficará convencido de sua eficácia.

- Seja persistente. Afinal, foram necessários muitos anos para que você viesse a ser o que é, até porque desde criança deve ter trabalhado com afinco nesse seu modo de ser. Uma transformação disso tudo não será portanto um trabalho que se fará da noite para o dia; lembre-se então do velho ditado que diz: "Se você não tentar, aí mesmo é que não vai conseguir!" E, como a persistência sempre conduz a resultados maravilhosos, reserve, todo dia, uma hora e meia de afirmações positivas para si mesmo, repetindo-as quando for dormir.

Desejo-lhe uma vida maravilhosa, positiva, feliz, saudável e abundante em sucesso. E, agora, vamos cantar!

Infante, 1986

Vou citar agora as letras de algumas músicas, porque acredito que serão capazes de ajudar você, da mesma maneira que me ajudaram, e só lamento o fato de que você talvez ainda não conheça a melodia delas. No entanto, mesmo desacompanhadas de suas melodias, creio que as palavras lhe serão muito úteis. E, caso você queira conhecer as músicas, ainda estão à venda. A letra que se segue é uma de minhas favoritas:

Eu amo a vida e a vida me ama, eu amo a vida e a vida me ama.
Eu amo a vida e a vida me ama, eu e a vida estamos de acordo.
A vida e eu estamos de acordo, a vida e eu estamos de acordo.
A vida e eu estamos de acordo, a vida e eu estamos de acordo.
A vida e eu estamos de acordo, a vida e eu estamos de acordo.
A vida e eu estamos de acordo, pois estamos em harmonia.

Como você certamente observou, a letra é bastante repetitiva, mas isso é intencional por causa de sua importância para o pensamento positivo. Na verdade, a letra inteira tem mais cinco partes, cada uma delas substituindo a palavra *vida* por outros atributos que lhe correspondem, tais como saúde, paz, riqueza, alegria e amor. Mas você também pode adicionar outros versos, mesmo não sabendo a melodia, com quaisquer outros atributos que desejar para a sua vida. Caso você queira incrementar a sua saúde, diga (bem alto!) os versos desta outra música da fita:

> Eu acredito na saúde perfeita, acredito mesmo na saúde perfeita.
> Eu acredito na saúde perfeita, pois a saúde perfeita está hoje na minha vida.

Ou então as palavras de uma outra canção dessa fita maravilhosa, que acabarão sendo uma realidade em sua vida:

> Todo dia, de um jeito ou de outro, eu fico cada vez melhor!

Você poderá repetir essa última frase, substituindo a palavra "melhor" por outras, tais como "mais jovem", "mais rico", "mais forte", etc.

Alguns versos de uma das canções referem-se às emoções sobre as quais já falamos. Por isso, não poderia encerrar este capítulo, sem registrá-los para você:

pesar
Eu relaxo, eu me liberto, eu me livro de todo pesar.
Eu relaxo, eu me liberto, pois vou sempre encontrar alívio.

medo
Eu relaxo, eu me liberto, eu me livro de todo medo.
Eu relaxo, eu me liberto, pois sei que o meu bem está perto.

raiva
Eu relaxo, eu me liberto, eu me livro de toda raiva.
Eu relaxo, eu me liberto, pois minha alegria irá durar para sempre.

Mas ainda existem outras emoções, ou estados da mente, **que** encontram abrigo dentro de todos nós:

cobiça
Eu relaxo, eu me liberto, eu me livro de toda cobiça.
Eu relaxo, eu me liberto, pois já tenho tudo de que preciso.

confusão
Eu relaxo, eu me liberto, eu me livro de toda confusão.
Eu relaxo, eu me liberto, pois reconheço a ilusão.

mentiras
Eu relaxo, eu me liberto, eu me livro de todas as mentiras.
Eu relaxo, eu me liberto, pois minhas palavras serão sábias
e tranqüilas.

ressentimento
Eu relaxo, eu me liberto, eu me livro de todo ressentimento.
Eu relaxo, eu me liberto, pois estou cheio de contentamento.

o passado
Eu relaxo, eu me liberto, eu me livro do passado.
Eu relaxo, eu me liberto, pois já tenho muita alegria ao meu lado.

tristeza
Eu relaxo, eu me liberto, eu me livro de toda tristeza.
Eu relaxo, eu me liberto, pois o amanhã brilhará com certeza.

enganos
Eu relaxo, eu me liberto, eu me livro dos enganos.
Eu relaxo, eu me liberto, pois tenho muito que aprender.

ódio
Eu relaxo, eu me liberto, eu me livro de todo ódio.
Eu relaxo, eu me liberto, pois sei que a minha vida é ótima.

dor
Eu relaxo, eu me liberto, eu me livro de toda dor.
Eu relaxo, eu me liberto, pois estou outra vez saudável.

doença
Eu relaxo, eu me liberto, eu me livro de toda doença.
Eu relaxo, eu me liberto, pois estou sadio como sempre eu quis.

A primeira canção inicia com a seguinte frase: "Eu sigo confiantemente em frente." Se você puder fazer isso, estará certamente caminhando na direção da *saúde* e da *felicidade*! Muito obrigada, Anne Infante.

Conclusão

Já se obteve um grande progresso em tudo aquilo que diz respeito ao conhecimento sobre a interação entre a mente, as emoções, o sistema nervoso e o sistema imunológico, e por essa razão está crescendo o reconhecimento do seu impacto sobre a saúde em geral. Mas os óleos essenciais também geram um ótimo efeito sobre todas as pessoas, já que representam um papel importante ao proporcionarem o estado de relaxamento, que acaba interferindo favoravelmente na cura (Price e Price, 1999).

Atualmente, talvez por obra da enorme quantidade de pesquisas que passaram a ser feitas sobre este tema, tanto a medicina alternativa como a ortodoxa já estão cientes de que uma atitude mental positiva é fundamental para qualquer tentativa de restabelecimento da saúde.

Essa mesma atitude é igualmente valiosa, ainda no processo de restabelecimento da saúde, para quem passou por emoções dolorosas. Portanto, Norman Cousins está certo quando diz que os medicamentos nem sempre são necessários, pois muitas vezes vale muito mais a fé. Sobretudo porque a fé e a confiança no poder de Deus ou na Força Universal são capazes de tudo, assim como a crença no poder da meditação, da ioga ou do que seja, já que aqui o mais importante é que cada um tenha alguma espécie de crença. E o fato é que essa fé será mesmo essencial – *vital* – para que a mente e o corpo possam atuar diariamente juntos, através dos pensamentos de cada um de nós, de maneira a promover a nossa felicidade, a nossa saúde e o nosso bem-estar. Enfim, a fé é realmente capaz de remover montanhas, e as montanhas que construímos dentro de nós mesmos não fazem qualquer exceção a essa verdade.

5 Selecionando óleos Essenciais para as Emoções

Quando a aromaterapia surgiu na Inglaterra, o seu principal objetivo – talvez até alguns possam dizer o único – era o tratamento do estresse. No entanto, embora nenhuma reivindicação fosse feita para o tratamento de outras condições específicas da saúde, o fato é que os terapeutas passaram a tratar de forma indireta alguns outros sintomas também presentes nos pacientes que sofriam de estresse, mesmo porque a aromaterapia é uma disciplina holística. Na minha opinião, como muitos óleos essenciais causam uma ação relaxante e benéfica tanto sobre o estresse brando quanto sobre o severo, todo bom aromaterapeuta deveria escolher, entre esses óleos, aqueles que são capazes de também beneficiar os demais sintomas que venham a se apresentar no paciente. Mas isso sem nunca esquecer o aspecto emocional, até porque o estresse poderá fazer com que o paciente fique, por exemplo, irritado ou amedrontado. Assim, quando alguma emoção estiver *causando* o estresse – tal como o pesar, a preocupação, a raiva profunda, e por aí adiante –, a melhor opção será a preferência pelos óleos essenciais incluídos na lista de alívio do estresse, pois eles exercerão um efeito positivo e benéfico sobre tais emoções. (*Ver Capítulo 7.*) Nos hospitais, os óleos essenciais têm-se mostrado capazes de atenuar o estresse, porque elevam o ânimo, fortalecem e revitalizam a mente, além de levarem conforto ao corpo através da dissipação do esgotamento produzido pela doença do paciente (Price e Price, 1999, pág. 242).

Na maioria das vezes, o tratamento da medicina alopática enfatiza o sintoma ou o órgão causador do problema. Por outro lado, tanto a aromaterapia como as outras terapias alternativas com abordagem holística preferem levar em consideração a totalidade da pessoa, porque dessa forma poderão descobrir, quando possível, a *causa* que se oculta atrás do sintoma, tornando-se assim capazes de tratá-la. Em muitas ocasiões, descobre-se que existem situações estressantes pendentes (problemas no trabalho, divórcio, inadequação ao ambiente circundante), ou algum outro elemento que induz a depressão, como, por exemplo, a perda ou o fracasso nos negócios. Outras vezes, revela-se uma raiva muito intensa, ou mesmo a inveja.

Eis por quê, antes de qualquer outra medida, um bom aromaterapeuta deve selecionar *em primeiro lugar* os óleos essenciais que irão beneficiar o estado mental do paciente, em vez de ficar isolando os sintomas. Como já dito, cada óleo essencial em particular é capaz de produzir efeitos distintos, que por sua vez dependem da propriedade que nele predomina, ou seja, analgésica, antiinflamatória, descongestionante, etc. As pesquisas têm confirmado que os óleos essenciais são realmente capazes de relaxar ou modificar o estado da mente (Buchbauer e outros, 1993) e que também podem fazer com que o corpo receba uma ajuda dos seus outros atributos, como o alívio das dores musculares e dos problemas digestivos.

Meu marido costuma fazer uma comparação entre os efeitos da medicina alopática e dos óleos essenciais, valendo-se de uma analogia com as armas.

- A medicina alopática faz uso de um rifle que atira imediatamente as suas balas (os medicamentos) no alvo; nesse caso, um sintoma específico. E cada um dos seus medicamentos é constituído por um só tipo de molécula.
- A aromaterapia faz uso de uma metralhadora que espalha imediatamente uma miríade de projéteis (as propriedades do óleo essencial) no alvo; nesse caso, a totalidade do corpo. E cada um dos seus óleos essenciais contém centenas de moléculas diferentes.

Através dos anos, tornei-me cada vez mais envolvida (obcecada seria o termo mais exato!) com os óleos essenciais e por isso mesmo passei a querer mais "provas" dos seus efeitos. Algumas das propriedades físicas que têm sido tradicionalmente atribuídas a esses óleos – e em determinadas circunstâncias comprovadas pelas pesquisas – parecem realmente conter os efeitos neles indicados, e por essa razão prefiro me circunscrever e recomendar apenas esses, mas sempre resistindo à tentação de assinalar outras propriedades que às vezes são creditadas a eles. Portanto, embora até este momento os efeitos de tais óleos sobre os distúrbios emocionais sejam levados em conta, ainda são muito poucas as evidências que realmente comprovam esse fato, ao passo que o folclore em torno dele é intenso. Neste ponto, coube a mim mesma uma pergunta: como é que farei com segurança uma seleção dos óleos realmente benéficos às emoções?

Não me veio então outro modo de demonstrar a forma pela qual os óleos essenciais são capazes de afetar as emoções, senão o de aplicar os mesmos princípios a eles atribuídos na ajuda dos problemas físicos. Assim, baseando-me no fato de que a mente exerce um tremendo efeito sobre o corpo – e que alguns óleos essenciais mostram-se eficientes no auxílio ao relaxamento, enquanto outros elevam o ânimo –, concluí que seria razoável supor que os óleos analgésicos poderiam também aliviar a dor do sofrimento, assim como os antiinflamatórios atenuariam a exaltação da raiva, e assim por diante.

> Fui até à minha casa para tomar um pouco de água de erva-doce, **porque** estava realmente precisando muito dela.
>
> **Swift**

Plínio (23-79 d.C.) recomendava a erva-doce não somente para uma melhor visão física, mas também para a segunda visão, quer dizer, para ver claramente a beleza da natureza. Esse mesmo autor ainda dizia que as serpentes adoram a erva-doce porque as auxilia no processo de troca da pele velha, e portanto as rejuvenesce.

Todavia, prefiro dizer que alguns óleos talvez sejam *capazes* de ajudar esta ou aquela emoção, em vez de afirmar que *de fato* ajudarão. Até porque cada ser humano é um indivíduo à parte, tendo características próprias, bem como uma personalidade e crenças particulares, que, juntas, compõem a totalidade de sua pessoa, tanto influenciando o seu pensamento quanto o seu comportamento. Chegamos até a experimentar emoções e sentir dores de acordo com nossas características individuais; por não haver então um meio de nos categorizar em definitivo, cada um de nós acaba reagindo de um modo diferente. Aliás, um exemplo perfeito de nossa marca individual está na distinção dos nossos rostos; assim, embora todos nós tenhamos dois olhos, um nariz e uma boca, dentre os bilhões de seres que existem no mundo, seria muito difícil encontrar uma só pessoa parecida *exatamente* com você.

Entretanto, a despeito de nossas diferenças, confio plenamente nas *razões* que estão por trás de minha abordagem, sobretudo porque ao longo dos anos funcionaram muito bem com os meus clientes e também com aqueles que se tornaram meus alunos. E essa minha crença de que as propriedades físicas dos óleos essenciais são capazes de exercer influências sobre as experiências emocionais encontra-se totalmente explicada a seguir.

Analgésico

As propriedades de muitos óleos essenciais aliviam a dor, com diferenças de graus nos sistemas corporais distintos: alguns aliviam as dores musculares e das juntas, como as da artrite, por exemplo, enquanto outros parecem ser mais eficazes nas dores de cabeça. Apesar de ainda não se conhecer muito bem o porquê dessa ação sobre a dor ou de sua interferência sobre as diferentes partes do corpo, considera-se que isso se deve em parte aos efeitos antiinflamatórios, circulatórios e desintoxicantes de alguns desses óleos e aos efeitos analgésicos de outros (Price e Price, 1999, pág. 68). Alguns óleos essenciais possuem efeitos sedativos ou soporíficos (estimulam o sono) que aliviam a dor, tais como a bergamota, a camomila (romana) e o ylang-ylang (Rossi e outros, 1988). Alguns de seus efeitos analgésicos são atribuídos a componentes específicos, como, por exemplo, o eugenol (um componente existente no cravo-da-índia), conhecido pela sua eficácia no combate à dor de dente.

A dor encontra expressão em várias de nossas emoções, especialmente no sofrimento, que é um sentimento complicado e para o qual qualquer óleo essencial possuidor de ação analgésica pode ser efetivo. Quando a raiva nos domina, ou quando sofremos a dor da culpa, o melhor a fazer é usar durante esse período um óleo essencial que tenha propriedades analgésicas.

Óleos Essenciais Analgésicos

- anis
- pimenta-do-reino
- coentro
- erva-doce
- gerânio
- zimbro
- manjerona (doce)
- noz-moscada
- pinho
- sálvia
- manjericão
- cravo-da-índia
- eucalipto (smithii)
- olíbano
- gengibre
- lavanda
- niaouli
- hortelã-pimenta
- alecrim
- chá-preto

Fungicida e Antiviral

Já foram realizadas diversas investigações para descobrir os óleos essenciais que possuem efeitos fungicidas, e em três dessas pesquisas chegou-se à conclusão de que os aldeídos e os ésteres são os dois componentes mais eficazes nesse campo (Maruzella, 1961; Thompson e Cannon, 1986; Larrondo e Calvo, 1991). Alguns óleos possuem amplas propriedades fungicidas, ao passo que outros agem apenas sobre um fungo específico, como, por exemplo, o da *Candida albicans* e do *Tinea pedis* (pé-de-atleta).

Muitos óleos essenciais têm sido testados por seus efeitos sobre as diferentes viroses; entretanto, embora vários deles se tenham mostrado eficientes nesse campo, ninguém conseguiu distinguir exatamente os componentes causadores de tais efeitos. Foram encontrados, por exemplo, 12 componentes em uma variedade de óleos bastante eficazes no combate às viroses do herpes, sem que no entanto fosse demonstrado o componente realmente responsável por isso.

Na minha opinião, o ciúme pode ser comparado a um fungo ou a qualquer vírus que nos ataca, ou seja, algo do qual não precisamos nem queremos e que mesmo assim chega até nós; isso ocorre então porque todos somos vulneráveis ao desejo de coisas que não podemos ter: de uma outra pessoa, ou do trabalho de alguém que conseguiu um cargo que queríamos (na verdade, é uma emoção destrutiva e negativa). Mas essa mesma emoção também pode advir por causa do desejo em relação aos atributos físicos de uma pessoa amiga, ou aos atributos de sua personalidade, como, por exemplo, o da autoconfiança (nesse caso, uma emoção destrutiva que não é negativa).

Se é então razoável a expectativa de que um determinado óleo possa ser eficaz no combate a um fungo ou a um vírus físico, quando for necessário resistir a um "ataque" ao nosso eu interno, obviamente um outro óleo também poderá ser eficaz no combate a um fungo ou vírus mental. Mas, infelizmente, aqueles que vivenciam o ciúme ou a inveja (emoções negativas muito parecidas, mas não necessariamente iguais) quase nunca admitem isso para uma outra pessoa; por essa razão, sinto-me insegura para afirmar a sua eficácia nos meus clientes. Eis por quê, se algum leitor tiver êxito pessoal com a aplicação desses óleos, eu ficaria agradecida se ele me comunicasse; caso aconteça, não farei uso do seu nome, da mesma forma que não usei os nomes verdadeiros dos clientes que foram citados neste ou em qualquer outro dos meus livros.

Óleos Essenciais Fungicidas

- manjericão
- cravo-da-índia
- tangerina
- patchuli
- pinho
- sálvia
- tomilho (doce)

- sálvia esclaréia
- gerânio
- lavanda
- hortelã-pimenta
- alecrim
- chá-preto

Óleos Essenciais Antivirais

- manjericão
- cravo-da-índia
- lavanda
- niaouli

- bergamota
- eucalipto (smithii)
- limão
- hortelã-pimenta

- alecrim
- chá-preto

- sálvia
- tomilho (doce)

Antiinflamatório

Certos óleos essenciais têm demonstrado possuir efeitos antiinflamatórios (Jackovlev e outros, 1983), e por isso numerosos quadros inflamatórios podem ser combatidos por eles. O valor desses óleos é incalculável nos casos de inflamações da pele e da artrite, assim como são excelentes para combater as inflamações internas, tais como a bronquite, a sinusite e a cistite.

Como a raiva também pode ser considerada como uma espécie de inflamação da mente, é de esperar que um óleo essencial antiinflamatório também possa amenizá-la, bem como os quadros relacionados com ela, tais como impaciência e frustração.

Óleos Essenciais Antiinflamatórios

- manjericão
- erva-doce
- gerânio
- lavanda
- melissa
- laranja (ácida)
- hortelã-pimenta
- pinho
- alecrim
- tomilho (doce)

- camomila (romana e alemã)
- olíbano
- zimbro
- limão
- niaouli
- patchuli
- Citrus aurantium
- rosa (destilada)
- chá-preto
- mil-folhas

Antiespasmódico

Debelmas e Rochat testaram, em 1964, alguns óleos essenciais considerados eficientes no alívio das cólicas porque acalmam as fibras musculares do trato digestivo, e a seqüência dos testes confirmou esse fato (Debelmas e Rochat, 1967; Taddei e outros, 1988). No decorrer dos anos, venho obtendo resultados excelentes com os meus clientes que apresentam dores musculares, valendo-me do uso da manjerona e do manjericão; no entanto, tenho duas amigas que escreveram um livro medicinal sobre a aromaterapia, no qual recomendaram o cipreste para esse mesmo problema, e depois disso passei a utilizá-lo com resultados também excelentes (Franchomme e Pénoël, 1990).

Acredito que os óleos essenciais de ação antiespasmódica sejam capazes de amenizar o sentimento tenso da raiva; como a culpa é outra emoção que causa muitas tensões interiores, esses mesmos óleos também podem ser de grande valia. O medo também é um sentimento que tensiona fortemente os músculos e, embora não cheguem a apresentar cãibras, de todo modo a sua ação antiespasmódica será bastante eficaz no relaxamento da sensação de aperto que ele dá. Aliás, vale aqui observar que a ação calmante do óleo será ainda capaz de alcançar a mente, pois sofremos de cãibras emocionais quando a nossa mente lida, por muito tempo, com algo que nos amedronta; por isso, tudo indica que o óleo com propriedades antiespasmódicas será necessário nesse caso.

Se alguma experiência existencial está atrapalhando você e lhe causando infelicidade, mesmo que já tenha o costume de utilizar regularmente os óleos essenciais, tente fazer uso daqueles que possuem propriedades antiespasmódicas!

Óleos Essenciais Antiespasmódicos

- anis
- bergamota
- camomila (romana e alemã)
- coentro
- erva-doce
- gerânio

- manjericão
- cajepute
- sálvia esclaréia
- cravo-da-índia
- cipreste
- olíbano

- limão
- tangerina
- noz-moscada
- Citrus aurantium
- sálvia
- ylang-ylang

- lavanda
- manjerona (doce)
- melissa
- hortelã-pimenta
- alecrim
- tomilho (doce)

Anticatarral

Para suprimir e expulsar os germes causadores do catarro, são necessários os óleos essenciais que contêm os poderosos componentes denominados cetonas, e às vezes as lactonas, pois esses atingem o muco de maneira a nos fazer expeli-lo mais facilmente. Nas pesquisas realizadas em 1938 (Gordonoff), 1946 (Boyd e Pearson) e 1985 (Schilcher), descobriu-se que certos óleos são eficazes como expectorantes (termo médico utilizado para os medicamentos que auxiliam a expelir o muco).

A associação desse problema com a emoção da culpa é bastante comum, e o mesmo ocorre com a raiva, já que esses sentimentos nos deixam com a impressão de que estamos com o peito congestionado, e por isso mesmo com uma enorme vontade de "colocar tudo para fora". Portanto, os óleos essenciais que possuem um efeito de alívio sobre o catarro serão necessários para quem está se sentindo culpado após a perda do ser amado, esteja atormentado com a idéia de que não fez "o bastante" ou com a sensação de que "poderia ter feito". Além do mais, quando os sentimentos da raiva ou da culpa em geral instalam-se na pessoa, é sempre importante liberá-los para que o eu interior não adoeça.

Óleos Essenciais Anticatarrais

- anis
- cajepute
- erva-doce
- zimbro
- melissa
- pinho

- manjericão
- cipreste
- gerânio
- lavanda
- patchuli
- alecrim

AROMATERAPIA E AS EMOÇÕES

- sândalo
- tomilho (doce)

- chá-preto
- mil-folhas

Equilibrante

Os óleos essenciais possuem admiráveis poderes equilibrantes, tornando-se evidente por que alguns deles são energizantes e/ou estimulantes, enquanto outros são calmantes e/ou sedativos. Embora essa capacidade dos óleos possa parecer curiosa, as pesquisas a têm confirmado (Torii, 1988) e a denominam de efeito adaptogênico (Price e Price, 1999, pág. 75). Iremos nos deter mais adiante nos óleos essenciais que são neurotônicos, e também nos calmantes e sedativos, porque nesses casos é necessário que estejam associados com os atributos individuais. Mas, por enquanto, registraremos apenas os óleos essenciais nos quais se encontram as *duas* propriedades mencionadas.

O sofrimento é o tipo da emoção para a qual um óleo de "dupla ação" é sempre de grande valia; isto porque ela é complexa e engloba outras emoções no seu interior, de maneira a não só demandar a versatilidade como também a ação equilibrante.

Os óleos essenciais equilibrantes promovem naturalmente uma cura ideal para quem vive situações nas quais o desequilíbrio, a mudança constante de humor e a irracionalidade são predominantes. E esse extraordinário poder de equilíbrio também é bastante eficaz nas emoções secundárias – confusão e sentimentos afins: atordoamento, indecisão, incerteza –, emoções freqüentemente vivenciadas em meio ao processo do sofrimento.

Óleos Essenciais para o Equilíbrio (Relaxantes e Estimulantes)

- manjericão
- sálvia esclaréia
- gerânio
- manjerona
- rosa

- bergamota
- cipreste
- lavanda
- Citrus aurantium

Cardiotônico

Embora não existam muitas pesquisas a respeito das propriedades cardiotônicas dos óleos essenciais, já foi realizada na França uma experiência mais consistente sobre o assunto (Franchomme e Pénoël, 1990). Na Inglaterra, vem sendo observada a capacidade desses óleos para acelerar o batimento cardíaco e atenuar as palpitações, isto é, a rápida e forte contração do coração (Woolfson e Hewitt, 1992). Os óleos essenciais que possuem uma ação geral tônica promovem então esse tipo de efeito sobre o coração, e por isso sempre os incluo na lista de minha preferência.

Existem diversas emoções para as quais o óleo tônico do coração pode ser benéfico – como fortificante. No sofrimento, geralmente ocorre um abatimento do ânimo, e para isso tanto podem ser usados os óleos essenciais que agem sobre o sistema nervoso, como também aqueles que são capazes de animar e aliviar o coração sofredor, pois suprem o organismo da estamina necessária para que possa seguir em frente. Em toda e qualquer vivência de medo, especialmente de terror, o coração torna-se carente de estímulo, e para essa situação os óleos cardiotônicos são ótimos. Por outro lado, os óleos que desaceleram o batimento cardíaco são úteis nas ocasiões em que o coração tem como sintoma uma forte aceleração. A culpa, por exemplo, torna o coração pesado, e para lhe dar leveza não há nada mais indicado do que um óleo com propriedades cardiotônicas. Entretanto, se o medo e a culpa estiverem associados com o sofrimento, sugiro usar um óleo cardiotônico que não seja tônico do sistema nervoso, pois assim é garantida a possibilidade de êxito.

Os óleos cardiotônicos também são capazes de beneficiar as emoções secundárias – tais como apatia, confusão e timidez – porque são requeridas as qualidades decorrentes da estamina e da coragem.

Óleos Essenciais Cardiotônicos

- anis
- erva-doce
- alecrim
- tomilho (doce)
- manjericão
- lavanda
- sândalo

Cicatrizante

Cicatrizar significa curar, e uma das propriedades de cura da lavanda refere-se às queimaduras. Mas ela também possui outras propriedades de cura que são compartilhadas com outros óleos, sobretudo para a cura dos tecidos danificados, das feridas e das cicatrizes. Nas aplicações dos óleos sobre a pele, a erva-de-são-joão (*hypericum*) poderá ser um catalisador eficiente, pois esse óleo foi bastante utilizado, no passado, no tratamento das queimaduras e das feridas (Weiss, 1998).

Muitas emoções precisam dos óleos curativos, como, por exemplo, aquele tipo de sofrimento no qual as feridas levam muito tempo para curar. As cicatrizes deixadas pela culpa também requerem a sua cura, assim como a raiva que fica "fervendo" por muito tempo dentro de alguém; para tais problemas, os óleos para as queimaduras e úlceras são os mais apropriados. As feridas da alma ocasionadas pelo ciúme também podem se beneficiar com uma abordagem curativa.

Óleos Essenciais Cicatrizantes

- bergamota
- camomila (romana e alemã)
- gerânio
- limão
- rosa
- sálvia

- cedro
- cravo-da-índia
- olíbano
- lavanda
- patchuli
- alecrim

Circulatório

Apesar de existirem poucos óleos essenciais dotados de poderes para intensificar a taxa de sangue que flui através do corpo, uma boa circulação sangüínea sempre o mantém sadio, mesmo porque é o sangue que nutre cada uma de suas células, além de eliminar as matérias imprestáveis e as toxinas (com o auxílio da linfa, um outro fluido circulatório do sangue). Quando há então alguma congestão no corpo, ocorre um empobrecimento da circulação sangüínea, o que faz com que os órgãos não recebam uma nutrição suficiente, e as matérias imprestáveis não sejam removidas antes de sua interferência na saúde. Um péssimo hábito alimentar, a falta de exercício e o estresse são geralmente os fatores que danificam a circulação. O crescente "aprisionamento" das toxinas corrói gradualmente a saúde, e, quando esse processo se prolonga, a doença acaba se instalando (Price, 1999).

As emoções secundárias – como a apatia e a timidez – também podem ser beneficiadas pelos óleos estimuladores da circulação, já que esses propiciam um estímulo extra; aliás, a necessidade desse tipo de sentimento pelo efeito estimulante é muito maior do que se imagina! A emoção primária – e destrutiva – da inveja é outra que pode ser auxiliada pelos óleos estimuladores da circulação, pois liberam os pensamentos "tóxicos".

Óleos Essenciais Estimuladores da Circulação (Sangue e Linfa)

- benjoim
- cedro
- gerânio
- laranja (ácida)
- sálvia

- pimenta-do-reino
- cipreste
- limão
- alecrim

Descongestionante

Existem óleos essenciais que amenizam o congestionamento nos diferentes sistemas do corpo, e por isso mesmo são necessários para aliviar a congestão do sistema reprodutor e da difícil e dolorosa menstruação (dismenorréia). No sistema circulatório, alguns desses óleos descongestionam a circulação venosa, facilitando e agilizando o retorno do sangue ao coração, e por conseqüência desobstruindo as varizes e outros distúrbios causados pela congestão sangüínea, como, por exemplo, as equimoses. Alguns óleos essenciais possuem propriedades descongestionantes que aliviam as dores de cabeça e as enxaquecas, ao passo que outros suavizam a congestão decorrente da má digestão, e outros mais atenuam a congestão catarral da asma e dos problemas respiratórios.

Os sintomas da congestão também se apresentam em diversas emoções, sobretudo naquelas situações em que a mente fica "entupida" de pensamentos, impedindo a clareza da visão nas decisões a serem tomadas; isso geralmente ocorre nos casos de culpa e de sofrimento, ou quando as circunstâncias estão muito confusas. Para essas ocasiões de incerteza, desnorteamento e indecisão, os óleos descongestionantes podem ser de extrema valia.

Óleos Essenciais Descongestionantes

- cajepute
- sálvia esclaréia
- patchuli
- pinho
- sândalo

- camomila (alemã)
- gerânio
- hortelã-pimenta
- alecrim

Desintoxicante, Purificador

Quando o corpo apresenta um acúmulo de matéria tóxica, devido a uma dieta incorreta, ao alcoolismo, à falta de exercício e por aí adiante, diversos órgãos podem ser afetados: a linfa, na qual há um depósito de toxinas, que depois são expulsas; os rins, que também recebem toxinas a serem excluídas; e o fígado, que além de ser o nosso maior órgão, absorve as toxinas do alto consumo de álcool e outros resíduos de substâncias tóxicas, os quais são normalmente derivados da ingestão excessiva de medicamentos (como no caso de minha mãe).

Os óleos essenciais próprios para a desintoxicação do corpo físico também podem beneficiar várias emoções, como o ciúme, a vingança, a cobiça e algumas formas de culpa, como a consciência pesada, pois essas são constituídas por um acúmulo de toxinas na mente. O uso desses óleos irá propiciar então a clareza e a oportunidade de um novo começo.

Óleos Essenciais Desintoxicantes

- sálvia esclaréia
- zimbro
- alecrim

Diurético

Já existem evidências de que um ou dois óleos são diuréticos, mas Gattefossé (1937, pág. 71) vai mais longe, quando afirma que todos os óleos essenciais são diuréticos. Os óleos diuréticos são eficazes na obesidade e também na celulite e no edema (infiltração do fluido aquoso nos tecidos), sintomas esses que se localizam de maneira característica debaixo da pele e que são geralmente indolores, ocorrendo com freqüência durante a gravidez; no entanto, quando há infiltração do fluido aquoso nas juntas, como no caso do reumatismo, o sintoma é bastante doloroso. Os óleos diuréticos também são úteis nas desordens urinárias, sobretudo quando acontece uma insuficiência urinária, que pode se dar, por exemplo, com a ingestão de remédios para a pressão alta.

Em qualquer caso de emoção reprimida, que por isso mesmo precisa ser liberada, os óleos diuréticos serão de extrema valia. Eles podem então ser indicados para as emoções primárias que estão arraigadas na pessoa, ou para as que foram suprimidas, tais como o pesar, a raiva, o medo, a culpa e o ciúme. Portanto, tudo aquilo que guardamos por muito tempo dentro de nós mesmos será beneficiado pelo uso dos óleos essenciais diuréticos.

Óleos Essenciais Diuréticos

- anis
- cipreste
- limão
- manjerona
- sálvia
- tomilho (doce)

- alcaravia
- erva-doce
- zimbro
- alecrim
- sândalo

Digestivo

Diversos óleos essenciais provocam fortes e diferentes efeitos no sistema digestivo. Por exemplo, você sabia que os drinques aperitivos contêm óleos essenciais que servem para estimular o apetite (se necessário) e as secreções digestivas, de maneira que o alimento seja digerido mais facilmente? E você sabia que os óleos selecionados para esses drinques geralmente também possuem propriedades antibacterianas e antiespasmódicas? Muitos desses óleos do tipo aperitivo são oriundos de uma determinada família de plantas, além de serem quase sempre confinados ao uso profissional; no entanto, desde que se tenha o devido cuidado com eles, seguindo-se as restrições recomendadas, não haverá nenhum perigo em usá-los.

Alguns óleos essenciais digestivos são capazes de aliviar a náusea e o vômito nervoso, mas ainda existem outros nessa categoria digestiva que apresentam uma enorme eficiência nos casos de indigestão e flatulência (gases). São tantas as referências ao sistema digestivo, que seria exaustivo enumerá-las neste livro, mas nem por isso eu e meu marido deixamos de enumerá-las em outro livro de aromaterapia que escrevemos para os profissionais da saúde.

O sistema digestivo costuma apresentar enfraquecimentos quando se vivencia o medo, devido à carga de energia extra que nessa ocasião é enviada para o resto do corpo, e por isso mesmo o melhor é incrementar a totalidade desse sistema para que todo ele seja revitalizado. Os óleos que estimulam o apetite também podem ser de grande valia durante os processos de sofrimento, além de serem bastante úteis para quem foi tomado pela apatia, na medida mesmo em que o alimento é sempre favorecido pela mente.

Já sabemos que quando a mente está se sentindo culpada, ela sofre uma "congestão" de pensamentos conflitivos e freqüentemente dolorosos, o que também é um sintoma do medo. Eis por que então, se quisermos amenizar esse conjunto de emoções, devemos incluir em nossa escolha os óleos que aliviam a indigestão dolorosa.

Quando ocorre a presença incômoda da flatulência, o organismo está aprisionando no seu sistema digestivo o ar, que tenta, por todos os meios, escapar. De modo semelhante, quando os sentimentos de culpa e raiva são dissimulados ou reprimidos, o indivíduo é levado a querer "botar tudo para fora". Portanto, o que haverá de melhor nesse momento senão os óleos essenciais carminativos (eliminadores de gases)? Afora isso, quando surge uma emoção complexa, como a do sofrimento, muitas outras emoções reivindicam o seu direito de emergir; se houver então a necessidade de liberar qualquer tipo de sentimento, nada será melhor do que o uso dos óleos que contenham essa propriedade. (*Para os efeitos digestivos individuais, ver Capítulo 7.*)

Óleos Essenciais Digestivos

- manjericão
- pimenta-do-reino
- coentro
- gerânio
- zimbro
- tangerina
- melissa
- niaouli
- laranja (ácida)
- alecrim

- bergamota
- camomila
- erva-doce
- gengibre
- limão
- manjerona
- neroli
- noz-moscada
- hortelã-pimenta
- sálvia

Hormonal

Existem diversos óleos essenciais que, embora não sejam propriamente hormonais (porque não são iguais aos hormônios do nosso corpo), apresentam uma tendência a normalizar essas secreções quando em desequilíbrio.

> Os componentes de alguns óleos essenciais voláteis apresentam estruturas similares aos hormônios naturais do corpo humano e por isso promovem, por meios naturais, uma atividade eficiente da glândula endócrina.
>
> Price e Price, pág. 79

Alguns óleos fomentam uma ação equilibradora sobre o sistema reprodutivo, sendo portanto capazes de beneficiar os ovários, a menstruação, o aleitamento, a menopausa e vários problemas sexuais. Alguns deles são parecidos com a cortisona (Franchomme e Pénoël, pág. 87), outros afetam as glândulas supra-renais, enquanto outros interferem na tireóide.

É sabido que o desequilíbrio hormonal mexe com as emoções, como ocorre na tensão pré-menstrual e na menopausa, pois em ambos os casos muitas mulheres sofrem mudanças de humor e às vezes em detrimento do relacionamento com o parceiro e/ou com os filhos, sem falar dos amigos e dos parentes. A utilização desses óleos será então sempre benéfica quando houver necessidade de equilíbrio nessas ocasiões.

Óleos Essenciais Semelhantes aos Hormônios

- anis
- camomila (alemã)
- cravo-da-índia
- erva-doce
- niaouli
- pinho
- sálvia
- cajepute
- sálvia esclaréia
- cipreste
- manjerona
- hortelã-pimenta
- alecrim
- tomilho (doce)

Imunoestimulante

A causa principal do depauperamento do sistema imunológico é quase sempre um alto grau de estresse ou uma depressão profunda. Mas, se esse sistema não estiver funcionando muito bem, os óleos essenciais imunoestimulantes serão capazes de ativá-lo. E serão ainda de grande valia quando a depressão somar-se a uma doença crônica, como a síndrome da fadiga pós-viral (ME), o câncer e o HIV.

O sofrimento talvez seja a emoção que mais necessite dos óleos essenciais imunoestimulantes, até porque a depressão costuma juntar-se a ela e, na medida em que outras emoções também podem se acrescentar, se não houver alguma intervenção, a resistência do corpo terá a tendência de abaixar consideravelmente, de maneira a danificar a saúde física tanto quanto a emocional. Somente o indivíduo atento a si mesmo consegue expressar a sua culpa, no sentido de deixá-la às claras, quando ela é realmente séria ou já dura o bastante para interferir na sua resistência e causar doenças. Mas, seja como for, se alguém sucumbe continuamente aos resfriados e às dores de cabeça, eu aconselharia a utilização de um óleo que possa fortalecer o sistema imunológico.

Óleos Essenciais Imunoestimulantes

- cravo-da-índia
- limão
- chá-preto
- patchuli
- olíbano
- niaouli
- tomilho (doce)

Litolítico

Esse termo expressa a qualidade de eliminar as pedras dos rins e da vesícula, e diversos óleos essenciais possuem a habilidade de realizar tal tarefa.

Embora não se possa afirmar que o perdão constitui uma emoção, o fato é que ele estabelece uma liberação das emoções, como, por exemplo, a da raiva; portanto, apesar de ser sempre difícil perdoar a quem nos machucou, se nos recusarmos a isso talvez venhamos a ser "duros" em nosso íntimo. Os óleos litolíticos possuem então a capacidade de amolecer uma alma que não perdoa, ou mesmo aquela outra que vive cultivando o ciúme (que também é uma emoção "dura"), de maneira a tornar a vida da pessoa mais prazerosa e agradável. E isso porque o perdão sempre ocasiona o prazer.

Óleos Essenciais Litolíticos

- erva-doce
- limão
- pinho
- zimbro
- niaouli
- alecrim

Estimulante Mental

Apenas alguns poucos óleos são estimulantes mentais, e esses são extremamente valiosos nos casos de perda de memória, ou quando é necessário lembrar certos fatos, como nas ocasiões em que se presta algum exame.

Os óleos essenciais estimulantes da mente são fundamentais em todas as formas de sofrimento e medo, mas também podem beneficiar emoções secundárias, como a apatia, a timidez e a confusão mental.

Óleos Essenciais Estimulantes da Mente

- cravo-da-índia
- hortelã-pimenta
- alecrim

Neurotônico

O fato de haver uma extensa lista de óleos essenciais neurotônicos (tônicos para os nervos) constitui uma verdadeira bênção para todos nós, porque são de grande valia para os estados depressivos; portanto, toda vez que a depressão estiver fortemente agregada a qualquer tipo de doença, tais óleos serão a melhor opção para levantar o ânimo. E muitos desses óleos também são multifuncionais, pois não só amenizam a fadiga geral e a debilidade, como também outros quadros de origem nervosa, tais como a insônia, a indigestão, a náusea e a queda de cabelos.

A interação de inúmeros sintomas com as emoções é sempre muito clara. Por exemplo, tão logo o medo começa, quase sempre o indivíduo "se sente doente do estômago"; e, para uma experiência desagradável como esta, nada melhor do que o uso de óleos que tenham a capacidade de "assentá-la" ou resolvê-la.

A extrema importância dos óleos neurotônicos deve-se aos seus efeitos benéficos sobre o sofrimento, já que este é sempre acompanhado pelo desenvolvimento da depressão, fazendo com que eles sejam necessários nos momentos em que se precisa manter o ânimo elevado, mesmo em circunstâncias desfavoráveis. Alguns desses óleos são capazes de auxiliar o combate à insônia, desde que ela esteja associada a um distúrbio nervoso, o que freqüentemente ocorre no processo do sofrimento.

Os óleos neurotônicos também são úteis nas diferentes formas de apatia (*ver Capítulo 7*) e ainda podem ser empregados para fortalecer quem é acometido pelas diversas manifestações da timidez.

Óleos Essenciais Neurotônicos

- manjericão
- sálvia esclaréia
- coentro
- olíbano
- lavanda
- neroli
- pinho
- alecrim
- tomilho (doce)

- bergamota
- cravo-da-índia
- cipreste
- zimbro
- manjerona
- noz-moscada
- rosa
- sálvia

Relaxante, Sedativo

Os óleos essenciais com tais propriedades são uma bênção para todos os casos de ansiedade e estresse, e portanto para os seus respectivos sintomas: insônia, dores de cabeça, agitação, pesadelos, irritabilidade e abalo nervoso. Quando a ansiedade e o estresse estiverem ocultos por trás da enfermidade manifesta, a escolha final dos óleos essenciais deverá inclinar-se para aqueles que possuem uma ação relaxante ou sedativa.

A raiva, e todas as formas das quais ela se investe, é a experiência emocional que mais necessita desse tipo de óleo. Mas o medo também precisa dos óleos calmantes, sobretudo quando o estresse já está tomando conta da pessoa; no entanto, nas situações de terror e pânico, os óleos realmente eficientes serão os calmantes mais fortes, ou seja, aqueles que são simultaneamente sedativos. Quando, no processo de sofrimento, tudo ecoa como "excessivo", os melhores óleos essenciais para isso são justamente os calmantes, e o seu valor também é incalculável quando nesse mesmo processo a raiva e o medo predominam.

Toda pessoa que tem o costume de sonhar acordada, ou que vive continuamente com a "cabeça nas nuvens", requer de maneira particular os fortes óleos essenciais sedativos, pois eles serão mais eficazes para trazê-la de volta à terra, ou para "aterrá-la", como algumas terapias alternativas gostam de dizer.

Óleos Essenciais Relaxantes, Sedativos

- anis
- bergamota
- camomila (romana)
- gerânio
- lavanda
- tangerina
- neroli
- Citrus aurantium
- ylang-ylang

- manjericão
- alcaravia
- cipreste
- zimbro
- limão
- melissa
- laranja (ácida)
- sândalo

Conclusão

Este capítulo procurou mostrar como a aplicação do senso prático holístico é capaz de aliviar as dificuldades emocionais por meio da escolha cuidadosa dos óleos essenciais relevantes. Assim, se você fizer a si mesmo as perguntas certas, isto é, somente aquelas que sejam frutos da observação acurada dos seus aspectos mentais e físicos, para que seja de fato revelado o seu verdadeiro estado, será então possível selecionar os óleos essenciais curativos que poderão incrementar a sua saúde geral, ou seja, mental, física e espiritual.

6 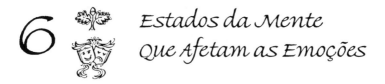 Estados da Mente que Afetam as Emoções

> Cante em júbilo ao Senhor,
>   e a todos os devotos dEle!
> Lembre-se de tudo que Ele fez,
>   e agradeça!
> A raiva do Senhor dura somente um instante,
>   enquanto Sua bondade permanece pela vida inteira.
> As lágrimas poderão então fluir à noite,
>   mas a alegria virá pela manhã.
>
> Salmo 30: 5-6

Segundo os psicólogos, a vida da emoção é muito curta, porque dura freqüentemente alguns segundos e, na maioria das vezes, alguns minutos. Por isso, as emoções que se prolongam por mais do que alguns minutos talvez sejam, na verdade, um conjunto de respostas individuais que ocorrem repetidamente (Lindenfield, 1997, pág. 21). No entanto, uma coisa é realmente evidente: as emoções são bastante complexas. Por exemplo, ao mesmo tempo que se vivencia o ciúme, é possível que também estejam sendo vivenciados o ódio, a raiva e a vergonha; além disso, caso os psicólogos estejam de fato certos, a pessoa é capaz de mudar ou alternar tais emoções no curso do tempo.

Uma determinada canção possui muitas vezes o dom de nos "acionar", além de também constituir uma resposta imediata do cérebro para a parte "sensível" de nossa mente. Aliás, geralmente o cérebro é capaz de detonar ações imediatas do nosso corpo, quando estamos, por exemplo,

a) fugindo de algo que nos amedronta:
Susan sempre teve medo de bêbados, quando criança ou mesmo na fase adulta; ela entrava em pânico e logo atravessava a rua para não passar perto de um deles.

Toda vez que Susan se punha em fuga, o que era de fato uma ação detonada pelo seu cérebro diante da experiência do medo, ela procurava com isso evitar a ansiedade, embora não resolvesse o seu problema emocional.

b) acolhendo alguma coisa que nos causa deleite:

Marion ficou com uma saudade imensa do seu marido, quando ele saiu por alguns dias a negócios. Depois de dez dias, ela recebeu um telefonema do escritório dele, informando que seu marido estaria em casa em poucas horas. Ela saiu, então, cheia de alegria, para comprar o vinho de que ele mais gostava e ainda preparou uma comida deliciosa, para demonstrar o quanto estava feliz pelo seu retorno.

Um simples telefonema tirou Marion da tristeza, colocando-a de imediato na alegria e na expectativa, dando-lhe por isso mesmo uma outra energia para agir e preparar tudo em pouco tempo.

c) resolvendo algo que até então nos confundia:

Pauline teria que ministrar uma palestra da qual já estava ciente de todos os detalhes, isto é, lugar, data e horário. Porém, uma semana antes da data prevista, ela recebeu uma carta que contradizia algumas das informações que recebera no início. Isso foi o bastante para ela ficar confusa e entrar em pânico, mas não a impediu de entrar em contato com quem iria ajudá-la a resolver a situação.

Pauline se viu mais aliviada depois de ter feito contato através de um telefonema, mas essa ação foi desencadeada pela sua ansiedade; no entanto, essa sua experiência emocional foi momentânea, ao contrário do mesmo sentimento que era obsessivo em Susan, porque ela pediu ajuda para tirar a ansiedade de sua mente.

Não é fácil fazer uma seleção de óleos essenciais para os problemas emocionais, da mesma forma que não o é para os problemas da saúde física. Entretanto, nos casos como o de Marion, não há necessidade desses óleos, embora tivesse sido melhor para ela se alguma mistura deles fosse vaporizada para relaxar e dar prazer.

No passado, a maior parte das pesquisas sobre os óleos essenciais tinha como objetivo as suas propriedades bactericidas e anti-sépticas, mas os estudos recentes já tentam comprovar a sua eficácia em diversos distúrbios da saúde, tais como insônia, reumatismo e estresse. Entretanto, afora a linha de pesquisa que vem demonstrando o modo pelo

ESTADOS DA MENTE QUE AFETAM AS EMOÇÕES   135

qual esses óleos exercem efeitos sobre a mente, ainda não surgiram evidências maiores que tenham realmente comprovado os seus efeitos sobre as emoções do indivíduo. Eis por que as diversas opções que constam dos livros especializados sobre a aromaterapia são fruto da experiência pessoal dos seus autores e de outras pessoas que relataram os resultados obtidos de sua prática.

Em todo e qualquer lugar que vou para ministrar as minhas palestras (eu as ministro tanto na Inglaterra quanto no exterior), sempre peço aos terapeutas presentes que transmitam os seus casos para que sejam depois publicados no *The Aromatherapist* ou no *Aromatherapy World* (jornais para terapeutas). E isso porque são justamente esses casos que constituem a única evidência da seriedade de nossa prática, devido à ausência de testes clínicos. Portanto, esse pedido não visa apenas ao meu próprio interesse, mas ao de todos os aromaterapeutas, porque, através da leitura dos casos que foram trabalhados por cada um deles, os pacientes de todos serão os mais beneficiados. Contudo, meus apelos raramente recebem uma resposta positiva! Por isso, o que tenho em mãos daquilo que diz respeito ao estudo desses casos foi um material enviado para o Shirley Price International College of Aromatherapy como parte dos itens necessários para a aquisição do diploma, ou seja, só os recebo porque a sua remessa é uma *obrigação* dos alunos. Portanto, isso representa apenas uma pequena parcela de todo um material de estudo que já *poderia* estar disponível para os aromaterapeutas; enfim, o que posso dizer mais uma vez agora é que tais relatos talvez viessem a servir de motivação para que fossem de fato realizadas as experiências clínicas sobre o tema.

Se sua intenção é a de obter os melhores resultados com os óleos essenciais, nunca se esqueça de selecioná-los (*ver Capítulos 5, 6 e 7*), tendo em vista o seu próprio estilo de vida, porque do contrário será como se você estivesse dirigindo um carro com a mão quebrada. Talvez até você consiga essa proeza, mas o resultado jamais terá a mesma maestria que certamente ocorreria com a sua mão em perfeito estado. Observe então a relação dos itens que virão a seguir e, se algum deles expressar o seu modo de ser, faça alguma coisa a respeito, *simultaneamente* ao uso dos óleos de sua preferência, para que você possa extrair de maneira plena os benefícios dessa prática.

- Alimente-se de maneira correta; se puder, deixe de fumar, e procure beber com moderação tanto o álcool como o café, senão os seus problemas acabarão se tornando, a longo prazo, muito mais sérios.
- Faça exercícios com regularidade, mesmo que seja meia hora por dia. E, caso você não goste da rotina, varie! Dê uma volta no quarteirão, limpe uma janela (além de ser um ótimo exercício, emagrece!), nade, lave o chão da cozinha. Enfim, existem mil coisas que você pode fazer como exercício; mas procure fazer algo que lhe dê prazer.
- Saiba parar quando o cansaço chegar, pois ninguém consegue fazer bem coisa alguma quando está cansado, até porque forçar a barra significa apenas incrementar o estresse. Por isso, na hora do cansaço, o melhor a fazer é relaxar, praticar alguns exercícios respiratórios, ler um livro ou assistir televisão (mas, por favor, evite um filme de terror!).
- Antes de dormir, tome um banho morno com óleos essenciais relaxantes e beba uma xícara de chá ou leite quentes.
- Organize, em ordem de importância, uma lista das coisas que você precisa fazer, e faça uma de cada vez, com toda concentração.
- Se você tiver que abrir mão de alguma coisa que não lhe é conveniente, faça-o, desde que isso não lhe vá causar uma preocupação extra no futuro.
- Seja realista em relação à perfeição. Embora não seja necessário haver desleixo de sua parte, procure aceitar o fato de que um terceiro ou quarto rascunho da carta, que foi escrita ontem por você, só lhe trará mais estresse; afinal, de repente o último rascunho pode até nem estar tão bom quanto o primeiro!

Estresse e Depressão

Antes de observar as emoções que nos afetam de maneira adversa e de organizá-las em grupos, vamos tecer algumas considerações sobre o estresse e a depressão, já que são os principais estados da mente capazes de alterar ou iniciar as ditas emoções, da mesma forma que eles também podem ser alterados por essas. Diga-se de passagem que tais disposições mentais parecem mesmo onipresentes em nossa sociedade moderna; no entanto, não queremos dizer com isso que essas experiências são recen-

ESTADOS DA MENTE QUE AFETAM AS EMOÇÕES   137

tes e sim que todas as pessoas estão mais atentas para elas atualmente. Embora a citação a seguir queira se referir à depressão, ela se adapta perfeitamente ao que também ocorre no estresse – os itálicos são meus:

> Devo enfatizar que o *estresse*, a depressão e a desesperança não são propriamente emoções; são estados mentais crônicos que resultam da nossa falta de habilidade para integrar as verdadeiras emoções. Assim, no instante em que conseguirmos expressar e resolver as nossas emoções, como, por exemplo, a tristeza e a raiva, estaremos muito menos propensos a nos tornar *estressados*, deprimidos ou desesperançados.
>
> Domar e Dreher, 1997

Estresse e depressão são portanto termos relativos que tentam fazer uma descrição de como o indivíduo se "sente" em relação à sua experiência de vida ordinária. Assim, na medida mesmo em que todos nós somos seres individuais, os sentimentos de cada um descrevem, por meio desses termos, a forma pela qual o cotidiano acaba debilitando mais a uns e menos a outros. Talvez por isso muitas pessoas que se encontram eventualmente em torno de alguém que está sofrendo de depressão ou estresse tornam-se intolerantes com ele, irritando-se com o fato de que também são afetadas pelas mesmas circunstâncias e nem por isso sofrem as mesmas conseqüências adversas. Quanto a isso, só tenho a dizer que, quando se está de fora, é muito fácil julgar a situação de uma outra pessoa, e mais fácil ainda é pensar no que ela deveria decidir e fazer, ou como deveria lidar com os aspectos existenciais que lhe causam ansiedade.

Quando o estresse é crônico, o mais provável é que tenha sido causado pela depressão, até porque muitos estados de ansiedade e de estresse intenso instalam-se depois de um acontecimento traumático (como, por exemplo, a morte de um ente querido), ou diante de uma grande dificuldade (como, por exemplo, a convivência com um marido alcoólatra); em suma, nesse caso está sempre presente um agente provocador. Mas a depressão também depende da vulnerabilidade da pessoa que está envolvida na questão e da quantidade de dificuldades enfrentadas por ela ao mesmo tempo; por exemplo, perder a mãe na mesma época do divórcio e, além disso, ficar com três filhos para criar. Price (1994) descobriu que os efeitos do estresse múltiplo geralmente resultam em enfraquecimento ou perda dos cabelos, um quadro que aumenta naturalmente o estado depressivo. Brown e Harris (1978) corroboram essa teoria com a história de uma mulher que vivia com os seus três filhos adolescentes e que também lidava com os seguintes problemas que terminaram por lhe causar depressão e estresse:

- Tratava-se de uma viúva.
- Na sua casa não havia luz e aquecimento, porque ela não podia pagar a eletricidade e o gás.
- Um dos seus filhos estava sob condicional por causa de violência, e, como se não bastassem os problemas que ela enfrentava ao mesmo tempo, não havia um marido presente para lhe dar apoio.
- Por fim, ela recebeu a informação de que poderia ser presa se não pagasse 400 libras como fiança para o filho. A partir daí, a mulher entrou em completo desespero.

Nos casos mais severos de estresse e/ou depressão, normalmente se instalam a exaustão e a fadiga mental. Mas a ansiedade que lhes é subjacente e todos os estados mentais que as acompanham podem ser tratados eficazmente por meio dos óleos essenciais, com ou sem massagem. Entretanto, pelo fato de que cada um desses óleos gera uma variedade de efeitos sobre a saúde – tanto físicos quanto mentais –, existe uma lista extensa de óleos essenciais que podem ser benéficos, e a sua escolha final vai depender dos seguintes aspectos:

- Das emoções que são vivenciadas na maior parte do tempo.
- Do fato de os sintomas físicos estarem se apresentando ou não.

A aromaterapia é particularmente benéfica tanto para o estresse como para a depressão, porque o seu principal objetivo é o de levar equilíbrio e harmonia à mente. Os óleos essenciais são portanto substâncias equilibradoras (especialmente aqueles que contêm ésteres – *ver Capítulo 5*), sobretudo porque ajudam a pessoa *por inteiro*, ajustando-a na sua situação particular de vida.

ESTADOS DA MENTE QUE AFETAM AS EMOÇÕES 139

> Segundo a tradição da aromaterapia, existem óleos essenciais específicos que são redutores do estresse, enquanto outros são energizadores, e outros mais podem ter ambos os efeitos, dependendo do estado mental e da interação corporal do usuário (...) Chegamos então à conclusão de que a melhor maneira de analisar as propriedades redutoras do estresse de uma fragrância consiste na investigação dos seus efeitos fisiológicos.
>
> Warren e Warrenburg, 1993

Se o estresse ou a depressão (ou ambos, já que estão freqüentemente interligados) são os responsáveis pela sua maneira de sentir, a primeira coisa que você deve fazer é tomar nota de todos os óleos que estão listados mais à frente, para os estados mentais. Se você é uma pessoa que está, por exemplo, o tempo todo fatigado ou sofrendo de exaustão mental, cole uma etiqueta nos óleos que serão capazes de ajudar nessas situações; se eles ainda não constarem de sua lista, acrescente-os a ela.

Essa é a base sobre a qual a sua escolha final deverá ser feita. O próximo passo será o de verificar se algum desses óleos também pode aliviar qualquer outro dos seus problemas, seja emocional ou físico; caso ele possa, etiquete-o também. E procure sempre selecionar mais de um óleo, por causa da sinergia (*ver Capítulo 9*), mas, se no final estiverem muitos à sua disposição, selecione aquele que lhe seja mais prazeroso, aspecto bastante importante.

Às vezes, em situações em que ocorrem emoções súbitas, como o pânico ou o choque provocado por notícias desagradáveis, recomenda-se o uso dos óleos essenciais neroli e rosa. Para a histeria, a melissa e o alecrim têm sido bastante citados (Price e Price, 1999).

UM CASO

Certa noite, a mãe de Margaret, portadora de asma crônica, teve uma súbita e forte crise quando estava tomando banho no barco da família. Ela entrou em pânico porque havia esquecido o inalador na sua casa (sempre usado nas situações de emergência). Felizmente, Margaret carregava, na sua bolsa, uma mistura de óleos essenciais para asma, que pertencia à sua mãe. E ali também sempre havia neroli, porque ela adorava o seu aroma; assim, enquanto Margaret esfregava a mistura apropriada para a asma, nas costas e nos pés de sua mãe, ela lhe deu esse óleo essencial de neroli para que fosse inalado profundamente, o que reduziu imediatamente o pânico de sua mãe, enquanto a outra mistura de óleos a manteve respirando até que chegassem ao cais, que ficava perto de onde moravam. Logo a irmã de Margaret correu até a casa para lá pegar o inalador.

Ansiedade e Preocupação

A ansiedade (um estado de apreensão) e a preocupação (um estado mental de superansiedade) são geralmente os principais presságios do estresse e da depressão, uma vez que o corpo tem a mesma reação inicial nessas diferentes manifestações. (*Ver abaixo.*) Uma indicação de estresse mediano, ou de ansiedade e de preocupação, pode assumir duas formas:

a) Como reação a uma situação potencialmente prejudicial, já que a ansiedade é perfeitamente natural e saudável frente ao perigo ou qualquer espécie de risco. Movida pelo medo, essa reação capacita o corpo a lidar com a situação através do estímulo das taxas respiratória e cardíaca, que dão ensejo a que uma carga extra de oxigênio atinja o cérebro. Isso vai então propiciar a liberação da energia e de uma taxa extra de adrenalina, que também ajudam a lidar com a situação. Vejamos um exemplo: *De repente, você vê o seu filho caindo do galho de uma árvore. E logo uma taxa extra de adrenalina e de energia a capacita a sair correndo de casa (com o coração apertado, é claro), para ver se ele está ferido. Devido à sua preocupação com a possibilidade de ele ter quebrado algum osso, você o leva para o hospital. Mas a sua ansiedade é imediatamente aliviada no instante em que o médico lhe diz que não há nada de grave com o seu filho.*

b) Como reação a um fato existencial em andamento; aqui, a ansiedade ou a preocupação podem estar relacionadas com o trabalho, com um casamento problemático, com uma doença, com um filho que está no exército e foi enviado para a guerra, e por aí afora. Quando a situação fica mais séria, essa forma de ansiedade geralmente se desenvolve em estresse e/ou depressão, dependendo da personalidade da pessoa.

Escolha do Óleo Essencial

Para todas as formas de ansiedade, a escolha óbvia deve recair sobre os óleos capazes de relaxar a mente e o corpo (ver, abaixo, *óleos para o Estresse*). Se houver na ansiedade algum resquício de medo, devem ser levados em conta os óleos que são próprios para extinguir essa emoção; portanto, encare o medo (*pág. 178*) e veja se algum dos óleos relaxantes possui as propriedades que ajudarão você a superá-lo. Em qualquer situação em andamento, o mais provável é que a mente esteja superativa, e por isso a escolha deve incluir aqueles óleos capazes de reduzir a sua "produção", como, por exemplo, os que contêm propriedades adstringentes ou estípticas. (*Ver Capítulo 5.*)

Se você perceber que a sua cabeça vai "esquentar" com alguma coisa, experimente fazer uso dos óleos essenciais logo que sentir os primeiros sinais de ansiedade, não só para restituir a sua calma, como também para servir de prevenção, a fim de que a situação não se desenvolva em estresse.

Estresse

Mesmo já sabendo que o estresse vem sendo chamado de "a doença dos anos 80" (Topping, 1990), o que na verdade ele é? Pois bem, você poderá senti-lo a cada momento e até mesmo quando ler estas palavras! Assim, podem ocorrer alguns incidentes no dia de hoje que venham somar-se à sua tensão ou ansiedade, ou seja, problemas com dinheiro, família e trabalho (ou a falta deste); enfim, circunstâncias que estão fora do seu controle ou influência e que foram acrescentadas ao seu estresse anterior, como, por exemplo, a falta de bateria no despertador que fez você perder um encontro com hora marcada.

De acordo com o médico canadense Hans Selye (1984) e outros especialistas, o estresse prolongado provoca primeiramente algumas reações imediatas e depois um estado mais ou menos equilibrado no qual o estresse ainda resiste, até que por fim surge a quebra dessa resistência (Wingate e Wingate, 1988), fazendo com que a saúde comece a ser afetada.

Estresse Positivo e Negativo

Nem sempre o estresse é negativo ou mesmo indesejável; na verdade, o indivíduo necessita de uma certa dose de estresse para funcionar com eficiência e para lidar com as diferentes situações. Uma certa quantidade dessa manifestação será portanto positiva e até desejável. O estresse só será então negativo quando indesejado ou excessivo. No primeiro exemplo, o estresse serve de motivação e como um mecanismo provedor do corpo. De fato, talvez haja mesmo um pouco de verdade quando se diz: "Não me peça para relaxar, pois é o meu estresse que está me mantendo inteiro!"

A produção de adrenalina é um dos efeitos positivos do estresse que nos é necessário, tanto para nos motivar como para nos dar energia durante a realização da mais simples tarefa. Por isso, o estresse não é necessariamente um problema, e só vem a sê-lo quando nossa vida cotidiana o produz numa quantidade muito maior do que aquela com a qual conseguimos lidar. E uma intensidade como essa depende sempre do grau de suor e lágrimas que a vida nos causa (Selye, 1984). Em outras palavras, depende do tipo de experiência que se tem e do volume de sofrimento e de alegria que a vida nos reserva. Tal como qualquer emoção, o estresse pode ser qualificado como produtivo e improdutivo, ou como positivo e negativo. Assim, um esportista pode ter uma experiência agradável e um estresse positivo durante uma escalada competitiva ao Monte Evereste. Como vemos, o estresse positivo é capaz de nos estimular e de nos dar uma energia a mais para que possamos lidar com os desafios de tarefas como essas, mas depois a nossa mente e o nosso corpo retornam ao seu estado natural, sem que ocorra nenhum efeito negativo sobre a nossa saúde.

Por outro lado, o estresse negativo pode causar frustração, irritabilidade e falta de humor; se não for controlado, é capaz de enfraquecer a resistência e provocar doenças. Algumas pessoas podem no entanto levar a vida toda sofrendo de um estresse ameno, com o qual são capazes de lidar, sem que haja distúrbios que afetem seriamente a sua saúde. Outras, porém, vivem sob um estresse tão severo, que terminam doentes – às vezes fisicamente, outras vezes mentalmente, ou de ambas as maneiras, dependendo da "taxa de suor e lágrimas" que o estresse ocasionou nos seus corpos e nas suas mentes.

De certa forma, é possível comparar o estresse com a gripe. Quantas vezes você já viu uma pessoa com uma gripe fortíssima, dizendo que só está resfriada? E em quantas ocasiões você viu alguém dizendo que está "estressadíssimo", quando na realidade ele só está sendo um pouco "pressionado"? Portanto, como já dito, sem uma certa dose de estresse nenhum de nós poderia funcionar de maneira plena.

Como o Corpo Lida com o Estresse?

O corpo é capaz de lidar com qualquer espécie de estresse, seja positivo ou negativo, através da liberação de uma energia extra oriunda de sua "loja" nutricional. Ao mesmo tempo que isso ocorre, um oxigênio extra é transportado para o cérebro enquanto uma adrenalina extra também é produzida. Tais transformações ocorridas no corpo do indivíduo preparam-no para lidar com qualquer situação causadora de estresse. Essa preparação é aquilo que Hans Selye chama de primeiro estágio do estresse. O segundo é constituído pelo conjunto da ação através da qual o indivíduo faz uso dos seus recursos extraordinários. Por exemplo:
Uma certa mãe perde o seu filhinho durante as compras. Embora ela não consiga vê-lo num primeiro momento, a situação ainda não é muito preocupante, uma vez que o menino só pode estar pelos arredores. Mas o fato é que ele não está por perto, e assim começa o primeiro estágio do estresse. Ela percorre então cada alameda do shopping, usando a sua energia extra, e enquanto isso o seu estresse aumenta, ao mesmo tempo que o pânico passa a ser a sua única emoção. E, se a criança não for encontrada, o medo será acrescido a esse pânico, que por sua vez aumentará ainda mais o seu estresse, o que parecerá não ter mais fim, se nem ela nem o segurança do local conseguirem encontrar o menino. Até que eles resolvem telefonar para a polícia, tornando o estresse ainda mais intenso, na medida mesmo em que uma outra emoção, a culpa (ou autocondenação), começa a ser vivenciada, fazendo com que ela diga para si mesma a todo momento: "Por que não o segurei pela mão o tempo todo?!"

Somente quando uma situação estressante é prolongada, sem que seja tratada, é que pode ocorrer o terceiro estágio, sempre iniciado pela exaustão. Assim, nessa história hipotética, poderia haver um final feliz, desde que alguém tivesse achado a criança vagando pela rua e a tivesse levado para o posto policial. Entretanto, a intensa emoção de alívio diante desse novo fato talvez desencadeasse na mãe uma outra emoção, a raiva. Afinal, quem dentre nós não sentiria "raiva" depois de se ver aliviado frente a um filho que saiu, são e salvo, de uma situação tão preocupante? Mas, apesar de tudo, a situação estressante teria terminado bem, fazendo com que o corpo e a mente da mãe pudessem voltar gradualmente ao normal.

Caso essa história se referisse a um adolescente desaparecido ao sair da escola, e isso se prolongasse não apenas por um dia, mas por semanas ou meses, seria vivenciada uma magnitude muito maior de emoções, dando ensejo a que surgisse um estresse bastante severo. E é justamente nesse momento de estresse excessivo que começa o seu terceiro estágio, de maneira que o seu aspecto verdadeiro (clínico) seja vivenciado. Isso pode ocorrer por causa de um distúrbio emocional, como o que haveria no caso do adolescente, ou de uma violação física, ou mesmo de um trabalho sobrecarregado ou da falta de desafios na vida. Ao final, com o enfraquecimento gradual do sistema imunológico, manifestam-se as dores de cabeça, os distúrbios estomacais, a insônia, a suscetibilidade às infecções, etc. (Price e Price, 1999, pág. 208.)

Como Devemos Lidar com o Estresse?

Um hábito comum ao estresse é o de beber mais café ou fumar muito mais (quando se é um fumante); infelizmente, isso não contribui em nada para diminuí-lo, até porque o melhor a fazer em tal situação é agarrar-se a si mesmo de forma positiva. Planeje então cuidadosamente o horário do seu dia, para que haja um tempo reservado ao seu descanso; talvez uma pequena caminhada lhe seja bastante relaxante. Se não for possível caminhar durante o dia, levante uma hora e meia mais cedo (se você ainda estiver com sono, procure dormir uma hora e meia mais cedo) e dê uma pequena caminhada antes do café da manhã, o qual deve ser mais substancial do que a costumeira xícara de café ou chá, que aliás nunca foi uma boa maneira de começar o dia, mesmo para quem não está passando por estresse! E tente comer devagar, mastigando muito bem os alimentos, pois, quando se engole a comida sem mastigar, o sistema digestivo sai prejudicado.

A Escolha dos Óleos Essenciais

Muitos óleos essenciais contêm componentes químicos naturais que são relaxantes, calmantes ou sedativos; será portanto a partir deles que a escolha inicial deverá ser feita, para que o estresse seja combatido com sucesso.

> Chegamos à conclusão de que a melhor maneira de estudar as propriedades relaxantes de uma fragrância deve ser a investigação dos seus efeitos fisiológicos.
>
> Warren e Warrenburg, 1993

Os óleos que contêm os constituintes aqui necessários – e que estão mais detalhados no Capítulo 8 – são os seguintes:

- anis
- camomila (romana)
- cravo-da-índia
- bagas de zimbro
- limão
- melissa
- laranja (ácida)
- ylang-ylang

- bergamota
- esclaréia
- cipreste
- lavanda
- manjerona (doce)
- neroli
- rosa

UM CASO

Colin tinha trocado recentemente o seu emprego por um outro, que não só lhe era financeiramente mais satisfatório, como também lhe dava a oportunidade de sair do escritório para conhecer pessoas. E sua razão de ter marcado uma consulta comigo era para ver se podia "curar" um terçol no seu olho direito, que ele já havia curado com medicamentos e que mesmo assim se repetia. A freqüente recorrência daquele terçol lhe era portanto bastante frustrante, sobretudo porque, mais do que nunca, ele queria estar bem, já que estava conhecendo gente nova todos os dias. Essa frustração de Colin era sempre expressa por uma irritação com sua família, que vez por outra acabava criando problemas entre ele e sua esposa.

Valendo-me de um cuidadoso questionário sobre o seu trabalho, terminei por descobrir que ele havia sido recentemente agraciado com o título de vendedor do ano, depois de apenas onze meses na companhia. Ao ganhar esse prêmio, comprometeu-se a ministrar algumas palestras durante o ano, mas a simples idéia desse tipo de tarefa o enchia de apreensão. O terçol havia surgido antes da segunda reunião semanal – por isso não lhe pediram para falar nessas duas reuniões –, e piorou, tão logo ele teve que dar a primeira das tais palestras para os seus colegas de trabalho. Foi marcada então uma reunião especial para uma semana depois de nossa consulta, ocasião na qual ele teria que falar. Colin sentiu-se particularmente ansioso em relação a esse encontro, a ponto de o terçol aparecer mais uma vez para congestionar o seu olho, agregando-se a isso o fato de que ele já não estava dormindo bem. Percebendo que o terçol, a irritação e a insônia tinham o estresse como base, persuadi-o a fazer um tratamento com a aromaterapia dois dias antes do evento, logo lhe ministrando o nosso colírio de camomila, para que usasse quatro vezes por dia até a data em que tivesse de falar. Depois, marcou um novo horário comigo, mas chegou muito nervoso porque nunca tivera nenhuma experiência com massagens. E confessou que só tinha ido à consulta porque o colírio já tinha começado a fazer efeito sobre o terçol, o que lhe deu segurança para submeter-se à sessão de massagem já combinada.

Selecionei três óleos que seriam capazes de beneficiar os seus sintomas emocionais e de servir de auxílio para resolver a sua insônia. Dentre os óleos que amenizam o estresse, optei por aqueles expostos a seguir, levando em conta as suas propriedades, e dos quais Colin necessitava:

- *camomila romana* (analgésica e antiinflamatória), que poderia aliviar a frustração e a irritação que ele tinha em casa e ainda ajudá-lo a dormir (calmante);

ESTADOS DA MENTE QUE AFETAM AS EMOÇÕES · 147

- *lavanda*, porque tem propriedades iguais às do óleo mencionado;
- *manjerona*, pois poderia ajudar a resolver a sua insônia (calmante), além de atenuar a sua frustração e irritação (analgésica).

Três semanas mais tarde, Colin telefonou para marcar um outro horário; combinamos para dois dias antes de uma palestra que ele estava por fazer, porque o seu terçol havia desaparecido antes de sua última palestra, sem que houvesse reaparecido (ele ainda estava usando o colírio diariamente). Enquanto conversávamos, ele admitiu ter se sentido razoavelmente relaxado no curso dessa sua última palestra.

Na terceira consulta, fiquei sabendo que a esposa de Colin tinha feito comentários sobre a sua nova tranqüilidade e felicidade. E sua melhora foi tanta, que achei por bem não seguir adiante com as massagens, embora ele tivesse que continuar usando os mesmos óleos essenciais no seu banho, além de inalá-los pelo menos nos quatro dias que precedessem as novas palestras, inalando-os, ainda, uma hora antes de começar a falar. Por fim, voltou para adquirir uma quantidade maior de óleos, o que aliás ocorreu mais cedo do que eu esperava, simplesmente porque a sua esposa havia gostado tanto dos seus aromas, que passou também a usá-los no seu próprio banho!

Depressão

Ao que tudo indica, a depressão afeta muito mais as mulheres do que os homens. No entanto, tal como ocorre com o estresse, costuma-se abusar dessa palavra, e daí muita gente afirma que se encontra deprimida, quando, na verdade, está simplesmente sentindo uma tristeza temporária, ou uma queda de ânimo; portanto, talvez fosse melhor usar termos mais apropriados para esse tipo de "depressão" e que seriam: melancolia e desânimo. Felizmente, a maioria de nós "desperta" desse estado temporário de desânimo após um curto período de poucos dias para retornar à sua "normalidade emocional".

Entretanto, quando alguém está se sentindo por baixo, seja pelas muitas mudanças em suas experiências emocionais, ou pela persistência de situações causadoras de melancolia, esse quadro corre o risco de desenvolver um verdadeiro estado depressivo.

A depressão é composta por um amplo espectro de disposições e não somente aquelas que indicam a apatia e a falta ou variação de humor, pois quem a sofre sente-se também letárgico e aborrecido, além de demonstrar, com muita freqüência, uma falta de interesse em tudo. Mas algumas outras emoções também se agregam ao estado depressivo, tais como a tristeza, o sofrimento, o remorso e a vergonha. Segundo Rita Carter (1998), a depressão é muito mais do que um simples humor, uma vez que o cérebro de quem está deprimido é bem menos ativo do que o de uma pessoa normal, o que provavelmente contribui para os sintomas físicos da fadiga e da letargia.

> Ocorrem o sofrimento e o distúrbio do sono e do apetite, a memória é afetada e o raciocínio fica mais lento. A ansiedade, o medo irracional e a agitação podem também se apresentar, além de ser típico de uma pessoa depressiva o sentir-se culpada, desvalorizada e desamada. Enfim, a vida lhe parece sem objetivo, pois todas as coisas perdem o sentido.
>
> Carter, 1998

Antes que uma pessoa possa ser "oficialmente" diagnosticada como depressiva, é necessário que sejam confirmados dois fatores:

- que a sua vida social esteja sendo atingida;
- que esse seu quadro se apresente durante, pelo menos, duas semanas, embora alguns médicos situem o prazo de um mês.

E os sintomas procurados pelo médico são os seguintes:

- Falta de energia; sensação constante de "esgotamento".
- Problemas com o sono; dificuldades para dormir ou acordar muito cedo e de não conseguir dormir de novo.
- Fazer tudo muito lentamente.
- Irritação e incapacidade de se concentrar nas coisas (Wood, 1990, pág. 64).

ESTADOS DA MENTE QUE AFETAM AS EMOÇÕES

Quando a depressão torna-se crônica, a pessoa que a sofre é tomada pela impressão de que a sua situação será interminável, não só porque se sente desamparada, mas também porque fica mentalmente exaurida e freqüentemente pessimista, achando-se mesmo desprovida de qualquer valor (Wood, 1990, págs. 63-65).

Uma das causas da depressão pode ser a falta de sol no inverno. Na Finlândia, por exemplo, esse fator é o responsável por muitas tendências suicidas, porque após o outono há uma redução progressiva da luz do dia, até que ela atinge a completa escuridão, o que perdura por alguns meses. Depois o sol reaparece lentamente, à medida que a primavera se aproxima; no verão não existe noite, e as flores ficam abertas o tempo todo, ou seja, é necessário haver um total ajustamento a cada ano, para que seja mantido o equilíbrio emocional. Existem no entanto outras causas para a depressão, já que também pode advir do sentimento de inadequação ou então da incapacidade para lidar com determinadas situações, depressão pós-parto; rejeição; ambiente de trabalho, talvez em função de um novo emprego; rodas de clubes ou de grupos de teatro, já que nesses meios alguns talentos são reconhecidos e outros são ignorados ou até diminuídos. Enfim, qualquer evento que seja capaz de trazer preocupação à vida de alguém poderá lhe causar melancolia e, eventualmente, depressão.

Segundo a amostragem de uma pesquisa, as pessoas passam a se ver de maneira negativa quando a depressão se estabelece; dessa forma, os erros são bem mais lembrados do que os acertos, e as memórias infelizes suplantam as felizes (Martin e Clark, 1985).

A doença apresenta-se como a principal causa da depressão, até mesmo quando não é séria, além de trazer diversas outras experiências emocionais; um exemplo é a frustração, que pode eventualmente surgir pela perda de uma importante função social, ou mesmo por alguma incapacidade temporária para terminar uma tarefa urgente no trabalho. E, se a doença for crônica ou terminal, causando portanto uma intensa frustração (talvez pela imobilidade de várias juntas e músculos, ou pela artrite), pode haver uma vivência forte do medo, do desespero, ou da raiva.

As doenças simples – gripes, resfriados ou dores comuns – também são capazes de detonar sentimentos de desânimo que terminam por

desenvolver uma depressão. Muitas vezes a pessoa não se recupera inteiramente de uma doença virótica, como um resfriado, e passa a se sentir
drenada e sem energia, transformando o seu desânimo em depressão,
que no caso é chamada de síndrome da fadiga pós-virótica. A EM
(encefalomielite miálgica) é uma dessas doenças que, embora não sejam
produzidas pela retenção de um vírus, são chamadas de síndromes da
fadiga crônica. E não são poucos aqueles que sofrem com isso que Clive
Wood chama de "pura" EM (Wood, 1990, pág. 70).

Chegamos à conclusão de que o aromaterapeuta não deve se basear
nos sintomas aparentes – conforme procede a medicina alopática – para
selecionar os óleos essenciais. Seria interessante então que sua primeira
atitude fosse a de fazer perguntas, que irão compor um histórico da
saúde e do estilo de vida do paciente, para descobrir se o estresse ou a
depressão também foram evidentes em qualquer outro período de sua
vida. Mas é necessário que o aromaterapeuta também seja um bom
ouvinte; aliás, é uma habilidade que muitos de nós não possuem, embora seja extremamente importante quando alguém solicita ajuda física ou
emocional.

> Sim, ouvir é uma forma de comunicação que acaba também sendo ouvi-
> da por aquele cujo coração precisa ser confortado. Pois nem sempre
> somos capazes de oferecer soluções para os problemas das pessoas, mas o
> ato de escutá-las já lhes dá esperanças. Para muitos de nós, esta é uma
> maneira de amar os outros.
>
> **Yoder, 1999**

> Quando fechamos a boca e escutamos
> Comunicamos a nossa atenção;
> Pois um ouvido aberto fala bem alto
> Para alguém com desespero no coração.
>
> **Sper**

Já que a depressão tem uma relação estreita com a vida, se o terapeuta
quiser de fato ajudar o paciente, é necessário que ele seja capaz de ouvi-
lo, pois só assim identificará as pistas do problema.

A Seleção dos Óleos Essenciais

Os óleos essenciais neurotônicos e estimulantes, listados a seguir, são os mais apropriados para atenuar a depressão e estimular a mente:

- *anis*
- bergamota
- *sálvia esclaréia*
- olíbano
- zimbro
- *manjerona (doce)*
- *laranja (ácida)*
- Citrus aurantium
- alecrim
- sálvia
- tomilho (doce)

. manjericão
. *camomila (romana)*
. *cipreste*
. gengibre
. *lavanda*
. *neroli*
. hortelã-pimenta
. pinho
. *rosa*
. sândalo

Talvez você já tenha percebido que a maioria dos óleos essenciais que servem de ajuda para combater a depressão também auxilia no alívio do estresse (na lista acima, coloquei-os em *itálico*), e isso ocorre porque muitos possuem um efeito equilibrante devido ao éster no seu conteúdo. (*Ver Capítulo 5.*) Um outro aspecto interessante a respeito dos óleos essenciais é que cada um deles apresenta diversas propriedades; assim, os óleos necessários para retirar alguém do estado depressivo e que portanto atingem o objetivo para o qual foram selecionados também são capazes de manter o equilíbrio. Por isso mesmo, caso sejam escolhidos de maneira atenta e científica, os óleos essenciais serão capazes de ajudar a curar qualquer outro problema físico ou mental, de acordo com a afinidade de cada um.

UM CASO

Harry já se vinha sentindo em baixa por vários meses, além de ter tido alguns problemas com a sua saúde, mas nada muito sério, porque teve apenas algumas dores de cabeça ocasionais e um distúrbio no estômago. Como se recusava categoricamente a ir ao médico, "para nada", segundo ele mesmo dizia, a sua esposa sugeriu uma consulta com a aromaterapeuta dela (foi preciso muita persuasão, mas por fim ele acabou concordando). Sheila, a aromaterapeuta que foi nossa aluna e o atendeu, detectou as seguintes descobertas como resultado de sua competência e habilidade para escutar:

- Harry era reservado e tímido, mas sua posição profissional indicava que era bastante inteligente.
- Ele já estava há muito tempo no seu emprego, e o seu chefe lhe pedia conselhos com freqüência, o que lhe acabava acarretando uma sobrecarga de trabalho. Embora isso fosse de certa forma interessante, o fato é que seu chefe nunca dizia que fora ele o autor das soluções encontradas, e com isso estava sempre levando o crédito para si mesmo.
- Havia um colega de Harry ocupando um posto similar ao dele, que tinha muito menos tempo de serviço e que nunca era solicitado pelo chefe para lhe dar conselhos, mas que, pelo fato de ser extremamente popular, seguro e piadista, acabou ganhando a promoção a qual Harry já estava certo que seria sua, até porque ao longo de todo o último ano havia ajudado demasiadamente ao chefe.
- Sabedora da situação, a sua esposa queria que ele arrumasse um outro emprego, mas infelizmente a idade dele não ajudava.
- Os seus sintomas físicos eram cólicas estomacais, insônia e enxaqueca, os quais ele nunca havia sentido, até o momento em que o chefe citado ingressou na companhia.
- Sheila já estava também ciente de que às vezes Harry se irritava com a esposa, porque esta lhe havia dito isso numa consulta.

Em função do estado depressivo de Harry, Sheila procurou na sua lista os óleos antidepressivos e estimulantes. E, a partir deles, selecionou três outros que serviriam de ajuda para os sintomas físicos que Harry apresentava. Entre os neurotônicos, foram escolhidos os seguintes óleos:

- *Manjericão*, que poderia amenizar a enxaqueca dele (analgésico e antiespasmódico), assim como lhe serviria de ajuda para sua insônia

ESTADOS DA MENTE QUE AFETAM AS EMOÇÕES 153

nervosa (regulador do sistema nervoso); além disso, as suas propriedades antiespasmódicas talvez viessem a suavizar as suas cólicas estomacais – uma excelente escolha para Harry!

- *Manjerona*, que seria também capaz de aliviar a sua enxaqueca (analgésico e antiespasmódico) e a sua insônia (calmante). E, como o
manjericão, as suas propriedades antiespasmódicas talvez pudessem
suavizar as suas cólicas digestivas – mais uma vez, uma excelente
escolha!
- *Olíbano*, um imunoestimulante que, além de ser energizante, é fortificante do sistema nervoso.

Harry tinha uma consulta a cada duas semanas e usava os mesmos óleos
em casa, à noite, por meio de um vaporizador; além disso, usava-os duas
vezes por semana, no banho, e embebia-os num lencinho para inalar no
serviço. Antes de retornar para a sua segunda sessão, ele já estava dormindo muito melhor; na terceira visita, ele disse que não havia tido um só
problema digestivo durante toda a semana. E, quando lhe foi perguntado
como estava lidando com o trabalho, respondeu: "Bem, eu já aceitei a
situação, mas o fato é que agora me sinto muito mais forte interiormente! Cheguei até a falar ontem para o meu chefe que ele desse para o meu
colega o trabalho extra que normalmente eu faria (...) e ele fez isso!"

A esposa de Harry revelou a Sheila que estava absolutamente encan-
tada com a mudança na atitude mental do marido, pois ele retornara ao
seu estado de tolerância habitual logo após a segunda sessão.

Eis por que agora é um bom momento para vermos como a escolha dos óleos, por parte de Sheila, ajudou a resolver os problemas emocionais e físicos de Harry:

- A opção por três óleos neurotônicos e antidepressivos elevou o seu
ânimo, ajudando-o a se sentir mais feliz e despreocupado.
- Os três óleos são analgésicos, e isso aliviou a sua dor, por não ter sido
escolhido para a promoção.
- Pelo fato de serem antiespasmódicos, o manjericão e a manjerona
atuaram sobre a sua irritabilidade, além de terem atuado sobre alguma
possível raiva introjetada por ele de forma inconsciente, sem que por
isso mesmo tenha dito a Sheila.

- Por ser relaxante e calmante, o óleo de manjerona amenizou a situação estressante de Harry, ajudando-o portanto a aceitá-la.
- Por causa de suas propriedades energizantes e fortificantes, o olíbano lhe deu a força necessária para lidar, de maneira positiva, com as demandas do chefe.

Agrupando as Emoções

No Capítulo 1, afirmamos que a definição das emoções não é tarefa muito fácil; no entanto, algumas emoções podem ser definidas como "estados da mente", porque esses últimos são capazes de produzir emoções (se é que não as são), e entre ambos existe uma grande proximidade. Um exemplo disso está no fato de que alguns sentimentos podem ser compreendidos como estados da mente, tais como futilidade, esperança, alegria, escapismo, gratidão, ingratidão, pânico, solidão, fraqueza, embaraço, hostilidade, preocupação, estresse e depressão; tais manifestações encontram-se tão fortemente ligadas às emoções, que acabam sendo descritas por alguns *como* emoções. A procura por uma definição torna-se mais complicada ainda, quando se fala sobre a apatia e a letargia, pois embora sejam classificadas muitas vezes como emoções, na medida mesmo em que perduram, terminam por ser facilmente descritas como estados da mente.

Sabemos que cada indivíduo possui os seus próprios sentimentos e reações – além de capacidades distintas para lidar consigo mesmo e com o mundo – diante das diferentes situações. Assim, quando se tem um quadro completo das reações de cada grupo de indivíduos frente à variedade de situações, torna-se realmente possível agrupá-los de acordo com a similaridade de suas personalidades. Para que você possa então compreender a melhor forma de selecionar os óleos essenciais mais próprios para as suas emoções, tentarei classificar essas emoções da mesma maneira, ou seja, colocando juntas aquelas que apresentam uma base sensitiva similar, o que lhe dará (espero!) um conceito claro de todo o quadro e, creio, eliminará o seu trabalho de fazer uma extensa lista alfabética de emoções aparentemente relativas, toda vez que você quiser encontrar os óleos a serem usados.

ESTADOS DA MENTE QUE AFETAM AS EMOÇÕES   **155**

A seguir, um grupo de emoções elaborado de acordo com o meu modo de ver; portanto, trata-se de um esboço que é fruto apenas da minha opinião e não de fatos pesquisados, além de representar aqueles sentimentos que não são facilmente separáveis dos estados da mente:

Estados Destrutivos Básicos da Mente/Emoções

Ansiedade: apreensão, atenção, consternação, aflição, nervosismo, tensão, temor, dificuldade, preocupação.

Depressão: sensação de vazio, angústia, desespero, desalento, desânimo, desesperança, melancolia, tristeza.

Estresse: ansiedade, pressão, tensão, trauma, preocupação.

Aqui foi fácil ver a relação existente entre os sentimentos interligados com a ansiedade e o estresse; entretanto, examine mais abaixo o sofrimento e veja como muitas das emoções conectadas com ele também são vivenciadas na depressão.

Emoções Primárias

Sofrimento: perda, culpa, desespero, desesperança, dor, desalento, desapontamento.

Medo: falta de confiança, inferioridade.

Raiva: impaciência, estupidez, irritabilidade, frustração, enfado, falta de argumento, negatividade.

Ciúme: inveja, vingança, suspeita, ódio, obsessão, cinismo, vergonha.

Culpa: remorso, pena, vergonha.

Emoções Secundárias

Mau Humor: irracionalidade, desequilíbrio emocional, ansiedade.

Apatia: desinteresse, enfado, letargia.

Divagação: sem chão, que sonha acordado, romantismo.

Confusão: desnorteamento, sensação de perda, inadequação.

Timidez: sensibilidade, recato, covardia, inadequação, desvalor, incompletude.

Conclusão

Quando conseguimos aceitar e resolver as emoções que destroem ou diminuem a nós mesmos e aos outros, acabamos nos distanciando do estresse e da depressão. Mas nem sempre é fácil encarar esse processo e, na verdade, pode ser até bastante difícil. Contudo, se fizermos o tratamento de nossas emoções, antes que elas venham a se tornar crônicas, levando em conta com seriedade o nosso estilo de vida, evitaremos muitas pressões (capazes de levar ao estresse) e desalentos (capazes de levar à depressão).

Obviamente, seria bem melhor se todos nós tivéssemos condições de *escolher* o estado mental no qual gostaríamos de estar, mas infelizmente alguns nunca abandonam os seus traumas, pois são eles justamente que de certa forma dão sentido, identidade e até uma certa importância a essas pessoas. Por outro lado, todo aquele que se vale da mente positiva (*ver Capítulo* 7) faz as transformações cabíveis sem muitas dificuldades, porque está determinado para isso. E, nesse particular, a utilização dos óleos essenciais tem demonstrado um grande valor para relaxar e estimular a mente, pois os casos que foram descritos neste capítulo, nos quais esses óleos foram empregados, comprovam a sua eficácia.

7  A Escala das Emoções – Selecionando os óleos Essenciais para os Diferentes Grupos Emocionais

As emoções podem ser reunidas de acordo com as características comuns que os seus diferentes grupos possuem entre si. Aquelas que se assemelham com a emoção principal de um grupo particular nem sempre denotam exatamente o mesmo sentimento; no entanto, até onde sei, estão próximas o bastante para que se faça a escolha de um mesmo óleo essencial específico. E o fato é que quando se agrupam as emoções dessa maneira, para fazer uma seleção dos óleos essenciais, acaba-se facilitando bastante as coisas, porque fica muito menos confuso e trabalhoso do que discorrer sobre cada uma delas em separado.

Sofrimento

> Também entre risos chora o coração e a alegria termina em pesar.
> Provérbios 14: 13

Sofrimento, Desespero, Desapontamento, Dor, Sentimento de Perda, Pesar

- Sofrimento: aflição, pesar profundo, dor, angústia, melancolia.
- Desespero: desesperança, angústia, infelicidade.
- Desapontamento: frustração das esperanças ou das expectativas, tristeza.
- Dor: sofrimento, sentir-se ferido (por algum comentário), padecimento, aborrecimento, tristeza.
- Sentimento de perda: privação, dor.
- Pesar: angústia, aflição, sofrimento, tristeza, melancolia.

Observe como o sofrimento, o desespero e o pesar têm a angústia como uma parte integral do seu padecimento, ao passo que o desapontamento, a dor e o pesar abrangem a tristeza!

Conforme já dito no Capítulo 1, o sofrimento é realmente uma emoção complexa. Talvez por isso esse sentimento não seja freqüentemente listado nos livros sobre a mente ou sobre as emoções, além de serem poucos os livros e artigos que se referem a ele. Entretanto, trata-se de um sentimento muito forte, sobre o qual pode ser escrito um sem-fim de coisas; aliás, quem sabe o sofrimento não seja mais um estado da mente do que uma emoção! Mas, na verdade, isso vai depender da situação que lhe serve de causa e da interpretação dada.

> As principais características do sofrimento são as "fisgadas" de uma ansiedade intensa e a dor psicológica, que terminam freqüentemente na explosão das lágrimas e do pranto. Mas isso pode ser visto como um alívio, pois é sempre muito melhor chorar do que esconder o sofrimento, na tentativa de "ser forte". As fisgadas da dor geralmente começam depois de algumas horas (às vezes, dias) do início da consternação e atingem o seu ápice entre o quinto e o décimo quarto dia.
>
> Murray-Parkes, 1986

O sofrimento é o tipo da emoção a qual, cedo ou tarde, precisa ser expressa ou resolvida. O choro franco, em completo *relaxamento*, e também uma conversa aberta com um amigo mais chegado sempre trazem um grande alívio; mesmo porque, sem ações como essas para amenizar a situação, o peso total do sofrimento e de todas as emoções que a ele se aderem acaba levando muito tempo para se dissipar. Domar e Dreher (1997, pág. 159) afirmam que "ninguém consegue libertar-se dessas manifestações, até que tenha um confronto direto com o próprio sofrimento". Embora isso não seja uma tarefa muito fácil, o fato é que os óleos essenciais podem servir de grande ajuda para todos os aspectos do sofrimento.

UM CASO

Uma de minhas amigas, também aromaterapeuta e professora dessa matéria, perdeu a sua neta, há cinco anos, e sua mãe, seis meses mais tarde. Ela sufocou o sofrimento, intensificando o trabalho para "esquecer" tudo e procurando preencher a vida com outras coisas. No entanto, ao longo dos anos seguintes, a saúde dela acabou sendo seriamente atingida, a ponto de ter contraído um câncer e se submetido ao tratamento da quimioterapia; mas nem por isso perdeu a fé e deixou de se trabalhar com a ajuda dos óleos essenciais e do seu pensamento positivo. Porém, em dado momento, foi obrigada a se aposentar por causa de um problema sério na coluna.

Não demorou para que a minha amiga começasse a se sentir desanimada e cansada, e isso fez com que seu marido a levasse para uma viagem de férias, pois assim teria como cuidar dela. Brett já tinha completado a segunda parte do curso de aromaterapia que vinha fazendo e, com o intuito de levantar o ânimo e tentar melhorar a coluna de sua esposa, fazia-lhe, diariamente, uma aplicação com os óleos essenciais de olíbano e lavanda da Shirley (como Brenda gosta de chamar esse óleo feito por nós; aliás, é o seu favorito!) junto ao alecrim e ao sândalo (ela adora o aroma desse último). Passados alguns dias e antes de o casal retornar das férias, Brenda foi tomada por um pranto profundo, percebendo que havia enfim expressado o seu sofrimento.

Naquela mesma tarde, ela viu por duas vezes um filhote de corça e, na segunda vez que o viu, um pensamento lhe passou pela cabeça: "Se, mesmo sem a mãe, este filhote é capaz de se virar, creio que já é hora de eu fazer a mesma coisa!" Desde então, com o uso continuado dos óleos essenciais, tanto a saúde como o ânimo dela melhoraram consideravelmente. Na verdade, quando pude vê-la numa de nossas reuniões abertas, quase não acreditei no que via, pois ela estava mais radiante do que nunca!

Vamos, agora, dar uma olhada em algumas emoções que costumam **vir** à tona durante o período de sofrimento por uma perda:

- choque: a morte sempre provoca um choque, seja súbito ou não, e ocorre até mesmo quando é esperada;
- pesar profundo e melancolia: especialmente por parte dos mais envolvidos com a perda;

- angústia: sentimento intenso de perda, de dor mental, de abandono – quer seja pela esposa ou pelo marido, ou então pelo parceiro, pelos filhos, ou por um amigo íntimo;
- remorso, remordimento: por não se conseguir fazer nada para melhorar a situação; aliás, é a pior emoção que se pode sentir depois da perda de um ente querido (Stephen, 1998);
- culpa: porque talvez houvesse alguma coisa a mais para ser feita ou dita; por alguma promessa não respeitada;
- raiva: sim, é possível senti-la, quando se diz "como é que ele me deixou com todas essas dívidas", ou, então, "se ao menos...!" Existe ainda aquele tipo de raiva direcionada ao alvo mais próximo – seja este o médico, a enfermeira, um parente, o empregador ou aquele mesmo que a dirige. Às vezes, no entanto, são os próprios parentes que projetam essa raiva, ocasionalmente para um médico, ou mesmo em função da sobrevivência de um ente querido;
- frustração: quando, por exemplo, alguém diz a si mesmo "por que eu não fiz...?", ou, então, "eu podia ter...!";
- medo: de ficar sozinho, do que as pessoas poderão dizer de suas ações;
- confusão, atordoamento: quando, por exemplo, alguém diz a si mesmo "o que aconteceu?", "por quê?", "por que ele?", ou "o que é que eu vou fazer?".

Se a pessoa que está consternada deseja mesmo o seu bem-estar, ela precisa liberar emoções como o remorso, a frustração, a raiva e a culpa. Até porque não adianta nada ficar pensando ou se preocupando, sem resolver a situação; portanto, faça uso da positividade e dos óleos essenciais para ajudar a si mesmo a liberar as emoções. Em relação ao processo do luto, por exemplo, embora não seja nem um pouco fácil de ser superado, pois normalmente dura cerca de dois anos, quando é alcançada a cura das emoções destrutivas que o circundam, consegue-se com maior facilidade uma adaptação a uma nova vida. E, nesse caso, também é importante experimentar e descobrir interesses novos, mas não só os *hobbies* para preencher o tempo, como fazer uma faxina desnecessária ou compras das quais absolutamente não se necessita, ou mesmo trabalhar em excesso, tal como ocorreu no caso de Brenda, já narrado.

A ESCALA DAS EMOÇÕES

No fluxo contínuo da vida, os seres humanos passam por diversas mudanças. Dessa forma, chegadas, partidas, crescimentos, declínios, realizações, falhas – tudo isso envolve perdas e ganhos. Deve-se, portanto, permitir que o velho ambiente vá embora, para que o novo possa ser aceito.

Stephen, 1998

As emoções que se apresentam no grupo do sofrimento – como é o caso do desespero, da melancolia e da desesperança – podem ser comparadas a "pequenas mortes". Eventos como a perda do emprego, a partida dos filhos e a perda de um membro do corpo constituem "lutos importantes", com os quais não se pode deixar de lidar. Por isso, gostaria de ilustrá-los com o exemplo do sofrimento causado em alguém pela perda de um dos seus membros físicos. Mas quero logo dizer que, mesmo em meio à mais dura realidade, é sempre melhor tentar aceitar as novas oportunidades que nunca deixam de aparecer; nesse caso, a escolha dos óleos essenciais deve ser feita como se fosse para o sofrimento pela perda de um ente querido.

UM CASO

Quando estava ministrando, na França, algumas aulas de Terapia Suíça do Reflexo, tive um aluno chamado Fabien, que tinha uma perna só (ele sofrera um acidente, cerca de dois anos antes do curso, no qual havia também perdido a bexiga). Assim, a pergunta que ficou no ar era de como ele iria participar de um curso que em princípio exigia o uso dos dois pés? Logo que comecei a falar com Fabien, notei a sua admirável recuperação em relação à perda que ele havia tido, ainda mais levando em conta a sua juventude e o fato de que tinha enfrentado diversas mudanças emocionais e físicas. Também permanecera por seis semanas num centro de recuperação para adaptar-se à condição de quem teve a bexiga removida. A sua acompanhante era uma pessoa muito especial e positiva, que dois anos antes desse evento fizera comigo um curso de introdução à aromaterapia e que por isso mesmo vinha ajudando-o com os óleos essenciais. Apesar disso, ela estava convicta de que o Reflexo Suíço poderia lhe servir de base para que ele mesmo realizasse a sua cura.

162   AROMATERAPIA E AS EMOÇÕES

Decidimos então que Fabien aprenderia a fazer o tratamento nos pés de outras pessoas e a utilizar os reflexos das mãos como uma forma de autotratamento. A turma inteira lhe deu um grande apoio, e, no fim do segundo dia, cada um dos que ali estavam já demonstrava felicidade por tê-lo como parceiro, chegando até a aplicar-lhe massagens no seu pé e na mão oposta a este, pois dessa forma seria equilibrada a falta do outro pé. Só houve uma senhora que pareceu relutante em aceitar a situação, mas, depois que lhe dei uma mistura de manjericão e melissa para ser inalada de hora em hora (ver, mais adiante, *os óleos para o medo*), ela se *ofereceu* de bom grado para ser parceira de Fabien numa próxima mudança de parceiros.

Foram estes os óleos que utilizamos para estimular os reflexos de Fabien:

- olíbano, não só para ajudar a suavizar a sua dor mental e física, como também a sua depressão;
- manjerona, para acalmar os seus medos em relação às outras pessoas, e para estimular a sua capacidade neurotônica;
- cipreste, para aliviar os seus sentimentos de frustração e portanto o de sentir-se incapaz de fazer o que queria, e também para fortalecer o seu sistema nervoso.

A mudança emocional de Fabien ficou evidente no fim da última tarde, porque, mesmo diante de uma situação inteiramente nova, uma vez que estava entrando em contato com pessoas que conhecia pela primeira vez, ele começou a sorrir e ficou tão à vontade, que chegou a surpreender a sua acompanhante, o que se deveu também, em parte, ao fato de que os óleos essenciais (e, é claro, o tratamento) aliviaram bastante uma dor que desde o acidente se tornara sua companheira inseparável, até mesmo quando ele tomava comprimidos analgésicos.

UM CASO

Ellen, uma mulher de 69 anos, tinha trabalhado por dez anos numa padaria local, com muita eficiência e extrema lealdade. Ocorre no entan-

A ESCALA DAS EMOÇÕES

to que o estabelecimento mudou-se para uma nova loja e, embora tenha reaproveitado todos os funcionários, o mesmo não fez com Ellen, que foi despedida sem que levassem em conta o longo tempo que ela dedicou à padaria. Essa mulher ficou tão arrasada, que acabou procurando a clínica de aromaterapia de uma amiga minha, onde chegou aos prantos. Depois de narrar sua história, disse o seguinte: "Será que você poderia me dar um óleo essencial que me ajudasse?" Brenda, essa amiga aromaterapeuta, sabia que o marido de Ellen falecera no ano anterior e que o mesmo acontecera inesperadamente seis semanas mais tarde com sua mãe, justamente a pessoa que lhe vinha dando um conforto fundamental. No entanto, mesmo com todos esses problemas, Ellen só faltara ao trabalho por uma semana, até porque, conforme confidenciou à minha amiga, não conseguia passar um dia inteiro sem trabalhar.

Pois bem, Brenda lhe deu um chumaço de algodão embebido em algumas gotas de olíbano, lavanda "da Shirley" (da qual gostava muito) e cipreste, levando em conta que estava diante de uma funcionária consciente, assim como lhe ofereceu um trabalho de três dias por semana. Ellen ficou exultante, porque adorava os óleos essenciais que já experimentara em problemas menores. A partir dessa consulta, nunca deixou de provar o seu valor, chegando literalmente a venerar o seu novo trabalho.

Um certo dia, a filha de Brenda, que passou a dirigir a clínica depois que sua mãe se aposentou, percebeu que Ellen andava bastante nervosa e além disso vinha aborrecendo as pessoas com suas conversas negativas sobre todo tipo de assunto. Quando Dawn falou com sua mãe naquela noite, Brenda lembrou-se do aniversário da morte do marido de Ellen que ocorreria em poucos dias. Por isso, sugeriu à filha que pingasse, no dia seguinte, algumas gotas de cipreste em torno do balcão do caixa, antes de Ellen chegar ao trabalho; esse óleo foi escolhido para intensificar a estamina no quadro emocional de Ellen. Depois disso, ela ficou muito mais amável, sem mencionar o fato de que terminou com sua conversa desagradável em uma hora, permitindo que todos desfrutassem um dia maravilhoso na loja. E tanto Brenda como Dawn chegaram, mais tarde, à conclusão de que toda essa melhora devia-se, sem dúvida alguma, às propriedades adstringentes do cipreste.

Óleos Essenciais

Alguns dos óleos mais eficazes para o sofrimento são justamente os mais caros, e por isso mesmo a sua escolha deverá ser feita de acordo com a intensidade do seu sofrimento. Muitas vezes, a dor é o preço que se paga por se ter amado; nesse caso, quanto maior é o amor, maior é a dor; portanto, aqui os óleos serão tão valiosos quanto você (Stephen, 1998). Nessas circunstâncias, vamos precisar dos óleos essenciais que sejam capazes de:

- aliviar a dor (analgésicos);
- elevar o espírito;
- acalmar, sedar, e incrementar o sistema nervoso (equilibrantes);
- curar até mesmo equimoses (cicatrizantes);
- tonificar o coração;
- estimular o apetite;
- estimular o sistema imunológico;
- estimular a mente.

Olíbano (*Boswellia carteri*)

Embora o óleo de olíbano não seja o mais comumente citado para servir de auxílio nos casos de sofrimento, ele é, na minha opinião, um dos mais importantes para serem usados nessas situações. Sobretudo porque é analgésico e suavizador das dores mentais que estão associadas com o padecimento, especialmente as do seu primeiro estágio, além de ser um energizante para o sistema nervoso, pois o fortalece para combater a adversidade, incluindo a melancolia. Suas qualidades cicatrizantes (curativas) auxiliam a curar as feridas (tanto físicas como mentais), e suas qualidades antidepressivas revitalizam e suavizam o espírito. Por ser também um antiinflamatório, esse óleo pode ser usado por aquele que está associando a raiva ao seu padecimento. Segundo Keville e Green (1995) e Mojay (1996), seus efeitos calmantes podem servir de ajuda para que o passado seja libertado, e a tranqüilidade mental, encorajada. De acordo com Battaglia (1997), o olíbano equilibra a respiração, e isso nos sugere que também é capaz de ajudar a quem tem medo do futuro.

Manjerona (*Origanum majorana*)

Esse óleo possui um amplo leque de propriedades indispensáveis para quem quer lidar com o sofrimento. Tal como o olíbano, também é um óleo equilibrante que fortalece e relaxa os nervos, além de ser analgésico e capaz de aliviar a dor dos pesares. As propriedades neurotônicas que lhe são inerentes indicam a sua eficácia para a depressão nervosa, já que elevam o ânimo e servem de auxílio para que se consiga lidar com a angústia e a exaustão emocional. Ele também é calmante e por isso vai ajudar quando houver preocupações, agitação e irritabilidade. De acordo com grande parte dos autores de aromaterapia que também escrevem sobre as emoções, esse óleo ameniza a sensação de solidão que é inevitável quando alguém perde um ente querido e próximo.

Lavanda (*Lavandula angustifolia*)

A nossa velha e valiosa lavanda possui muitas das virtudes necessárias para o alívio do sofrimento, pois é analgésica e portanto atenua substancialmente a dor do padecimento; como sedativa, a sua ajuda é valiosíssima para a dissolução do estresse causado pela dor, sobretudo porque relaxa a mente e com isso torna o sono mais fácil. A lavanda também é um tônico para o coração, e suas propriedades curativas suavizam as feridas emocionais que vêm à tona por causa da consternação; sendo ainda um tônico para o sistema nervoso, ela é bastante eficaz quando aparece a depressão. E, por ser um antiinflamatório, ajuda a dispersar as dores e os ferimentos mentais e a minorar a raiva e os pensamentos irritadiços que normalmente compõem a experiência dolorosa. Holmes (1992) afirma que a lavanda é capaz de nos encorajar a aceitar as situações aflitivas, enquanto Lawless (1994) nos diz que ela "varre o sofrimento".

Sálvia (*Salvia officinalis*)

O óleo de sálvia contém tujona; embora ainda não tenha havido qualquer demonstração de toxicidade nesse tipo de tujona, é melhor usá-lo com bastante cuidado. Suas propriedades analgésicas indicam-no como sendo de grande valia para minorar as dores do pesar; de fato, tanto Battaglia (1997, pág. 198) como Keville e Green (1995, pág. 67) afirmam o seu auxílio nos casos de sofrimento. Tal como o olíbano, esse óleo é cicatrizante (curativo); por ser também descongestionante, ele deve ser mesmo capaz de clarear as mentes congestionadas por pensamentos e emoções diversas. Quando a raiva faz parte desse bloqueio, o óleo de sálvia é sempre excelente como atenuador dos seus espasmos, porque é antiespasmódico. Além disso, é neurotônico; portanto, tal como a manjerona, ele poderá elevar o ânimo e dissipar a depressão.

Cipreste (*Cupressus sempervirens*)

O óleo do cipreste é bastante conhecido como regulador do sistema nervoso, mas também é equilibrante. Embora não seja propriamente específico para o sofrimento, é habitualmente utilizado para os "altos e baixos" que fazem parte da dor. Também fortalece o sistema nervoso, capacitando-o a alcançar o estado de relaxamento, ao mesmo tempo que incrementa a recuperação emocional. Por ser antiespasmódico, o cipreste ajuda a reduzir a irritabilidade e frustrações que se manifestam nos processos de sofrimento. Segundo Mojay (1996, pág. 67), esse óleo dissolve o remorso, um atributo sempre excelente durante os pesares, além de ser eficaz contra o medo, porque instaura o otimismo, um sentimento sempre importante para quem se recupera de um padecimento.

Melissa (*Melissa officinalis*)

O óleo de melissa é um dos mais caros entre todos os outros, mas isso não se deve apenas ao seu efeito calmante sobre o estado de choque que advém com o pesar profundo (sua eficácia é maior ainda quando colocado em sinergia com a sálvia esclaréia e o alecrim), uma vez que é excelente para atenuar os "efeitos colaterais" do sofrimento. Também é equilibrante, além de ser historicamente conhecido como antidepressivo; segundo Culpeper, a melissa "fortalece a natureza no conjunto de suas ações (...) reanima o coração (...) e expulsa da mente todos os problemas e pensamentos negativos que surgem com a melancolia". Seus efeitos sedativos e calmantes indicam-na como sendo de grande valia para que se possa lidar com a agitação, a ansiedade e ainda com todo tipo de preocupação decorrente do sofrimento. As propriedades antiinflamatórias desse óleo apontam-no como um amenizador da raiva e da frustração que surgem nesse mesmo processo. E, também, por ser ele capaz de promover a clareza na mente confusa e dependente (Mojay), o óleo de melissa aumenta mais ainda a sua coleção de atributos.

Neroli (*Citrus aurantium var. amara* – flor)

Da mesma forma que alguns óleos citados anteriormente, o de neroli também é antidepressivo; no entanto, pelo fato de ser ligeiramente tranqüilizante, é mais útil para os choques emocionais que iniciam os processos de sofrimento. Além de ajudar a dormir, esse óleo é neurotônico e eleva o ânimo quando aparece a fadiga. Seu maravilhoso aroma é capaz de aliviar aquela "dor emocional profunda que mina a esperança e a alegria" (Mojay, 1996, pág. 101).

O óleo essencial extraído das folhas dessa mesma árvore (*Citrus aurantium var. amara* – folha) energiza o sistema nervoso, e por isso deve ser considerado na escolha dos óleos a serem usados para esse caso, a despeito do seu preço elevado. (*Ver Capítulo 8.*)

Rosa (*Rosa damascena, Rosa centifolia*)

O preço desse óleo também é bastante elevado, mas trata-se de um maravilhoso e aromático óleo equilibrante que serve como relaxante e eleva o ânimo; segundo Fischer-Rizzi (1990), ele tem a capacidade de introduzir a alegria no coração. Suas propriedades neurotônicas e energizantes ajudam a dissipar a depressão nos processos de padecimento e auxiliam o indivíduo a lidar com a fadiga mental advinda da falta de respostas que ocorre durante esses mesmos processos. Tal como o olíbano, a rosa é sempre ótima para a cura das aflições psicológicas; segundo Mojay (1996, pág. 113), o óleo de rosa ameniza a respiração, o que nos sugere a sua excelência para quem tem medo do futuro. Mas também é antiinflamatório, podendo portanto acalmar a raiva ou qualquer outro vestígio de estresse emocional que venha a surgir no horizonte.

Embora os óleos citados sejam os mais importantes, existem outros que também possuem propriedades físicas necessárias ao alívio do sofrimento:

• bergamota (*Citrus bergamia*): neurotônico, curativo e sedativo;

- cravo-da-índia (*Syzygium aromaticum*): analgésico, curativo, neurotônico e calmante, imunoestimulante;
- gerânio (*Pelargonium graveolens*): analgésico, neurotônico e curativo;
- niaouli (*Melaleuca viridiflora*): analgésico, neurotônico e imunoestimulante;
- alecrim (*Rosmarinus officinalis*): analgésico, neurotônico e curativo;
- tomilho (*Thymus vulgaris*, quimiotipo álcool): cardiotônico, neurotônico e imunoestimulante.

Raiva

Todo mundo deveria ser rápido para ouvir, mas lento para falar e moroso para ficar com raiva.

Tiago 1: 19

Não deixe que o sol se ponha, estando zangado.

Efésios 4: 26

Um homem paciente é sempre muito sábio, ao passo que o homem descontrolado exibe a sua própria loucura.

Provérbios 14: 29

Raiva, Irritabilidade, Impaciência, Suscetibilidade, Frustração

- Raiva:
  desprazer, irritabilidade, cólera, mordacidade, fúria, má índole, furor, ressentimento, ira, indignação, paixão, ódio.
- Irritabilidade:
  aborrecimento, impaciência, suscetibilidade, dispepsia, desprazer, perversidade, indignação, ressentimento, ira, exasperação.
- Suscetibilidade:
  hipersensibilidade, descontrole, irritabilidade, caráter temperamental, insociabilidade, perversidade.

A ESCALA DAS EMOÇÕES

169

- Impaciência:
aborrecimento, intolerância, irritabilidade, suscetibilidade.
- Frustração:
insatisfação, desapontamento, desalento, contrariedade, desencorajamento, ultraje, amargura, ressentimento.

Observe como a raiva, a suscetibilidade e a impaciência compartilham a irritabilidade como uma de suas características, e como o aborrecimento é compartilhado pela impaciência e irritabilidade, ao passo que a raiva, a irritabilidade e a frustração possuem o ressentimento nas suas listas. Embora a frustração possa encaixar-se na raiva, por também guardar em si sentimentos de mordacidade, no que diz respeito aos seus outros aspectos estará mais adequada junto ao grupo das emoções caracterizadas pelo sofrimento. No entanto, creio que seja seguro afirmar que o estado de frustração é uma das *causas* da raiva, e por essa razão foi incluído nesse grupo.

Aqui é interessante notar que a bílis (também chamada de cólera, registrada acima no grupo da raiva) é um fluido amargo excretado pelo fígado, caracterizado pela irritabilidade e descontrole; que a dispepsia, referida acima junto à irritabilidade, significa literalmente "sofrer de indigestão". Tudo isso nos sugere que os óleos essenciais capazes de auxiliar a digestão, sobretudo aqueles que agem contra a indigestão, poderão também ser uma ótima escolha para o alívio da raiva e da irritabilidade.

Pelo fato de ser uma das mais traiçoeiras emoções, a raiva é geralmente reprimida, até porque, no mais das vezes, acaba afetando adversamente aquele que a nutre. Se quisermos então superar a raiva negativa, teremos que admitir prioritariamente a sua presença em nós mesmos. Mas, depois desse primeiro passo, devemos ainda cultivar pensamentos positivos, sem nunca nos esquecermos de reservar o máximo de paciência e tempo em prol de nossa transformação.

> Embora seja sempre bom regular a própria raiva, preveni-la é melhor ainda!
>
> Tryon Edwards

Existe uma variedade imensa de graus de raiva, que vão da impaciência ou do aborrecimento até a fúria ou a ira; eis por que, infelizmente, essa emoção é a que mais afeta, hoje em dia, um grande número de motoristas! Afora a diferença de intensidade existente nas espécies distintas de raiva, essas afetam, de inúmeras maneiras, as diferentes pessoas, dependendo da personalidade de cada um e das circunstâncias. Além disso, esse sentimento tanto pode ser direcionado para quem o está vivenciando como para os outros, assim como pode ser justificado ou injustificado. O uso dos óleos essenciais apropriados será então capaz de acalmar aqueles nos quais surgiu uma raiva justificada decorrente de uma ação injustificada de outra pessoa, bem como levará a paz para quem teve uma raiva injustificada (indesculpável), que talvez tenha até sentido remorso imediato.

Somos condicionados a pensar na raiva como uma emoção negativa e destrutiva (o que, aliás, geralmente é uma noção verdadeira); por isso, nunca imaginamos que ela também pode ser uma força propulsora de mudanças (o que, muitas vezes, acaba sendo de fato). Eis por que devemos ter sempre em mente que a raiva pode vir a ser uma força necessária, desde que canalizada de maneira apropriada, e que portanto é capaz de ser positivamente uma força assertiva e criativa, até porque só se torna "negativa" quando se mostra desequilibrada e fora de controle (Mojay, 1996, pág. 154).

UM CASO

Há três anos, uma de minhas amigas foi assaltada e depois ficou por cinco horas no oxigênio, em decorrência da agressão. Essa experiência lhe fez reviver o seu antigo pavor em sair na rua, já que sofrera por muitos anos de agorafobia, chegando a submeter-se a um tratamento psicanalítico para recuperar-se desse pavor. E o fato é que ela ficou muito irada, porque, em função desse assalto, foi obrigada a sujeitar-se outra vez aos exercícios que praticara no passado, pois só assim estaria preparada para aventurar-se a sair sozinha.

Para controlar e ajudar a dissipar a sua raiva, ela carregava na bolsa um chumaço de algodão embebido de muitas gotas de cipreste e bergamota (óleos benéficos em casos de raiva ou medo), acrescentadas de uma ou duas gotas do precioso óleo de rosa para deixá-la confortável (esse óleo tem o poder de suavizar o emocional). Embora, desde o assalto, seu marido não a deixasse mais sair à rua desacompanhada, seu medo extinguiu-se muito mais rápido do que o esperado, e em pouco tempo ela já estava de volta ao trabalho.

Vamos dar agora uma olhada nos diferentes tipos de raiva:

- Raiva momentânea, expressada:
  – geralmente surge sob a forma verbal e quase sempre ocasiona o remorso.
- Raiva momentânea, não-expressada:
  – geralmente aliviada pelo ato involuntário de chutar alguma coisa ou de socar o objeto pesado que está mais próximo, mas isso também pode ferir fisicamente a pessoa. Por isso, são preferíveis as ações voluntárias que geralmente não são dolorosas, como, por exemplo, a de bater uma porta, socar um travesseiro, ou atirar um prato.
- Raiva "adiada":
  – quando estamos no controle de nossas emoções e não expressamos a raiva de imediato, essa é quase sempre passível de ser dissipada (liberada, expressada) por determinadas ações, como, por exemplo, a de bater um tapete contra a parede para remover a poeira, esfregar o assoalho, cortar madeira, correr pelo quarteirão, etc. Além de trazer a liberação dos sentimentos, esse tipo de ato proporciona outras sensações colaterais, tais como a de realização e satisfação.

Raiva longamente reprimida:
  – é aquela que pode nos "comer" por dentro, além de afetar adversamente a nossa saúde física e mental. E, quando é crônica e continuamente "alimentada" por pensamentos irados intermináveis, normalmente ocorre o desenvolvimento de uma depressão.

> Na verdade, quando sufocamos as tão proclamadas emoções negativas, como a tristeza ou a raiva, ficamos bem próximos de nos tornar deprimidos e desesperançados, algo que pode vir a ser bastante danoso para a nossa saúde (...) Na medida em que nos conscientizamos e começamos

a expressar e resolver tais sentimentos, tornamo-nos menos propensos à depressão e à desesperança.

Domar e Dreher, 1997, pág. 159

Quando a raiva ferve seguida e interiormente, de maneira a supurar naquele que a nutre, pode-se dizer que ela fere como úlcera, e isso nos sugere que os óleos apropriados para curar as úlceras físicas também são capazes de curar as "úlceras" emocionais ("supurado", acredite ou não, é outro termo para úlcera). Ninguém deveria permitir que uma raiva profunda cozinhasse dentro de si, porque ela pode vir a ser ressentimento, mordacidade, ou até ódio – sem mencionar o fato de que será sempre prejudicial para a saúde e para a alma! Além do mais, quando o indivíduo cultiva em si próprio as fortes emoções destrutivas – neste caso, "destruindo" o corpo por causa de uma raiva supurada –, ele torna-se suscetível às úlceras estomacais, às pedras nos rins, etc.

A raiva é prejudicial ao fígado (...) a força vital do corpo é interrompida, fazendo com que o sangue se congestione até causar tonteiras.

Veith, 1992

Muito embora os óleos essenciais relaxantes sirvam de ajuda para a liberação da raiva contida, você ainda terá que praticar o pensamento positivo e a fé quando vaporizá-los. Mas também leve em conta o perdão (nada fácil, aliás!); assim, tente perdoar aqueles que ocasionaram os sentimentos que vieram a incomodar você, pois só dessa forma a sua raiva interior será realmente curada. Creio que o seu espanto será enorme, ao constatar o quanto lhe fará bem dizer "eu o perdôo" ou "eu a perdôo", mesmo que nesse instante o perdão ainda não esteja inteiramente assumido. Quando ditas repetidamente, tais afirmações começam por nos deixar mais leves e acabam tornando-se uma realidade. E assim você terá recuperado a saúde. (*Ver Capítulo 4.*)

O Dr. Redford Williams, do Behavioural Medicine Research Center americano, vem repetindo ano após ano que, quando se tem uma personalidade hostil, corre-se o risco de morrer por isso e que esse tipo de morte é quase sempre provocado por uma doença cardíaca, ainda que também por acidentes e injúrias. Enfim, a raiva é capaz de acelerar

A ESCALA DAS EMOÇÕES

a taxa cardíaca, elevar a pressão sangüínea e romper as artérias coronárias (McCasland, 1999).

As outras emoções que também chegam à superfície durante o curso da raiva são as seguintes:

- Remorso, remordimento:
  - por se ter falado algo, movido pela raiva.
- Culpa:
  - por se saber que a raiva ou a fúria injustificada feriu alguém.
- Frustração:
  - por se querer colocar a raiva para fora, sem que se possa fazer isso, porque de repente ocorre, por exemplo, a perda do emprego.
- Medo:
  - do que possa acontecer durante a raiva, até porque se pode deixar escapar um segredo que vem sendo muito bem guardado.
- Choque:
  - se a raiva for contra você e, ainda por cima, injustificada.

Ao considerar os óleos essenciais, caso haja alguma outra emoção que não se encontre nesse grupo, tente voltar-se para o grupo no qual ela aparece. Para a raiva e as demais emoções que a acompanham, os óleos essenciais calmantes e sedativos serão os mais úteis, mas aqueles que possuem propriedades que ajudam a aliviar a raiva longamente contida também devem ser considerados. Entretanto, na medida em que você conseguir reconhecer e admitir o tipo de raiva que tem dentro de você, a tarefa de selecionar os óleos mais adequados às suas necessidades ficará por sua conta. Vamos então dar uma olhada nos óleos essenciais para:

- aliviar, acalmar e suavizar;
- relaxar as cólicas e espasmos (antiespasmódicos);
- curar – incluindo os furúnculos e úlceras (cicatrizantes);
- atenuar a inflamação e a irritação;
- amenizar a inflamação que produz catarro;
- anestesiar (a raiva contra si mesmo).

Óleos Essenciais

Camomila romana (*Chamaemelum nobile*)

As propriedades calmantes e sedativas da camomila, ao lado de sua ação antiinflamatória, fazem desse óleo uma excelente opção para todas as emoções desse grupo. Por ser um óleo apropriado para as crianças, serve de grande ajuda para suavizar as explosões temperamentais dos "baixinhos". Suas propriedades também ajudam a suavizar a frustração e a raiva ocasionadas pelo estresse. E ajudam ainda na cura dos furúnculos e das úlceras, que geralmente provocam irritabilidade, o que nos sugere que seu uso pode resolver as irritações que se desenvolvem em formas intensas de raiva – como, por exemplo, a do ressentimento –, assim como é capaz de curar a própria raiva. O efeito antiespasmódico da camomila é capaz então de entrar em ação, especialmente quando a raiva atinge um patamar muito elevado, ajudando a aliviar os sentimentos oriundos das "cólicas" emocionais. Enfim, tendo em vista o significado dispéptico (*mencionado acima*) do óleo de camomila, uma vez que a sua ação é um auxílio poderoso para a resolução da indigestão física, concluímos que também deve ser apropriado para o alívio da "indigestão" emocional provocada pelo aborrecimento.

Bergamota (*Citrus bergamia*)

Além de possuir um delicioso aroma refrescante e reanimador (as crianças o adoram), o óleo de bergamota é calmante e ainda tem um efeito sedativo particularmente benéfico nas agitações do indivíduo (Price e Price, 1999, pág. 320). Justamente por causa de sua ação refrescante e reanimadora, tudo leva a crer que o óleo é capaz de suavizar as emoções, de maneira a nos ajudar a esquecer pessoas e situações que tenham desencadeado alguma raiva em nós. Suas propriedades antiespasmódicas o indicam como um forte apoio para que o indivíduo encare os seus sentimentos reprimidos e aquela raiva "trancada" dentro de si; de acordo com Mojay (1996, pág. 53), o óleo de bergamota é especialmente útil para aliviar todo tipo de raiva não-expressada. O mesmo autor ainda afirma a capacidade desse óleo de promover o otimismo e de ajudar a quem quiser cultivar os pensamentos positivos para considerar a possibilidade de perdoar. Embora nenhum de nós goste de ficar zangado, quase sempre guardamos alguma raiva em nosso íntimo, até mesmo quando não admitimos isso; e, como o óleo de bergamota é cicatrizante (curativo) e facilita a digestão, é de esperar que ele possa curar a raiva. Além disso, pelo fato de também ser um restaurador da normalidade de todo e qualquer sentimento oriundo da contrariedade, esse óleo é capaz de promover o perdão.

Lavanda (*Lavandula angustifolia*)

O óleo de lavanda é familiar a qualquer pessoa; suas propriedades sedativas e calmantes, adicionadas à sua ação antiespasmódica e antiinflamatória, servirão de ajuda para resolver a maioria das condições emocionais desse grupo. Suas propriedades analgésicas amenizam a dor emocional da frustração e da raiva contida. Segundo Holmes (1992), esse óleo encoraja a aceitação das situações dolorosas, indicando-o como um auxílio ao indivíduo em suas dificuldades para conceder o perdão. E, por ser particularmente cicatrizante, também deve auxiliar a curar o rancor, bem como os demais sentimentos da mesma espécie. Diversos escritores especializados em aromaterapia indicam o óleo de lavanda para a irritabilidade. Pelo fato de o seu aroma ser do inteiro agrado das crianças, será sempre valioso nas situações de explosões temperamentais, como o óleo de bergamota, o qual aliás faz uma excelente sinergia com o de lavanda.

Limão (*Citrus limon*)

As propriedades calmantes e antiinflamatórias do óleo de limão sugerem a sua utilidade para a maioria das emoções desse grupo. Pelo fato de ser antiespasmódico, ele ajuda a eliminar as pedras dos rins e os cálculos biliares, o que mostra a sua importância para a resolução da raiva e do ressentimento solidificados ou, melhor, "endurecidos" dentro de alguém. Por ser um antiinflamatório eficaz nos casos de furúnculos e de úlceras estomacais, esse óleo também é eficiente quando se quer lidar com os sentimentos de raiva, fúria e ódio. O óleo de limão possui um aroma reanimador, levando-nos a crer que, tal como o de bergamota, também pode ser útil nas situações complicadas em que estejam envolvidas as crianças. Mojay (1996, pág. 92) afirma que o óleo de limão "amansa o afogueamento", enquanto Battaglia (1997, pág. 175) o recomenda para quem se encontra "esquentado e aborrecido", situações emotivas que não deixam de fazer parte desse grupo.

Gerânio (*Pelargonium graveolens*)

Além de ser antiespasmódico e antiinflamatório, o óleo de gerânio é cicatrizante (curativo) e analgésico, indicativos suficientes de sua utilidade para as emoções desse grupo, sobretudo quando a raiva e as outras emoções que lhe são subsidiárias tenham resultado em ressentimento ou ódio, sentimentos que precisam ser curados para a segurança de quem os nutre e daqueles que os recebem. Price e Price (1999, págs. 337-338) afirmam que as propriedades calmantes do óleo de gerânio suavizam a agitação, e suas propriedades analgésicas servem de ajuda na dor emocional, na frustração e na raiva interior, uma vez que encorajam a aceitação das situações aflitivas e com isso promovem o perdão. Seu poder cicatrizante pode auxiliar na cura da contrariedade, ao passo que suas propriedades neurotônicas aliviam a frustração quando a raiva está entrelaçada com o desapontamento e o desespero.

Alecrim (*Rosmarinus officinalis*)

As propriedades do alecrim possuem amplos poderes de ajuda às emoções desse grupo e são quase idênticas às do gerânio, ou seja, cicatrizantes, antiespasmódicas, antiinflamatórias e neurotônicas. No entanto, apesar da semelhança entre esses dois óleos, cada um deles detém uma propriedade à parte que o outro não tem; assim, ao contrário do gerânio, o alecrim não consegue aliviar a indigestão, mas, tal como o limão, possui a capacidade de eliminar os cálculos biliares, o que sugere a sua importância para suavizar a raiva e o ressentimento endurecidos, que se acabam tornando quase como que uma pedra dentro do indivíduo. Embora o óleo de alecrim não seja calmante, tem o poder de clarear a mente e estimular o cérebro, e por isso é capaz de prover a força mental para que se possa lidar com a raiva, evitando assim o surgimento das retaliações desnecessárias e quase sempre dolorosas oriundas do arrepen-

A ESCALA DAS EMOÇÕES   177

dimento. Segundo Fischer-Rizzi (1990, pág. 160), esse óleo fortalece a pessoa, pois a torna capaz de combater algumas emoções, dentre as quais a raiva certamente se encontra!

Hortelã-pimenta (*Mentha x piperita*)

Além de ser excelente no combate à febre, o óleo de hortelã-pimenta é antiinflamatório, e ambas as propriedades sugerem a sua utilidade para amenizar o acaloramento proveniente das situações nas quais a raiva está presente. Mas também é antiespasmódico, o que sugere a sua capacidade para desbloquear a raiva e o ressentimento sufocados. Embora esse óleo não acalme o sistema nervoso, é excelente para os problemas da pele – tais como vermelhidão, inflamação e irritação –, um indicativo de sua eficiência para reduzir e atenuar as emoções desse grupo que causam esquentamentos e irritabilidades.

Embora os óleos essenciais citados sejam os mais usados para aliviar a raiva, existem outros que possuem algumas propriedades físicas capazes de fazer o mesmo:

- Manjericão (*Ocimum basilicum*): analgésico, antiespasmódico, estimulante da digestão.
- Cipreste: antiespasmódico e calmante (regula o sistema nervoso simpático e reduz a irritação).
- Coentro (*Coriandrum sativum*): analgésico, antiinflamatório, antiespasmódico e útil nas indigestões.
- Tangerina (*Citrus reticulata*): sedativo forte, antiespasmódico.
- Manjerona (*Origanum majorana*): analgésico, antiespasmódico, expectorante (libera o catarro).
- Melissa (*Melissa officinalis*): antiinflamatório, antiespasmódico, calmante e sedativo, útil no alívio das indigestões.
- Niaouli (*Melaleuca viridiflora*): antiinflamatório, cura furúnculos e úlceras, e é valioso na eliminação dos cálculos biliares.
- Ylang-ylang (*Cananga odorata*): antiespasmódico e sedativo.

Medo

O homem que tem medo de sofrer já sofre daquilo que teme.

Michel de Montaigne

Medo, Apreensão, Temor, Desalento, Pavor

- Medo:
  – apreensão, ansiedade, temor, desalento, pavor, terror, pânico.
- Apreensão:
  – medo, alarme, ansiedade, dúvida, pavor, desconfiança.
- Temor:
  – alarme, apreensão, agitação, pavor, medo, pânico.
- Desalento:
  – agitação, alarme, ansiedade, apreensão, pavor, medo.
- Pavor:
  medo, alarme, apreensão, desalento, terror.

Três dessas emoções (temor, desalento e pavor) compartilham a apreensão com o medo, que é a emoção básica desse grupo, enquanto o desalento e o temor compartilham entre si o sentimento de agitação. Entretanto, como a ansiedade é central na maioria das expressões do medo, caso ela esteja presente em sua vida, quando você fizer a seleção dos óleos, lembre-se de procurar no capítulo anterior aqueles que constam da lista da ansiedade. Muitas vezes o medo pode ser uma emoção bastante dolorosa e talvez até danosa, dependendo de sua intensidade e duração.

> Quando o homem abriga algum tipo de medo, esse sentimento infiltra-se por todo o seu pensamento, danifica a sua personalidade, e por fim o transforma em senhorio de um fantasma.
>
> Lloyd Douglas

Pelo fato de ser uma emoção necessária, o medo foi originalmente essencial para a autopreservação do ser humano, e de vez em quando

A ESCALA DAS EMOÇÕES

ainda o é, embora o mundo moderno já não seja tão "aterrorizante" como o dos primeiros homens. Acontece, porém, que o medo pode ser até estimulante, quando alguém se dedica, por exemplo, ao alpinismo e adora a sensação de perigo. Por isso, esse sentimento depende sempre da situação e da personalidade de cada um. Se usarmos como outro exemplo um filme de terror na televisão, veremos que as pessoas são diferentemente afetadas pelo medo, pois alguns o vivenciam de maneira muito intensa, como se a ação estivesse ocorrendo de fato ao seu redor, enquanto outros sentem apenas um pouco de apreensão por aquilo que poderá vir das próximas cenas.

Às vezes, o medo constitui um sofrimento menor porque se envolve com algumas outras emoções predominantes, como, por exemplo,

- a culpa pode trazer o medo de ser descoberto;
- a raiva pode trazer o medo de perder o trabalho depois de uma explosão emocional;
- a falta de segurança, que por si mesma já é uma espécie de "medo", pode trazer o medo verdadeiro de ter tomado uma decisão errada.

Portanto, ao se fazer uma seleção dos óleos essenciais, esses aspectos devem ser levados em conta. Além disso,

> o medo e a rejeição estão sempre presentes quando as pessoas são desafiadas por alguma coisa nova ou desconhecida; e, neste contexto, tais emoções são geralmente acompanhadas pela suposição de que não se sairá a contento da situação, ou que haverá, de alguma forma, uma desvalorização ou diminuição de si mesmo.
>
> Eccles, 1995

A emoção do medo manifesta-se em diversas e diferentes ocasiões; dessa forma, quaisquer exames e apresentações serão capazes de encher alguém de apreensão ou pavor, assim como o diagnóstico de um câncer pode desencadear um medo intenso em qualquer um, além de ser capaz de gerar terror e pânico, e de envolver praticamente todas as outras emoções encontradas nesse grupo do medo.

Pelo fato de ser a necessidade mais básica do ser humano, o alimento constitui um fator de enorme peso para que haja o medo; não é por outra razão, senão pelo alimento, que o homem pré-histórico estava sempre correndo o risco de ser morto por algum animal selvagem. A segurança também é uma outra necessidade básica importante, e o medo logo aparece quando ela está ausente. Há pessoas que se sentem terrivelmente assustadas quando estão sozinhas no interior de uma casa grande ou antiga, ou então numa floresta escura, ao passo que outras são tomadas por um terror imenso na presença de cobras, camundongos e aranhas. E, por mais que se diga ao contrário, nunca está isento de medo aquele que tem coragem, porque a essência desse sentimento é a perseverança (Chance, 1998).

Muita gente prefere optar por um tipo de emprego que lhe dê conforto e segurança. Talvez sejam esses que poupam dinheiro para enfrentar possíveis ocorrências futuras que venham a ser desagradáveis; e, com o único objetivo de minorar a emoção do medo, são essas mesmas pessoas que muitas vezes estocam medicamentos de maneira tão compulsiva, que acabam se tornando hipocondríacas (como na história de minha mãe, narrada no Capítulo 2).

De fato, o estresse e o medo estão intimamente relacionados, até porque o estresse é um dos meios pelos quais o medo geralmente se manifesta. E, de um modo recíproco, quando o medo é vivenciado por algum tempo, o estresse aparece. No entanto, se estabelecermos uma relação entre o medo e os três estágios do estresse (*ver capítulo anterior*), chegaremos à conclusão de que a emoção aqui tratada só atinge o terceiro estágio do estresse, quando é intensa demais ou perdura por muito tempo, como, por exemplo, ao se saber que se contraiu um câncer, ou quando se vive com alguém que aterroriza a todos, sem que nem assim se consiga deixá-lo. Aliás, a fase inicial do medo coincide com o primeiro estágio do estresse, pois, tão logo aquele é sentido, também é liberada uma carga extra de energia e adrenalina (entre outras mudanças físicas que ocorrem no interior do corpo), que fornece à ação novas forças e recursos para que a situação seja salva.

De uma forma ou de outra, não existe aquele que não sofre de medo. Embora essa emoção não esteja sempre presente de maneira consciente, ela sempre aparece em função da interação que existe entre a mente e o corpo, tanto interferindo para a saúde como para a doença (...) O medo surge por causa do excesso de energia que emerge das situações atemo-

A ESCALA DAS EMOÇÕES

rizadoras, e ainda bem que essa energia é desgastada na ação! Imagine então o homem primitivo, na companhia da esposa e dos seus filhos pequenos, no interior de uma caverna. A certa altura, o rugido de um tigre feroz o acorda; a partir daí, seu ritmo cardíaco aumenta, sua respiração se faz mais rápida e profunda, sua pressão sangüínea se eleva, e o seu fígado é estimulado por uma quantidade maior de açúcar no sangue. Dessa forma, seus músculos são supridos por uma carga adequada de energia, para que ele possa lidar com as demandas de tal situação. Enquanto isso, duas pequenas glândulas situadas acima dos seus rins (glândulas supra-renais) despejam em seu sangue uma substância chamada adrenalina. Isto provoca uma ação imediata sobre seus nervos terminais – tornando-os mais sensíveis –, de maneira que seus olhos tenham as pupilas dilatadas pelos nervos que as controlam, provocando um aumento considerável do seu campo de visão – e depois disso tudo ele é capaz de elaborar uma fuga.

Robinson, 1948

O texto acima foi escrito por meu pai, para uma palestra que ele ministrou na Psychological Society, em Newcastle, quando eu ainda era adolescente. E me impressiona o fato de que a sua explanação coincide com o que foi dito a respeito do primeiro estágio do estresse, exposto num dos livros em que me deparei com esse tema. Por isso acredito que meu pai obteve essa informação dos textos do grande psicólogo Jung.

Ninguém deve ter vergonha do seu medo, porque precisamos reconhecer que essa emoção faz parte de nossa natureza, e só assim lidaremos com ela de um modo que não prejudique a nossa saúde. Se você conseguir então verbalizar os seus medos para um amigo ou amiga confiável, irá certamente liberar uma enorme carga de tensão (assim como você poderá ouvir os medos do seu amigo ou amiga). Mas não deixe por isso de aceitar o fato de que uma certa descarga de medo aparece quando começamos um novo emprego, quando voamos pela primeira vez, ou então quando tentamos realizar uma tarefa difícil. Entretanto, nesses casos, procure sempre repetir algumas frases positivas, tais como "estou no controle do meu medo", "estou perfeitamente calmo", ou "não tenho medo de (...)" Use também os óleos essenciais antes e durante a situação, pois talvez seja imensa a sua surpresa, quando você notar a diminuição do seu medo.

182   AROMATERAPIA E AS EMOÇÕES

O medo também pode ocorrer por causa de um evento pavoroso, como, por exemplo, o de sofrer uma forte agressão ou um estupro. E, aqui, uma amiga aromaterapeuta e professora falou-me sobre uma de suas clientes. Vejamos o que aconteceu.

UM CASO

Lilian chegou à Barbara através de uma amiga, e sua consulta deveu-se aos seus ataques de pânico. Ela disse que, no passado, havia sido estuprada por um assaltante dentro de sua própria casa, e que desde então passara a ter medo de tudo e de todos. Toda vez que tentava sair de casa, sozinha, sofria um ataque de pânico e era obrigada a voltar. Sua raiva era imensa porque o agressor nunca prestou contas à Justiça. Como ela não permitia mais que ninguém a tocasse, Barbara achou melhor prescrever-lhe a inalação de um óleo essencial, e assim lhe deu uma garrafinha cheia de óleo de melissa, recomendando-lhe que a destampasse e inalasse profundamente o seu conteúdo, toda vez que sentisse medo ou pânico. E Lilian adorou o aroma, o que acabou sendo uma casualidade a seu favor, já que isso pode contribuir para a eficácia do óleo. Mas Barbara também se ofereceu para ouvi-la, fazendo-a notar que ela só deveria falar sobre o que estava sentindo, se quisesse, mas dizendo-lhe ainda que essa atitude talvez viesse a aliviar seus sentimentos, porque teria a oportunidade de tirar da mente uma experiência horrorosa que nunca mais abandonou. Por ter aceitado a oferta de minha amiga, essa jovem mulher realizou um grande progresso em seis meses, chegando até a deixar que Barbara massageasse suas mãos e seus pés, algumas semanas depois de iniciado o tratamento.

Atualmente, já está inteiramente recuperada dos seus ataques de pânico. E com isso o conjunto de suas emoções e pensamentos retornou a um estado de aceitação mais equilibrado, e de tal maneira, que ela já está casada há quatro anos, e bastante feliz!

Vamos dar agora uma olhada nos óleos capazes de ajudar você a encarar e diminuir os seus medos. Contudo, lembre-se: dependendo do tipo de medo que você esteja vivenciando, procure fazer uma seleção dos

A ESCALA DAS EMOÇÕES 183

óleos que melhor se apliquem a ele. E sua escolha deve ter como base
os óleos que

- sejam calmantes e suavizantes;
- sejam estimulantes para a mente;
- amenizem os espasmos;
- diminuam o ritmo cardíaco;
- atuem como um tônico que fortaleça o coração;
- reduzam a pressão sangüínea;
- sejam tônicos para o sistema respiratório;
- estimulem a digestão (e também o fígado);
- fortaleçam os rins;
- aliviem a náusea;
- combatam a diarréia;
- sejam analgésicos.

Óleos Essenciais

Manjericão (*Ocimum basilicum*)

O manjericão é um óleo que preenche a maioria dos critérios exigidos
acima, além de ter a tradicional reputação de aliviar as desordens nervosas, a ponto de Gerard (1545-1611) ter dito que ele torna o coração mais
feliz e contente. Tais atributos, juntamente com o fato de ele também ser
cardiotônico, indicam-no como ideal para repor no bom caminho qualquer coração afligido pelas fortes emoções do medo. O manjericão tem
a capacidade de diminuir a aceleração das batidas cardíacas provocadas
por pavores e temores, e por isso é grande a sua utilidade antes de exames, entrevistas profissionais, etc. Por ser também um estimulante mental, esse óleo deve ser capaz de clarear e fortalecer a mente nas situações
de pavor ou terror, ajudando a restaurar a compostura e a serenidade; tal
efeito purificador sugere ainda que ele pode dissipar as dúvidas e indecisões que costumam surgir na vivência de determinadas emoções. Sua
ação antiespasmódica sobre o sistema digestivo, e também sobre os músculos que controlam os membros e os movimentos físicos, indica-o
como relaxante para todo o corpo, sobretudo quando o medo é intenso.

Como analgésico, esse óleo é capaz de suavizar qualquer tipo de dor relacionada com o medo; como estimulante de todo o sistema digestivo, revitaliza-o nas ocasiões em que o medo o afeta de maneira adversa; e, pela sua eficácia no combate à náusea, ele suaviza aquela sensação de "mal-estar" recorrente na emoção do medo.

Melissa (*Melissa officinalis*)

Embora o óleo de melissa seja um dos mais caros, suas qualidades para dissipar todas as formas do medo, juntamente com seu aroma delicioso, qualificam-no como extremamente positivo para a maioria das mulheres. Além disso, ele abaixa a pressão sangüínea e age eficazmente como calmante e sedativo, o que nos leva a crer que também possa ser particularmente eficiente para quem esteja vivendo o pânico ou o terror, ou para quem está com a pressão sangüínea alta. Suas propriedades calmantes e sedativas tornam-no valioso para as vivências do medo, da apreensão e das agitações nervosas; por isso mesmo, quando surgem dificuldades para se dormir durante tais períodos, ele ajuda a induzir o sono. A apreensão e o pavor sempre aceleram o coração de quem está diante de eventos causadores de preocupação, tais como exames, visitas ao dentista, admissões em hospitais, etc.; para esse tipo de emoção, o óleo de melissa também é indicado, já que é um normalizador do ritmo cardíaco. Sua ação antiespasmódica será especialmente eficaz para o sistema digestivo das pessoas que sofrem de indigestão nervosa nas situações de medo, porque irá relaxar os músculos aí envolvidos. E, por também ser indicado para náusea, ele poderá aliviar aquela sensação de "mal-estar" no estômago.

Manjerona (*Origanum majorana*)

O óleo de manjerona serve de calmante para o sistema nervoso, além de ser particularmente útil quando o medo está impedindo o sono. E, justamente porque relaxa os espasmos nervosos, é capaz de atenuar a sensação de aperto no peito, que geralmente aparece como um dos sintomas do medo, enquanto suas propriedades analgésicas aliviam as dores relacionadas com essa mesma sensação. Por ser um tônico respiratório, esse óleo ajuda a diminuir o ritmo apressado da respiração, sempre evidente nos primeiros estágios do medo; por ser um tônico cardíaco,

A ESCALA DAS EMOÇÕES

sendo portanto recomendado para amenizar as taquicardias e palpitações, ele é uma boa indicação para acalmar e regular as batidas cardíacas, além de abaixar a pressão sangüínea. Se acrescentarmos a isso a sua competente ação antiespasmódica, tanto sobre os músculos quanto sobre o sistema respiratório e os nervos, veremos que será realmente excelente a soma total dos seus efeitos relaxantes sobre o estresse provocado pelo medo. Uma das características desse óleo é a sua capacidade de reduzir o suor que geralmente aparece como um outro sintoma do medo; por isso mesmo, é ótimo para quem está "suando emocionalmente". Por fim, o óleo de manjerona também é um tônico para os nervos, particularmente eficiente para incrementar a coragem, quando surgem os sentimentos de temor e apreensão.

Bergamota (*Citrus bergamia*)

O óleo de bergamota é calmante e sedativo para o sistema nervoso, tal como o de melissa, o que o torna ideal para os sintomas do medo crônico. Mas, por também ser neurotônico, seu uso não se limita ao relaxamento dos sintomas do medo, pois também é indicado, tal como o óleo de manjerona, para incrementar a coragem necessária em determinadas situações. Seu aroma é naturalmente estimulante, e esse aspecto torna-o bastante valioso para quem está deprimido em função do temor. Como antiespasmódico, o óleo de bergamota ameniza qualquer tipo de tensão. Como estimulante digestivo, é excelente para combater o enfraquecimento desse sistema quando surge o medo, e contra as indigestões nervosas; por isso, sua ação será sempre benéfica durante os sintomas do medo, mesmo que instalados há muito tempo. Rovesti, renomado professor de uma universidade italiana, conduziu uma pesquisa sobre os óleos essenciais em diversas clínicas psiquiátricas e descreveu os efeitos da bergamota como aliviadores do medo e da ansiedade (citado em Fischer-Rizzi, 1990, pág. 72).

Lavanda (*Lavandula officinalis*)

Embora o óleo de lavanda não contenha propriedades digestivas capazes de ajudar a dissipar o medo, seu uso é muito útil para certos aspectos dessa emoção. Ele é bastante conhecido por suas propriedades calmantes e sedativas, e também é utilizado para reduzir a pressão sangüínea que costuma elevar-se durante a vivência do medo. Suas propriedades relaxantes incluem a capacidade de ajudar a dormir quando a insônia está associada com o medo. Esse óleo é cardiotônico e neurotônico, o que o habilita para incrementar a coragem nas situações dominadas pelo pavor, pela apreensão e pelo medo. Como os outros óleos até agora mencionados, o de lavanda também é antiespasmódico, e isso o caracteriza como um aliviador das tensões musculares provenientes do medo. Suas propriedades analgésicas indicam-no para dissipar as dores de quem sofre por causa dessa emoção.

Alecrim (*Rosmarinus officinalis*)

Embora o óleo de alecrim não seja calmante nem sedativo, suas propriedades cardiotônicas o tornam um aliviador das palpitações, porque faz com que os batimentos cardíacos retornem à sua normalidade. Mojay (1996, pág. 115) confirma isso, quando diz que o alecrim fortalece o ritmo cardíaco, ou seja, tudo aquilo de que se precisa nos estados amedrontadores. Pelo fato de ser um estimulante mental, esse óleo também serve de ajuda para fortalecer a mente, sobretudo quando o pavor e o terror entram no cenário do medo; por esses efeitos que ainda clareiam a mente, ele é capaz de dissipar as dúvidas e indecisões. Por ser um antiespasmódico que age especialmente sobre os músculos, torna-se bastante eficaz como um relaxante para os apertos típicos que ocorrem na maioria das categorias do medo. E suas propriedades analgésicas o indicam para as dores mentais recorrentes nessas ocasiões. Por ser um excelente óleo digestivo, não só estimula a digestão, como também ameniza a indigestão, particularmente as indigestões dolorosas; tais características, juntamente com sua capacidade analgésica, fazem desse óleo um auxílio eficaz para todo tipo de dor interligada com o medo.

Ylang-ylang (*Cananga odorata*)

As propriedades calmantes e sedativas do óleo de ylang-ylang tornam-no apropriado para os sintomas crônicos do medo e não somente para a diminuição do ritmo cardíaco acelerado, pois é especialmente eficaz no combate à pressão alta de quem vivencia essa emoção. Da mesma forma

A ESCALA DAS EMOÇÕES

como os demais óleos recomendados acima, esse também é antiespasmódico, o que o indica como um relaxante para os espasmos do medo, sobretudo porque exerce uma ampla ação sobre o sistema digestivo, que é sempre afetado adversamente ao longo dessa emoção.

Apesar de termos selecionado os óleos mais representativos para aliviar o medo, alguns outros possuem propriedades físicas capazes de fazer o mesmo:

- Limão (*Citrus limon*): antiespasmódico, adstringente (diarréia), calmante, redutor da pressão sangüínea.
- Cipreste (*Cupressus sempervirens*): antiespasmódico, calmante, neurotônico e redutor do suor (incrementa a estamina emocional – Keville e Green, 1995, pág. 53).
- Esclaréia (*Salvia sclarea*): antiespasmódico, relaxante do sistema nervoso, aliviador da diarréia.
- Sândalo (*Santalum album*): adstringente (diarréia), cardiotônico, relaxante do sistema nervoso, sedativo, tônico geral.
- Gerânio (*Pelargonium graveolens*): antiespasmódico, analgésico, adstringente (diarréia), calmante.
- Rosa (*Rosa damascena*): calmante – por si só, seu aroma já é capaz de dissipar qualquer tipo de medo profundamente enraizado.

Ciúme

Oh, meu senhor, todo cuidado com o ciúme é pouco, pois ele
é o monstro de olhos verdes que zomba da comida que o alimenta.

William Shakespeare, *Otelo*

Ciúme, Inveja

- Ciúme:
  – inveja, cobiça, ressentimento (raiva), intolerância, rivalidade.
- Inveja:
  – cobiça, anelo, descontentamento, ciúme, ressentimento.

AROMATERAPIA E AS EMOÇÕES

- Descontentamento:
  - infelicidade, ressentimento, aborrecimento, inveja, anseio, desprazer, insatisfação.
- Desejo:
  - anseio, cobiça, anelo, carência.

As emoções que se seguem também estão relacionadas:
- Despeito:
  - ódio, ressentimento, malícia, rancor, mordacidade.
- Suspeita:
  - desconfiança, dúvida.

O ciúme e a inveja são quase sempre vivenciados em conjunto, além de serem geralmente acompanhados por outros sentimentos ou emoções. Afora o segredo eventual que é muito bem guardado "de maneira ciumenta", ou aquele "ciúme" normal em relação ao parceiro, a maioria dos sentimentos ciumentos são negativos, destrutivos e hostis, como acontece, por exemplo, com a inveja. Em geral, o ciúme está ligado à raiva e ao ressentimento, e em certas circunstâncias acaba conduzindo à fúria passional, que por sua vez pode terminar em violência. A inveja é menos volátil, ao passo que o desejo (geralmente inocente) e o descontentamento são emoções que em determinadas circunstâncias podem desenvolver outros sentimentos diferentes.

> Um coração em paz dá vida ao corpo, enquanto a inveja
> se enraíza nos ossos.
>
> Provérbios 14: 30

O ciúme pode ser causado:
- Pela incapacidade de compartilhar os pertences, quando se é mais jovem, ou por não se saber conviver com outras pessoas na vida adulta.
- Pelo desejo ou, melhor, pela cobiça de coisas, pessoas ou diversões que não se consegue ter sem o auxílio dos amigos.
- Pela ambição, como, por exemplo, a de ter o mesmo sucesso que um amigo tem.
- Pela insatisfação com aquilo que já se possui.

A ESCALA DAS EMOÇÕES   189

- Pelo excesso de suspeita, o que ocorre quando são inspecionados constantemente os bolsos do parceiro.

Excetuando as duas últimas situações, as demais são igualmente capazes de causar a inveja, que por sua vez não costuma ocasionar a raiva, mas pode certamente desencadear o ressentimento e a incapacidade de aceitação em relação àquilo que já se tem. Se quisermos localizar as similaridades existentes entre as quatro emoções primeiramente citadas, veremos que todas, com exceção do descontentamento, guardam em si a cobiça, além de compartilharem o ressentimento, excluindo desse último o desejo.

> No ciúme, há muito mais amor-próprio do que amor pelo outro.
>
> François de la Rochefoucauld

Talvez seja difícil para qualquer um admitir que tem ciúme ou inveja de alguém ou de seus pertences; no entanto, quando isso ocorre, chega-se à conclusão de que esse sentimento é bastante destrutivo, pois quem o sente magoa a si próprio e aos outros.

> Algumas pessoas se isolam porque têm ciúmes dos seus amigos, pois estes parecem possuir coisas que elas desejam. Mas o fato é que tais pessoas não conseguem sequer ficar ao lado de quem é bem-sucedido profissionalmente, ou de quem não apresenta problemas de relacionamento, ou daqueles que possuem uma característica física invejável.
>
> Domar e Dreher, 1997, pág. 141

Se isso se aplica a você, creio que já é hora de reestruturar o seu modo de pensar! Você gostaria realmente de fazer uma "troca" com sua amiga? Talvez você possua alguma coisa que ela não tem, não é? Aliás, convenhamos, se houvesse uma oportunidade de troca, do tipo "tudo ou nada", o mais provável é que você optasse por ficar com tudo aquilo que já tem. Além do mais, se você fizesse uso do pensamento positivo, talvez pudesse aprender a aceitar as aparentes vantagens dos seus amigos, agradecendo por tudo aquilo que já é seu! Na verdade, aquilo que os outros possuem não devia importar nem um pouco, independentemente de ser um carrão ou uma casa melhor, porque nada disso representa de fato um impacto real para a sua vida, pois só existe mesmo na sua cabeça e no fim só irá magoar a você mesmo.

Conforme já dito, o cenário do ciúme e das hostilidades que lhe são correlatas pode ser composto por outras emoções. Vamos então dar uma olhada nelas:

- Raiva e irritação
  – poderão chegar eventualmente à tona quando o seu parceiro preferir a comida da mãe dele em detrimento da sua. Até porque ela pode ser mesmo uma boa cozinheira, deixando você não só com ciúmes dela, mas também com raiva do seu marido.
- Medo
  – poderá ocorrer, por exemplo, se seu parceiro demonstrar grandes preferências por uma amiga de ambos.
- Ódio
  – talvez de alguém que sempre obtém aquelas coisas que você deseja e nunca consegue ter.
- Ansiedade
  – pode estar relacionada com a pessoa escolhida para algum cargo almejado por você, e que poderá ser muito pior se ela for realmente mais qualificada que você!
- Insegurança
  – talvez pelas mesmas razões citadas para o medo e a ansiedade.

UM CASO

A tia de um amigo meu desenvolveu um câncer há alguns anos. Além de na época possuir um excelente cargo de secretária financeira de uma grande firma, era uma pessoa bastante peculiar, elegante e consciente de sua classe, mas que por vezes também era um tanto abrupta. Pois bem, não faz muito tempo, esse meu amigo e eu conversamos sobre as emoções, porque este livro estava prestes a ser escrito. Depois de lhe perguntar sobre o estado de sua tia, eu também quis saber se ela era uma pessoa que tinha o hábito de nutrir emoções destrutivas – como o

A ESCALA DAS EMOÇÕES

ressentimento, o ciúme ou a inveja – ou se sempre fora excessivamente crítica, pois tais atributos geralmente resultam em câncer (Hay, 1988). E ele me contou uma história que me deixou admirada, pois sua tia teve uma carreira bem-sucedida, mostrava-se sempre contente, e nunca lhe faltara dinheiro:

"Ela e a irmã cuidaram da mãe inválida, mas um dia essa irmã se casou. Tia Ella nunca a perdoou pelo fato de tê-la deixado, não só porque passou a cuidar, sozinha, da mãe, mas sobretudo porque perdera a oportunidade de também se casar. Afora isso, ela acabou ficando ressentida com o pai, porque ele nunca lhe permitira entrar na universidade, além de sempre ter feito muitas críticas ao seu próprio irmão (pai do meu amigo), argumentando que esse se havia casado com alguém indigno dele." Paul, o irmão do meu amigo, adorava o pai. Acontece, porém, que sua tia Ella vivia tentando colocá-lo contra este; por fim, ao ver que não conseguia mesmo o seu intento, deixou de falar com o sobrinho. E de nada adiantou a cópia do texto de Coríntios 1: 13, que meu amigo John, cristão convicto, enviou para ela; assim como de nada serviu uma carta conciliadora que acompanhou o texto, pois sua tia recusou-se terminantemente a falar com Paul.

À medida que fui ouvindo essa incrível história negativa de uma mulher que eu sempre respeitara, acabei me dando conta de que não havia nada de estranho no fato de ela ter contraído um câncer. E, a pedido de John, enviei-lhe alguns óleos essenciais para uma artrite que a afligia, os quais, segundo ela, lhe foram salutares. Na mistura desses óleos, constavam o alecrim e o zimbro, pois o primeiro seria benéfico para as duas emoções que Ella nutrira por muitos anos, enquanto o segundo agiria sobre o seu ciúme; no entanto, ainda assim, via-me na obrigação de lhe enviar depois uma nova fórmula de óleos que pudesse ajudá-la a dissipar de vez as emoções que destruíram a sua vida. Mas, para isso, ela teria de admitir que havia de fato as vivenciado, tanto no passado como no presente, pois só assim os óleos seriam capazes de aliviar o que resultou do seu longo período de ressentimento e ciúme. Durante o tempo em que foi escrito este livro, Ella ainda estava usando essa nova mistura de óleos que lhe preparei (na qual o limão, que é eficiente para as duas emoções, substituiu o alecrim e o zimbro, pois esses são mais específicos para a artrite); por isso, não posso afirmar se fizeram realmente alguma diferença, embora eu espere sinceramente que tenham feito!

A meu ver, os óleos essenciais que poderão ajudar a quem lida com o ciúme e a inveja (já que cobrirão automaticamente as emoções desse grupo) são aqueles que possuem propriedades desintoxicantes e fungicidas ou antivirais. Poder-se-ia dizer que os sentimentos do ciúme e da inveja apresentam-se como verdadeiras toxinas na mente e que por isso terminam por "devorar" o indivíduo, tal como procedem as infecções causadas por fungos e vírus. Nesse caso, os óleos bactericidas são de grande valia, porque o ciúme, da mesma forma que a bactéria, também invade inesperadamente o nosso ser. E as propriedades neurotônicas serão também capazes de ajudar, pois estimulam o sistema nervoso a voltar ao seu estado normal. Entretanto, alguns outros óleos poderão ser usados; para isso, aqui vai a lista completa de suas propriedades, que deverão ser escolhidas de acordo com os sentimentos e reações individuais:

- antibactericida;
- antifungicida;
- antiviral;
- desintoxicante e limpadora do corpo;
- cicatrizante (curativo);
- litolítica (elimina as pedras);
- anticatarral (alivia a congestão).

Óleos Essenciais

Alecrim (*Rosmarinus officinalis*)

O alecrim destaca-se por algumas propriedades que considero fundamentais para amenizar o ciúme; primeiramente, porque é um desintoxicante do fígado e da vesícula, o que nos leva a pensar que talvez possa ser um desintoxicante da mente. Mas esse óleo também auxilia a dissol-

A ESCALA DAS EMOÇÕES 193

ver os cálculos biliares, o que outra vez nos faz supor que talvez seja capaz de ajudar a dissolver a rigidez do ciúme instalado na mente. As outras propriedades não menos úteis do alecrim – antiviral, fungicida e anticatarral – indicam-no como uma ajuda valiosa para a expulsão de algumas emoções desagradáveis que se "alimentam" do nosso ser. Ele ainda tem a vantagem de ser cicatrizante (curativo), e ninguém duvida de que o ciúme seja uma emoção que precisa ser curada. Conforme já dito, o óleo de alecrim é bastante útil em casos de raiva e de algumas outras emoções correlatas por causa de suas propriedades curativas, antiespasmódicas e antiinflamatórias; contudo, a última propriedade mencionada também é por demais eficaz no combate ao medo, sobretudo quando essa emoção aparece juntamente com a inveja ou o ciúme.

Zimbro (*Juniperus communis*)

O zimbro é bastante conhecido como desintoxicante dos rins e de todo o aparelho digestivo, o que sugere a sua habilidade para a eliminação do ciúme. E, por ter também a capacidade de dissolver as pedras dos rins, talvez possa dissipar os sentimentos enrijecidos, fazendo com que saiam mais facilmente de nossas mentes. As propriedades diuréticas e descongestionantes do zimbro, capazes de eliminar o excesso de líquido (e de quaisquer outras toxinas) através dos rins e da linfa, indicam-no como uma ajuda preciosa para a liberação dos sentimentos acarretados pelo ciúme, de forma que sejam mesmo expulsos de nossa mente; aliás, o seu poder para a eliminação do catarro sugere a mesma coisa. Caso a insônia constitua um dos problemas envolvidos no ciúme, o zimbro poderá auxiliar a induzir o sono; e, se a raiva e a irritação representarem um papel importante nessa questão, suas propriedades antiinflamatórias ajudarão a aliviá-las. Davis (1991) e Mojay (1996, pág. 87) concordam com o fato de que o zimbro é capaz de limpar as energias negativas acumuladas, e isso confirma a sua capacidade para extirpar da mente o ciúme e a raiva.

Manjericão (*Ocimum basilicum*)

O manjericão é antiviral e bactericida, tornando-o capaz de libertar a mente dos sintomas provenientes do ciúme e da inveja, emoções que se alimentam de quem as nutre. Seu poder de ajuda na cura das úlceras estomacais o indica para as formas mais brandas dessas emoções tão indesejáveis. As propriedades antiespasmódicas e antiinflamatórias desse óleo lhe dão a aptidão de aliviar as manifestações aparentes da raiva ou quaisquer sintomas de medo que venham a se apresentar. Pelo fato de o manjericão ser um estimulante mental e um cardiotônico, supõe-se que também seja capaz de fortalecer o coração e a mente, além de encorajar essa última a pensar mais claramente sobre as formas adversas pelas quais o ciúme afeta a saúde. De acordo com Keville e Green (1995, pág. 46), o óleo de manjericão ajuda a eliminar os pensamentos negativos.

Bergamota (*Citrus bergamia*)

Além de ser antiviral e curativo, o óleo de bergamota possui um aroma refrescante e enaltecedor. Também é calmante e sedativo; seus atributos curativos confirmam sua utilidade para os casos em que tanto a raiva sufocada como o ressentimento e o estresse acompanham o ciúme. Suas propriedades antiespasmódicas ajudam a liberar a raiva; por isso mesmo, quando o medo está interligado com o ciúme, esse óleo pode dissipá-los. Em quaisquer circunstâncias em que os sentimentos de ciúme e inveja se tornam um hábito, causando mesmo depressão, as propriedades neurotônicas do óleo de bergamota são capazes de elevar o ânimo, enquanto suas propriedades sedativas aplacam as emoções que trazem aborrecimentos, ajudando assim a liberar a mente.

Limão (*Citrus limon*)

As muitas propriedades benéficas do óleo de limão o indicam para todos os aspectos adversos desse grupo do ciúme, e ainda como uma ajuda valiosa para as possíveis outras emoções que venham eventualmente à tona durante esse processo. O limão elimina as viroses e infecções ocasionadas pelos fungos, o que mostra a sua excelência para extirpar da mente as emoções sem valor. Ele é de grande valia na dissolução das pedras dos rins, o que constitui um indicativo de que poderá também ajudar a dissolver os sentimentos de ciúme petrificados na mente. Se levarmos em conta as propriedades antiinflamatórias e antiespasmódicas

A ESCALA DAS EMOÇÕES

do óleo de limão, chegaremos à conclusão de que ele é excelente para o tratamento dos sentimentos que fazem parte tanto do grupo do ciúme como da raiva. Tais atributos são acrescentados pela sua habilidade de curar os furúnculos e as úlceras, e ainda por sua qualidade adstringente, o que o capacita a suavizar a raiva. O óleo de limão também é calmante, tônico do coração e aliviador do vômito nervoso, características que nos levam a crer que ele será sempre uma ótima escolha para os casos nos quais o medo entra em cena juntamente com o ciúme.

Alguns outros óleos possuem propriedades físicas que os capacitam a auxiliar aqueles que lidam com o ciúme e as demais emoções que lhe fazem companhia:

- Pinho (*Pinus sylvestris*): bactericida, fungicida, purificador, redutor do suor (medo), antiinflamatório (raiva).
- Tomilho (*Thymus vulgaris*): fungicida, antiviral, cardiotônico (medo), antiespasmódico, antiinflamatório (raiva).
- Gerânio (*Pelargonium graveolens*): bactericida, fungicida, curativo, estimulante digestivo (medo), antiespasmódico (medo e raiva), antiinflamatório (raiva), curativo.
- Hortelã-pimenta (*Mentha x piperita*): bactericida, fungicida, antiviral, descongestionante, redutor do catarro, estimulante digestivo (medo), antiespasmódico (medo e raiva), antiinflamatório (raiva).

Culpa

Todo homem é culpado do bem que ele não **fez**.

Voltaire

Culpa, Remorso, Remordimento, Vergonha

- Culpa:
  – medo da desgraça, auto-reprovação, vergonha; em geral, provoca remordimento, remorso e contrição.

- Remorso:
  – angústia, contrição, sofrimento, remordimento, vergonha.
- Remordimento:
  – contrição, remorso, tristeza.
- Vergonha:
  – culpa, contrição, remorso, medo da desgraça, humilhação.

De acordo com um estudo internacional feito pela Associates for Research into the Science of Enjoyment, a culpa é uma doença que poderá afetar a saúde de toda a nação inglesa. Aparentemente, 41% dos ingleses não são capazes de desfrutar os prazeres cotidianos porque estão sempre se sentindo culpados. Sabe-se que a culpa representa um papel preponderante no estresse e na baixa imunológica, e que por isso, quando se vive sem ela, o corpo e a mente são os mais beneficiados. Na pesquisa mencionada, os investigadores concentraram-se sobre oito países e treze tipos de prazer, incluindo, entre esses últimos, beber vinho, comer chocolates, fazer sexo e ver televisão (pesquisa citada na revista *Reader's Digest*, 1997).

A culpa (e os sentimentos que a acompanham) é sempre uma emoção infeliz, complicada e difícil. E ela só afeta a quem tem a consciência pesada pelos deslizes que cometeu, ou, melhor, pela ocorrência de atos antiéticos, ou pelas eventuais palavras cruéis que foram ditas, talvez em momentos de raiva, e que provocaram um remorso imediato.

> Toda pessoa culpada acaba sendo o seu próprio verdugo.
>
> Sêneca

A culpa pode ferir alguém por causa de suas ambições não-realizadas e que provocaram nele a sensação de "ter deixado algo importante de lado" (geralmente em função de entes queridos que esperavam muito dessa pessoa). Mas essa emoção também pode emergir em decorrência do esquecimento de alguma coisa importante que deveria ser feita, ou pela não-realização de algo do qual se poderia ser responsabilizado mais tarde. A ansiedade, sobretudo a que se manifesta sob a forma de medo das conseqüências, geralmente acompanha as emoções desse grupo.

A ESCALA DAS EMOÇÕES

Não é nada fácil fazer uma seleção dos sentimentos dessa lista, tendo como base a exposição que fizemos deles, porque a culpa, por exemplo, não é *propriamente* o remorso, embora esse surja imediatamente após o ato que a causou, quer seja por palavras ou por ações e pensamentos. A contrição aparece em todas as interpretações da culpa, ao passo que o remorso está sempre mais ligado ao remordimento e à vergonha, enquanto essa última insere-se como parte da culpa e do remorso. Embora a tristeza e o sofrimento tenham sido apresentados em sua conexão com o remordimento e o remorso, creio que todos os sentimentos vivenciados nesse grupo acabam envolvendo aquelas duas emoções.

Certas formas de culpa incluem a dor, sobretudo depois que se fez alguma coisa, mesmo de maneira não-intencional, que terminou por ferir uma outra pessoa, como, por exemplo, quando se foi o causador de um acidente automobilístico, ou o responsável por alguém ter perdido o seu emprego. Mas, enfim, talvez você venha a se sentir mal, de maneira a se ver mesmo obrigado a reerguer-se, quando entrar em relação de fato com toda a lista básica dessas emoções.

O tipo de culpa mais facilmente assumido é aquele que a pessoa direciona para si mesma; por exemplo, sentir-se culpado por ter reservado um tempo só para si num dia agendado para muitos compromissos. Mas, aqui, deve-se levar em conta o fato de que talvez a pessoa quisesse mesmo sair despreocupada nesse dia para fazer compras, sem se importar se seria a de uma blusa nova ou de um simples batom. Em geral, essa forma de culpa está ligada à autodesvalorização, e nesse caso o mais provável é que a pessoa esteja sacrificando as suas emoções em função da família; quando não se está sentindo culpada por estar gorda e comendo demais, ou porque não conseguiu fazer algo por si mesma. Há ainda uma espécie de culpa que aparece associada com a vergonha; por exemplo, quando uma mulher recebe a notícia de que não pode ter filhos e a partir daí se sente culpada (quase sempre por causa dos sentimentos do marido), além de passar também a vivenciar uma certa dose de vergonha (Domar e Dreher, 1997, pág. 154).

Na maioria das vezes, a vergonha é um sentimento que aparece depois que se fez alguma coisa reprovável para si mesmo ou para os outros e que vem usualmente à tona "como resultado do julgamento de alguém" (Lindenfield, 1997, pág. 119). Mas também pode ocorrer por causa da *ação* de uma outra pessoa; por exemplo, quando se diz para as amigas, acerca de uma filha que está presente, e ouvindo, o seguinte disparate: "Emily está tão gorda, que chego a me sentir horrorizada quando compro roupas para ela!" Ou então quando se leva uma criança a admitir, na frente de toda a classe escolar, que ela fez algo de errado. Infelizmente, e sobretudo no primeiro caso citado, ações como essas acabam reduzindo drasticamente a confiança que qualquer criança possa ter em si mesma.

Dentre os sentimentos que estão conectados com a culpa (e, às vezes, com a vergonha), um dos mais fortes é aquele que se apresenta associado com o divórcio, como, por exemplo, quando alguém sente culpa só por se lembrar dos momentos felizes que foram desfrutados com o parceiro. Nesse caso, quando há filhos, a coisa fica mais complicada ainda, pois a culpa acaba vindo da suposição de que serão causados problemas para a vida desses, ou de que se colocou o próprio bem-estar em primeiro lugar em detrimento da felicidade dos filhos. Mas os sentimentos de culpa também podem surgir em decorrência da relação com os pais, quer seja por não visitá-los tão freqüentemente quanto se deveria, ou por se desejar que eles simplesmente desaparecessem, quando se *teria* mesmo que visitá-los, especialmente nos momentos em que estão doentes, e não se sabe o que dizer ou fazer para passar o tempo com eles.

A culpa é mesmo capaz de enredar qualquer pessoa num contínuo estado de conflito; por exemplo, toda vez que aceito ministrar uma palestra no exterior, termino por me sentir culpada porque, embora esteja aceitando (com um sorriso nos lábios), o que eu queria mesmo era dizer "não". Às vezes, vejo-me obrigada a optar por um só acontecimento agradável dentre dois que se apresentam – ir a um casamento ou visitar os amigos – no final acabo tendo que cancelar um deles; aliás, em tais circunstâncias, qualquer que seja a minha escolha, sinto-me sempre culpada! O trecho que virá a seguir foi colocado no livro *The Aromatherapist* (1998), por uma cortesia da revista *Candis*:

Até que ponto você está realmente sentindo culpa? Você:
- Suspeita de que vai ter de pagar algum preço pelos momentos nos quais se divertiu?
- Sente vergonha, com freqüência, pelas coisas que realizou?

A ESCALA DAS EMOÇÕES

- Tem medo de não merecer a afeição daqueles que lhe são próximos?
- Pede desculpas por coisas que não fez?
- Quase sempre se dá conta de que vive ajudando as outras pessoas, na maior parte do tempo, quando na verdade nunca quis fazer isso, ou então o seu tempo sempre foi pouco para isso?
- Está sempre querendo que a sua consciência deixe você em paz?
- Sente uma vontade enorme de confessar o que fez, logo depois de ter feito?
- Muitas vezes sente que desapontou seus pais por causa do estilo de vida que você escolheu para viver?

Se para cada uma das perguntas a sua resposta foi *sim*, já é hora de parar com suas infantilidades e começar a tomar consciência de suas próprias necessidades.

Se você é particularmente vulnerável aos sentimentos de culpa, não perca a esperança! Pois o pensamento positivo será sempre de grande valia para que você venha a se sentir melhor; e, se os óleos essenciais forem acrescentados a ele, seus sentimentos de culpa irão diminuir ainda mais, porque ficarão pelo menos toleráveis, e dessa forma você terá muito mais capacidade para tomar atitudes mais coerentes com a sua vida. Talvez essas novas atitudes de sua parte resultem em algumas ações ou palavras que venham a magoar os outros, mas deixarão você certamente muito menos propenso a sofrer as conseqüências emocionais adversas.

Antes de investigarmos os óleos essenciais que servirão de ajuda para dissipar a culpa, vejamos as propriedades físicas que mais poderão auxiliar nessa questão:

- analgésica
- descongestionante
- cicatrizante (curativa)
- contra a náusea
- desintoxicante
- benéfica no combate à indigestão
- cardiotônica (incluindo as palpitações)

Você poderá também recorrer às referências anteriores dos óleos que servem de auxílio nos processos da raiva, medo e sofrimento, caso tais emoções constem de sua experiência emocional, independentemente de serem ou não a causa principal do que aflige você. Essas mesmas emoções serão mencionadas, sucintamente, nos perfis dos óleos expostos a seguir, juntamente com seus efeitos.

Óleos Essenciais

Alecrim (*Rosmarinus officinalis*)

O alecrim possui um vasto número de propriedades úteis às emoções desse grupo. Por ser um desintoxicante, pode ser usado depois de ações e palavras premeditadas ou impensadas. Se houver dor mental, a propriedade analgésica desse óleo poderá aliviá-la; se a mente estiver bloqueada por uma confusão de emoções "entaladas", sua ação descongestionante, juntamente com seu efeito eficaz sobre as indigestões, será ainda de grande valia. Mojay (1996, pág. 115) o recomenda para a "cabeça cheia". Se alguma culpa prolongada causar depressão, a ação cardiotônica do alecrim será capaz de fortalecer o coração; afora isso, o seu efeito neurotônico, ladeado pela sua ação como estimulante mental, indica-o para reanimar e reavivar o indivíduo, de maneira que este tenha a clareza e a energia necessárias para elaborar soluções mais condizentes com a situação. O óleo de alecrim também é cicatrizante, sendo portanto indicado para iniciar as operações de cura, especialmente quando a contrição e a vergonha estão envolvidas com o sentimento de culpa, ou quando o sofrimento está ligado a essas.

Lavanda (*Lavandula angustifolia*)

O óleo de lavanda é bastante conhecido por suas propriedades curativas, e isso sugere que talvez possa ser uma ótima escolha como auxílio nas circunstâncias trazidas pela culpa – remordimento, remorso e contrição –, sobretudo por causa de sua capacidade para curar simultaneamente a angústia e a autocondenação. Pelo fato de esse óleo ser usado fisicamente para as cicatrizes, é de esperar que ele também ajude a curar a culpa profunda, como, por exemplo, nas situações em que esse sentimento está relacionado com o sofrimento. De acordo com Holmes (1992), o óleo de lavanda é capaz de encorajar a aceitação de situações dolorosas. Como analgésico, a sua eficácia já está provada na cura das dores mentais que fazem parte da culpa; a lavanda também é útil quando a atmosfera emocional do indivíduo o deprime, pois sua ação como tônico geral e cardiotônico impulsiona a uma solução. E, caso você esteja perdendo o sono por causa de um excesso de preocupação com diferentes situações, saiba que o óleo de lavanda é o favorito para o combate à insônia.

Olíbano (*Boswellia carteri*)

O poder curativo do óleo de olíbano para suavizar e renovar o tecido da pele é incalculável, o que prova o seu valor como auxílio à cura de todas as emoções da "família" da culpa. Por ser analgésico, o olíbano serve de ajuda para dissipar as dores mentais do sofrimento, e se a essas se acrescentarem o desânimo e a melancolia, ele será capaz de elevar o ânimo por causa de sua ação antidepressiva e energizante. Sua propriedade imunoestimulante é de grande utilidade quando o estado de saúde está em baixa, ou quando um longo período de culpa já afeta a integridade física, provocando infecções menores, porém regulares. Se você estiver com raiva de si mesmo por alguma coisa que tenha feito, a ação antiinflamatória do óleo de olíbano será bastante competente para atenuar a inflamação desse seu sentimento.

Hortelã-pimenta (*Mentha x piperita*)

O óleo de hortelã-pimenta é um excelente digestivo, pois não só ajuda a aliviar a indigestão, como também a náusea nervosa e as dores no trato digestivo. Como suas propriedades analgésicas também servem de auxílio nesse aspecto, esse óleo possui ainda a capacidade de dissipar os sentimentos de culpa decorrentes da dor emocional. Ele também é descongestionante e estimulamente mental, fatores que favorecem a concentração, o que o indica como um purificador das mentes congestionadas por pensamentos conflitivos e emoções confusas. Segundo Keville e Green (1995, pág. 65), a hortelã-pimenta "clareia a névoa mental". Se você está com medo das conseqüências que poderão advir de suas ações, e de tal maneira que esse sentimento lhe vem trazendo problemas, lembre-se de que esse óleo é capaz de atenuar a náusea e o vômito nervoso, e que esse valor poderá lhe trazer alívio para tudo aquilo que o está deixando doente. Suas propriedades antiespasmódicas e antiinflamatórias o indicam ainda para acalmar as crises intensas de raiva, sobretudo quando essa emoção está encobrindo ou negando alguma verdade.

Os outros óleos que poderão auxiliar os sentimentos desse grupo são os seguintes:

- Gerânio (*Pelargonium graveolens*): curativo, analgésico e descongestionante.
- Manjericão (*Ocimum basilicum*): cardiotônico, analgésico e descongestionante.
- Pinho (*Pinus sylvestris*): analgésico, descongestionante e purificador do ar.
- Sândalo (*Santalum album*): cardiotônico e descongestionante.

Apatia

Apatia, Letargia, Indiferença, Tédio

- Apatia:
  – falta de emoção ou de interesse, desapego, indiferença, inércia, desligamento, ausência de entusiasmo, frieza, inatividade.
- Letargia:
  – sonolência ou entorpecimento, inatividade, langor, indolência, inércia (apatia), falta de energia, falta de concentração e de interesse, indiferença.
- Indiferença:
  – fastio, falta de interesse, langor, inércia, indolência, letargia, apatia.
- Tédio:
  – apatia, enfado, letargia, falta de interesse, fastio.

Tais sentimentos não seriam muito mais atitudes mentais que propriamente emoções? Qualquer que seja a resposta, o fato é que as emoções

A ESCALA DAS EMOÇÕES   203

desse grupo parecem sempre transmitir uma sensação de fastio e um ar de indiferença, ou seja, um desligamento quase total; é preciso um "empurrão", para que o seu portador possa retomar a normalidade e seguir em frente.

Na verdade, as emoções desse grupo não são exatamente idênticas porque, se atentarmos para cada uma delas, veremos que a apatia e a indiferença compartilham entre si a inatividade e a falta de interesse (embora essa última também esteja presente no tédio, enquanto o langor e a indolência mostram-se mais evidentes na letargia e na indiferença, afora algumas outras similaridades entre elas).

A atitude mental da apatia assume a forma do "não dou a mínima!", que está provavelmente ligada aos sentimentos de inadequação; no entanto, muitas vezes a desesperança, o desapontamento e o tédio estão encobertos por essa mesma emoção, embora ela também possa ser o resultado da negação de uma raiva crônica (Lindenfield, pág. 171). Além de ser uma emoção desenvolvida de maneira lenta, a apatia é quase sempre resultante da contínua aceitação de um modo mais fácil de ser e de fazer as coisas, ou seja:

- quando alguém começa a comprar comida pronta, e aos poucos isso se torna um hábito, até porque o parceiro acaba gostando desse tipo de alimento;
- quando alguém adora uma partida de tênis, mas acha mais cômodo assistir a ela pela televisão, até deixar de se importar com esse jogo;
- quando alguém delega o trabalho do seu negócio a outros, depois de ter alcançado o sucesso, quando no início o empreendia com tanto entusiasmo e prazer. Embora muitas vezes o negócio não seja abalado por esse tipo de atitude, quem assim procede vai relaxando pouco a pouco, até não *querer* mais nada com ele; portanto, através dessa atitude do "tudo bem" acaba-se perdendo a chama que proporcionou o sucesso. E é justamente aí que começa a apatia!

A letargia decorre do aumento gradual do cansaço, mas essa falta de energia está muito próxima da apatia, pois nela também aparece o sentimento do "não posso me aborrecer", ou do "isso é demais para mim". Coloquei a indiferença neste item porque com ela a pessoa perde normalmente o interesse pela rotina e pelos prazeres da vida, ficando mesmo sem qualquer energia ou ânimo.

UM CASO

Nos escritórios, quase todos os funcionários começam a se sentir cansados antes do final do expediente, especialmente nas segundas-feiras! E o mesmo ocorre nas escolas e cursos, quando os alunos se sentem fatigados ao final das aulas teóricas. Entretanto, para situações como essas, nós aqui do instituto usamos durante as aulas a inalação dos óleos essenciais de alecrim e limão (mas é melhor não pôr esses óleos diretamente sobre a pele, se você não tiver o devido treinamento); em tais ocasiões, cada aluno é solicitado a dar uma intensa inalada num chumaço embebido desses óleos. Além disso, meu pessoal costuma vaporizar no ambiente de trabalho algumas gotas diluídas em um pouco de água; assim, independentemente do que esteja acontecendo, as pessoas logo se animam e de novo adquirem a energia do começo do dia.

As propriedades capazes de elevar o ânimo, pois retiram qualquer um do estado de apatia e letargia, são as encontradas nos óleos que:

- Estimulam a digestão;
- Estimulam o coração;
- Estimulam o sistema nervoso;
- Estimulam a mente;
- Estimulam a circulação do sangue e/ou da linfa;
- Estimulam o sistema respiratório.

Em suma, todos os óleos que possuem alguma espécie de propriedade estimulante auxiliam esse grupo de emoção!

Óleos Essenciais

Alecrim (*Rosmarinus officinalis*)

O óleo de alecrim é um dos mais eficazes entre todos os outros capazes de auxiliar o tratamento das emoções (seguido bem de perto pelo óleo de hortelã-pimenta); além de ser um excelente tônico para o sistema nervoso e um ótimo estimulante para a circulação sangüínea, ele exerce um efeito positivo sobre a digestão indolente e o fígado letárgico. Acrescente-se a isso o seu poder de estimular a mente, juntamente com suas outras propriedades estimulantes. Poderá ser usado para o êxito de todas as emoções desse grupo. Mojay (1996, pág. 160) o recomenda para a falta de determinação, e Keville e Green (1995, pág. 66) adicionam a esse pensamento a afirmação de que esse óleo aumenta a percepção e a criatividade. Enfim, seus atributos são sempre necessários no auxílio à cura da apatia, bem como dos sentimentos que a acompanham.

Hortelã-pimenta (*Mentha x piperita*)

O óleo de hortelã-pimenta é célebre pelas suas propriedades neurotônicas e pelo seu poder de estimular a mente, o que o torna apto a atenuar a fadiga mental e a apatia (Price e Price, 1999, pág. 333). Todo aquele que já fez uso desse óleo para os resfriados e sinusites deve ter constatado sua eficácia como descongestionante e purificador da cabeça, e esse fato o indica para clarear a mente. Suas propriedades estimulantes, que incluem a de estimular o sistema digestivo e o apetite, sugerem a sua eficácia para o tratamento das emoções desse grupo, mas isso talvez se deva, em parte, à sua capacidade de regeneração celular. Segundo Keville e Green (1995, pág. 65), o óleo de hortelã-pimenta desbloqueia as emoções "estocadas"; portanto, se a raiva estiver subjacente à apatia – Lindenfield (1997, pág. 161) afirma que isso ocorre na maioria das vezes –, esse óleo será capaz de amenizar esse tipo de raiva também "estocada", até porque já é bem conhecida a sua capacidade de suavizar as irritações cutâneas.

Zimbro (*Juniperus communis*)

O óleo de zimbro é bastante conhecido por suas propriedades de limpeza e purificação, além de ser neurotônico e estimular a ação dos nervos, do sistema digestivo, do fígado e do apetite. Tais capacidades tônicas indicam a sua utilidade para quem se encontra letárgico e "desligado", ou então enfadado pela falta de interesse geral. A combinação das ações estimulantes do zimbro torna-o também capaz de fortalecer a vontade e de restaurar a determinação.

Gengibre (*Zingiber officinale*)

Além de ser um excelente tônico, o óleo de gengibre é estimulante e revigorante. É ainda ótimo no combate à fadiga, na elevação do ânimo e, conforme as palavras de Battaglia (1997, pág. 167), para afiar os sentidos. Suas propriedades estimulantes são excelentes para quem está debilitado, pois o óleo libera o enfado e restaura a determinação. Mojay (1996, pág. 79) afirma que o gengibre ajuda a quem sofre de falta de perspectiva, uma vez que ele ativa a vontade e estimula a iniciativa, atributos sempre necessários para o combate da apatia, da letargia e da indiferença.

Limão (*Citrus limon*)

Embora não se tenha conhecimento de propriedades neurotônicas no óleo de limão, ele é imunoestimulante; portanto, será eficaz para quem nutriu por muito tempo o desânimo e com isso diminuiu a resistência imunológica, tornando-se propenso aos resfriados, gripes e outros males. Esse óleo possui uma longa lista de atributos favoráveis à saúde física, incluindo aqueles já mencionados; por isso mesmo, seu uso será sempre excelente para as emoções desse grupo. Seu aroma refrescante e animador o recomenda para o trabalho de clarear a mente e elevar o ânimo. Lawless (1994, pág. 163) o indica para o cansaço e a indolência, que são sintomas da letargia e da indiferença.

Manjerona (*Origanum majorana*)

Além de ser um poderoso neurotônico (Price e Price, 1999, pág. 337), o óleo de manjerona é um excelente energizante para quem está mer-

A ESCALA DAS EMOÇÕES   207

gulhado em desânimo. Seu poder de ajuda nos casos de debilidade habilita-o a combater o enfado e estabilizar a mente. Ele também é um tônico respiratório, já que facilita a respiração porque leva mais oxigênio ao pulmão, e com isso deixa o indivíduo bem mais animado. Pelo fato de a manjerona ser um energizante natural, seu uso é indicado para a letargia crônica.

Sálvia esclaréia (*Salvia sclarea*)

O óleo de sálvia esclaréia é neurotônico, e por isso será benéfico nos casos de fadiga mental, da qual a apatia, a letargia e a indolência parecem ser características. Pelo fato de esse óleo também ser desintoxicante e possuir propriedades descongestionantes, ele é capaz de eliminar as toxinas do corpo, desintoxicar e descongestionar a mente, além de clarear a mente e restaurar a sensação de bem-estar. Conforme bem colocado por Mojay (1996, pág. 63), esse óleo produz um novo "ânimo mental e emocional", e ainda restabelece a clareza. Também é regenerador e capaz de beneficiar as células "letárgicas", já que promove uma renovação da vida através da extinção das células mortas, letárgicas e indolentes.

Cipreste (*Cupressus sempervirens*)

O óleo de cipreste é outro neurotônico capaz de ajudar a revitalizar quem está envolvido com as emoções desse grupo. Pelo fato de intensificar o fluxo do sangue venoso, que mesmo em pessoas saudáveis nunca flui tão facilmente quanto o sangue arterial, esse óleo acelera a circulação e aumenta a energia e o vigor com o novo sangue oxigenado que ele envia para todo o corpo e, portanto, para o cérebro; em conseqüência, a percepção do indivíduo é redobrada, e isso o torna mais otimista, como se tivesse levado mesmo um "empurrão para a frente". Segundo Fischer-Rizzi (1990, pág. 91), o óleo de cipreste fortalece o sistema nervoso.

Alguns outros óleos essenciais possuem propriedades capazes de estimular os sistemas nervoso, digestivo e circulatório; por isso, poderão também auxiliar as emoções desse grupo:

- Manjericão (*Ocimum basilicum*): estimulante nervoso, mental e digestivo (especialmente para o fígado).
- Coentro (*Coriandrum sativum*): estimulante nervoso, mental e digestivo.
- Gerânio (*Pelargonium graveolens*): estimulante nervoso, digestivo (sobretudo para o fígado) e do sistema circulatório da linfa.
- Noz-moscada (*Myristica fragrans*): estimulante nervoso, digestivo e circulatório (mas deve-se ter cuidado ao usá-lo).
- Rosa (*Rosa damascena*): estimulante nervoso, tônico geral e respiratório.
- Sálvia (*Salvia officinalis*): tônico nervoso, digestivo e circulatório (mas deve-se ter cuidado ao usá-lo).

Mudanças de Humor, Mau Humor

Desequilíbrio Emocional, Mau Humor, Mudanças de Humor, Caráter Temperamental

- Mau humor:
  – melancólico, emburrado, cabisbaixo, miserável, pensativo, suscetível, irritável, rabugento, lúgubre, abatido, pensativo, temperamental, deprimido, inconsistente, volúvel.
- Temperamental:
  – caprichoso, emocional, errático, excitável, impaciente, irritável, macambúzio, sensível, suscetível, inconsistente, imprevisível.
- Inconsistente, contraditório, mutável, instável.
- Sensível:
  – temperamental, suscetível, irritável.

Percebe-se que os termos *suscetível* e *irritável* constam em três dos tópicos acima, ao passo que *inconsistente* está incluído nos dois primeiros, e *temperamental,* no primeiro e no último. Deve-se observar que nem sempre o indivíduo precisa estar de *mau humor* para ser temperamental, uma vez que esse atributo pode simplesmente fazer parte do seu caráter.

A ESCALA DAS EMOÇÕES

Na verdade, esse não é de fato um grupo emocional, pois nele se faz apenas uma reflexão sobre diversos sentimentos brandamente interligados; portanto, a questão aqui é a respeito de algumas emoções que se encontram em desequilíbrio. O humor em si mesmo tem uma duração mais escassa do que a da emoção propriamente dita, além de ele ser constituído por uma sensação menos intensa que por vezes prolonga-se por uma ou duas horas, quando não se estende por alguns dias (Lindenfield, 1997, pág. 21).

Zevon e Tellagen (1982) fizeram observações e registros diários sobre o humor de algumas pessoas e descobriram que todas recaíam em duas dimensões diferentes: a positiva e a negativa.

- Os humores positivos variam desde o entusiasmo e o sentimento de plenitude de vida até a sensação de relaxamento e exaustão, mas sempre de forma amistosa.
- Os humores negativos variam desde a sensação de relaxamento até o sentimento de antagonismo e preocupação.

> Nós sempre vivenciamos como prazer os momentos em que nos sentimos positivamente altos e negativamente baixos, e assim ficamos felizes e satisfeitos. Por outro lado, quando estamos negativamente altos e positivamente baixos, vivemos um tempo de desprazer e nele nos sentimos tristes, solitários, ou simplesmente infelizes.
>
> Wood, 1990

O mau humor afeta indiscriminadamente a todos, quer dizer, tanto a homens como a mulheres, e suas mudanças são acarretadas por diversos aspectos: o clima, o trabalho, os filhos, a saúde, etc. Embora a maioria de nós passe grande parte do tempo com um humor estável e feliz (espero que seja assim!), se acaso viermos a ser "atacados" por qualquer das emoções citadas, o restabelecimento do nosso equilíbrio terá sempre uma ajuda inestimável dos óleos essenciais. Mas quem é temperamental por natureza, e digo assim porque isso acaba virando um dos aspectos da personalidade, não só vai precisar dos óleos essenciais, como também de uma ajuda para que esses óleos possam desenvolver sua ação equilibrante, ou seja, uma boa dose prática de pensamentos positivos.

Nas mulheres, as mudanças de humor – que ora as colocam irritáveis, ora amorosas, ora infelizes, ora felizes, e geralmente inconsistentes – estão freqüentemente relacionadas com o sistema reprodutivo. Tais humores mostram-se geralmente evidentes antes da menstruação (como parte da tensão pré-menstrual conhecida por TPM), e ainda durante a menopausa.

Existem muitos óleos essenciais que equilibram a saúde física e mental, mas os óleos hormonais são aqueles que mais podem servir de ajuda para a TPM e a menopausa, embora um possível aroma a mais deva aqui ser considerado; aliás, esse último aspecto é sempre algo de extrema importância e bastante pessoal, pois o aroma de um óleo pode ser apreciado por duas pessoas, sem que necessariamente ajude a ambas.

UM CASO

O humor de Marlene estava realmente causando problemas no seu ambiente de trabalho, fato esse que interferiu tanto no seu relacionamento com todos, que uma de suas companheiras lhe sugeriu a aromaterapia. Essa moça tinha feito um curso de dois dias e chegou a indicar a Marlene o óleo de sálvia esclaréia, dizendo que seria "milagroso". Contudo, Marlene detestou o seu aroma, e por isso nem seria preciso dizer que esse óleo não levou nenhuma melhora ao seu estado. Mas, depois disso, encontrou uma amiga que lhe deu o endereço de uma aromaterapeuta profissional. Durante a consulta, a terapeuta preparou uma mistura, sem incluir a sálvia esclaréia, que reunia a lavanda, a manjerona e o gerânio, ou seja, óleos sedativos e tônicos para que fosse criada uma ação equilibrante. Marlene foi aconselhada a usar essa mistura a cada noite, começando duas semanas após o término de sua última menstruação e se estendendo até o final da seguinte. No primeiro mês, seus colegas de trabalho já diziam que ela voltara a ser a velha Marlene bem-humorada para, depois de quatro meses, transformar-se em uma nova mulher (para delírio do seu marido!). E aqui devo observar que a terapeuta também aconselhou a mudança de hábitos alimentares e a diminuição da ingestão de bebidas alcoólicas, o que obviamente representou um grande papel no resultado final do seu tratamento.

A propriedade equilibrante do óleo essencial é a mais importante a ser escolhida nesses casos; no entanto, se o mau humor decorrer da atividade hormonal feminina, os óleos preferíveis serão os semelhantes ao estrogênio. Assim, teremos a reunião de duas propriedades:

- calmante, sedativo e neurotônico (conseqüentemente, equilibrante);
- semelhante ao estrogênio.

Óleos Essenciais

Sálvia esclaréia (*Salvia sclarea*)

Escolha clássica para o mau humor decorrente da TPM ou dos problemas da menopausa, por causa de sua ação muito próxima daquela que ocorre com o estrogênio. Mas isso não impede que esse óleo também seja escolhido por quem não sofre de tais problemas, já que ainda é calmante e neurotônico. Sua ação antiespasmódica o capacita para acalmar as irritações que fazem parte do humor; se houver a presença do ciúme ou da inveja, o óleo poderá também auxiliar. Mojay (1996, pág. 63) o recomenda para os casos de mudança de humor e de confusão emocional.

Cipreste (*Cupressus sempervirens*)

O óleo de cipreste possui semelhanças com o hormônio, pois age como um estimulante para o ovário. Também é neurotônico, calmante e sedativo, sendo portanto excelente escolha para as mulheres que sofrem com a TPM ou estão tendo dificuldades com a menopausa. Suas propriedades antiespasmódicas e calmantes o indicam para qualquer espécie de irritabilidade. Fischer-Rizzi (1990, pág. 91) o recomenda para as explosões de raiva seguidas por gritos, e para o sistema nervoso que se inflamou em demasia, enquanto Keville e Green (1995, pág. 53) afirmam o seu poder de intensificar a estamina emocional.

Manjerona (*Origanum majorana*)

O óleo de manjerona é neurotônico, sedativo e semelhante ao hormônio, embora essa última propriedade seja especificamente dirigida para a regulação da tireóide superativa (quando existe um excesso de tiroxina, pode causar irritação e impaciência – Wingate e Wingate, pág. 472). Suas propriedades antiespasmódicas o indicam para aliviar a irritabilidade e a impaciência decorrentes do mau humor. Pelo fato de possuir uma dupla ação sedativa e estimulante, esse óleo também é equilibrante, propriedade sempre necessária nos casos de mudança de humor, sobretudo porque tanto fortalece como relaxa os nervos. Keville e Green (1995, pág. 61) recomendam o óleo de manjerona para todos aqueles que são emocionalmente instáveis.

Gerânio (*Pelargonium graveolens*)

O óleo de gerânio suaviza a ansiedade e também é um tônico para os nervos, qualidades que o tornam ideal para os casos de mau humor. Sua propriedade neurotônica o indica para aqueles que são conduzidos do mau humor à depressão; ao passo que a sua ação sedativa, ao lado de suas propriedades antiespasmódica e antiinflamatória, serve de auxílio para amenizar a agitação e a irritação. Lawless (1994, págs. 148-149) atribui a esse óleo a capacidade de atuar sobre a melancolia e o mau humor.

Lavanda (*Lavandula augustifolia*)

O óleo de lavanda é excelente no combate ao mau humor. Embora não seja semelhante ao hormônio, é calmante e sedativo, e suas propriedades neurotônicas o tornam ideal para combater a melancolia; por também ser cardiotônico, auxilia o fortalecimento do coração (Price e Price, 1999, págs. 329-330). Suas propriedades antiinflamatória e antiespasmódica são habitualmente úteis às pessoas temperamentais. Lawless (1994, pág. 161) sugere o seu uso para a instabilidade emocional e para as oscilações de humor, sem dúvida por causa de sua propriedade equilibrante.

Outros óleos que podem servir de ajuda nos casos do mau humor e dos sentimentos que o acompanham são os seguintes:

- Tangerina (*Citrus reticulata*): forte sedativo.
- Neroli (*Citrus aurantium var. amara* – flores): relaxante e tônico.

A ESCALA DAS EMOÇÕES

- Ylang-ylang (*Cananga odorata*): tônico e calmante; antiespasmódico, quando a irritação está presente.
- Tomilho (*Thymus vulgaris*, quimiotipo álcool): neurotônico e cardiotônico. Vários autores o citam para a instabilidade mental e também para a melancolia.

Existem diversas outras emoções que nos invadem em certos estágios de nossas vidas, mas confesso que me foi impossível escrever sobre cada uma delas, assim como nem sempre é possível afirmar categoricamente que os óleos essenciais irão de fato auxiliar. Contudo, nem por isso deixo de acreditar nos benefícios desses óleos para um sem-fim de circunstâncias diferentes, sobretudo quando a pessoa o aprecia de maneira particular. E um exemplo disso encontro em Len, meu marido, pois ele afirma que o óleo de gerânio é valioso para todas as suas necessidades, e esse é justamente o seu óleo favorito! Se algumas das emoções descritas a seguir estiverem ligadas a outras de suas emoções, verifique os óleos que constam das listas de emoções já expostas, para que possa ser encontrado aquele que lhe será realmente relevante.

As fontes de onde foram retiradas as sugestões dos óleos para as emoções que virão a seguir serão registradas apenas com o nome dos seus autores.

Timidez

Deus não nos deu um espírito tímido, e sim um espírito
forte e autodisciplinado.

2 Timóteo 1: 7

Timidez, Sensibilidade, Acanhamento, Inadequação, Desvalor, Incompletude, Insegurança

Aqui sugiro que você faça a sua escolha tendo como base os óleos essenciais que são estimulantes e ajudam a elevar o ânimo. Mas procure por aqueles que estimulam mais de um sistema e utilize dois ou três deles. E é melhor que você use principalmente a lista na qual estão os óleos apropriados para o medo.

Simultaneamente a isso, tente praticar a autodisciplina, de maneira que seu amor e seus pensamentos positivos possam ser o leme de suas emoções. Se essa prática for levada avante com muita fé, ladeada pelo uso dos óleos essenciais, o seu espírito se inundará de poder, e com isso você encontrará forças para fazer tudo aquilo que nunca lhe foi possível fazer. Dê então uma olhada naqueles óleos que são:

- neurotônicos, para que seja dado um bom empurrão na vida e para fortalecer o sistema nervoso;
- estimulantes, para agirem em prol dos sistemas circulatório (incluindo a linfa), digestivo, respiratório e reprodutor;
- estimulantes mentais.

Óleos Essenciais

Manjericão (*Ocimum basilicum*)

Pelo fato de ser um tônico para os nervos, o óleo de manjericão estimula a mente, o fígado e todo o sistema digestivo. Por ser também um cardiotônico muito útil nos casos de taquicardia (batimento cardíaco acelerado), o seu uso está qualificado para as emoções desse grupo. Keville e Green o recomendam para a autoconfiança. De acordo com Battaglia, esse óleo dá força e clareza à mente.

Erva-doce (*Foeniculum vulgare*)

Bastante conhecido por sua qualidade de ser semelhante ao hormônio, o óleo de erva-doce exerce um efeito estimulante sobre o sistema reprodutivo, além de ser excelente para a menstruação e o aleitamento. Ele também é um tônico respiratório e cardiotônico recomendado para as palpitações e taquicardias. E ainda exerce um efeito estimulante sobre o sistema digestivo, aguçando o apetite e a movimentação dos alimentos no interior dos intestinos, sendo portanto de grande valia nos casos de prisão de ventre. Embora a erva-doce não seja conhecida como neurotônica, ela pode ser eficaz no tratamento das emoções desse grupo da timidez, por causa de sua extensa lista de propriedades tônicas.

Manjerona (*Origanum majorana*)

Na minha opinião, o óleo essencial de manjerona é um dos mais úteis dentre todos, e nos casos decorrentes da timidez e das emoções que a acompanham ele não foge a essa regra. Além de tonificar os nervos, o sistema respiratório e o aparelho digestivo, o óleo é indicado para as palpitações e taquicardias; aliás, essa última propriedade o recomenda para as situações em que o medo infiltra-se nas emoções desse grupo. Segundo Mojay, esse óleo deve ser usado nos períodos de profunda indiferença, enquanto Keville e Green o indicam para os que sofrem de solidão.

Alecrim (*Rosmarinus officinalis*)

Eis que o alecrim consta mais uma vez de uma lista, porque o seu óleo essencial é extremamente útil tanto para os problemas físicos como para os mentais. Suas propriedades neurotônica, cardiotônica e estimulante dos sistemas digestivo e reprodutivo, juntamente com sua reputação como tônico sexual, o qualificam para esse grupo de emoções. Além disso, a sua propriedade mais conhecida, a de ser um estimulante mental, o recomenda para aguçar a percepção e, por conseqüência, a criatividade (Keville e Green). Segundo Mojay, esse óleo produz a autodeterminação, o que é uma confirmação de que ele pode ser uma boa escolha para a baixa estima e a insegurança.

Hortelã-pimenta (*Mentha x piperita*)

O óleo essencial de hortelã-pimenta é um neurotônico capaz de estimular os sistemas reprodutivo e digestivo, além de ser um estimulante da mente. E tais propriedades são muito úteis para todas as emoções desse grupo.

Os demais óleos que poderão ajudar nessa classe de emoções são os seguintes:

- Bergamota (*Citrus bergamia*): para a falta de confiança (Fischer-Rizzi); para promover o otimismo (Mojay).

- Gengibre (*Zingiber officinale*): incrementa a confiança e o moral, dissipa a insegurança (Mojay); afia os sentidos (Battaglia).
- Rosa (*Rosa damascena*): para a autonutrição e a auto-estima (Holmes).
- Tomilho (*Thymus vulgaris*): nos casos de insegurança e de baixa da auto-estima e do moral (Mojay).
- Ylang-ylang (*Cananga odorata*): para a autoconfiança (Battaglia, Fischer-Rizzi).

Confusão

Confusão, Incerteza, Perplexidade, Atordoamento, Irresolução, Indecisão

Esse grupo adapta-se muito mais à condição de estados mentais do que emocionais, que são aliás vivenciados com maior freqüência por aqueles que se enquadram no grupo da timidez; entretanto, os sentimentos que os acompanham não constituem propriamente traços de personalidade. Portanto, a meu ver, os óleos essenciais citados também podem ser bastante úteis aqui, sobretudo aqueles capazes de estimular e fortalecer a mente.

Gostaria de acrescentar alguns outros óleos especificamente recomendados por outros autores para a indecisão e a confusão:

- Manjericão (*Ocimum basilicum*): indecisão (Battaglia).
- Escaréia (*Salvia sclarea*): indecisão (Mojay).
- Limão (*Citrus limon*): auxilia na tomada de decisão (Fischer-Rizzi e Keville e Green); dissipa a confusão (Mojay).
- Alecrim (*Rosmarinus officinalis*): dissipa a confusão (Davis).

Divagação

Avoado, Ilógico, Sonhador Acordado, Infantil, Romântico, Esquecido

Devo repetir que tais estados, juntamente com os traços que os acompanham, são muito mais mentais do que emocionais. Embora todas as pessoas gostem de sonhar acordadas, algumas permanecem nesse estado por um tempo que vai mais além do que aquele tido como saudável, e com isso ficam suscetíveis de desenvolver a apatia. Eis por que aqui são necessários os óleos capazes de "pôr o indivíduo com os pés no chão". Contudo, procure escolher aqueles que também são neurotônicos, para que tanto o corpo como a mente possam ser incrementados.

Os óleos expostos a seguir contêm linalol, uma forte substância sedativa (Schnaubelt, 1998), e por isso mesmo são uma excelente escolha para esse grupo.

- Tangerina (*Citrus reticulata*): forte sedativo.
- Neroli (*Citrus aurantium var. amara* – flores): sedativo, neurotônico.
- Ylang-ylang (*Cananga odorata*): sedativo.

Estes outros óleos também podem auxiliar:

- Escleréia (*Salvia sclarea*): calmante para o sistema nervoso **parassimpático**, neurotônico.
- Cipreste (*Cupressus sempervirens*): calmante e neurotônico.
- Lavanda (*Lavandula angustifolia*): calmante e neurotônico.
- Manjerona (*Origanum majorana*): calmante e neurotônico.

Keville e Green recomendam os óleos essenciais de cedro e sândalo, por causa dos seus efeitos que trabalham em prol do amadurecimento. Mojay indica os óleos de escleréia e patchuli. Davis também sugere o óleo de patchuli, e Battaglia recomenda o de gengibre. Holmes afirma que o óleo de sálvia escleréia é útil para o "pensamento confuso", falta de concentração e idéias irrealistas.

Retraimento

Reservado, Reticente, Acanhado

A idéia de retraimento sugere algo que está sendo "reprimido", conforme ocorre às vezes com a flatulência; portanto, os óleos indicados para essa situação desconfortável são aqueles capazes de estimular o sistema digestivo indolente. Como o catarro é outra coisa que sempre precisa ser liberada, embora isso seja particularmente difícil nos casos crônicos, os óleos com propriedades anticatarrais também podem ser uma excelente opção para esse grupo.

Não consegui achar nada mais em outros livros que se referisse especificamente a esse conjunto de emoções; no entanto, os três óleos essenciais descritos abaixo possuem todas as propriedades requeridas aqui, enquanto alguns outros, com uma ou duas propriedades também pertinentes, serão encontrados no perfil dos óleos relevantes, do Capítulo 8.

- Gengibre (*Zingiber officinalis*): anticatarral, carminativo (alivia a flatulência), tônico digestivo.
- Hortelã-pimenta (*Mentha x piperita*): anticatarral, carminativo (alivia a flatulência), tônico digestivo.
- Alecrim (*Rosmarinus officinalis*): anticatarral, carminativo (alivia a flatulência), tônico digestivo.

Conclusão

Já descrevemos o modo pelo qual as emoções são capazes de afetar nossa vida e nossa maneira de vivê-la. Com isso ficamos sabendo que as personalidades são moldadas por suas formas de reagir a essas emoções, e ainda pelo tipo de emoção que vivenciam com mais freqüência. Espero então que este capítulo tenha servido para mostrar como as diferentes emoções são capazes de moldar a personalidade de cada um, e que tenha também mostrado as diferentes "personalidades" dos óleos essenciais que podem ser usados para transformar as emoções destrutivas em positivas.

8 Os óleos Essenciais de A a Z

Óleos Essenciais

Pelo fato de existirem muitos livros sobre aromaterapia que fornecem informações sobre a história e o modo de fazer os óleos essenciais, não farei uso deste precioso espaço para detalhar aquilo que já é amplamente conhecido. No entanto, não posso deixar de destacar agora alguns pontos relevantes para que este livro seja bem compreendido.

Os óleos essenciais são poderosas substâncias curativas capazes de nos ajudar nos períodos mais problemáticos de nossas vidas. Isso quer dizer que eles podem ser usados nos momentos em que nosso equilíbrio físico e mental mostra-se abalado (Price, 1991). Embora, *por si mesma*, a aromaterapia só se tenha firmado nos anos 30, as plantas aromáticas têm sido utilizadas, desde a Antigüidade, para purificar o corpo e a mente.

O óleo essencial é o extrato vegetal mais concentrado do qual se tem conhecimento. É obtido pela destilação do material específico da planta, mas os frutos cítricos constituem uma exceção a essa regra, porque seus "óleos essenciais" são obtidos a partir de um processo de extração a frio, conhecido pelo termo *expressão*. (Na realidade, trata-se literalmente de uma prensagem da fruta; assim, quando a casca de uma laranja fresca é espremida na chama de uma vela, as pequenas "faíscas" daí produzidas constituem o óleo essencial dessa fruta.) Já no processo de destilação, o material da planta libera as suas moléculas voláteis de óleo essencial através do vapor que, ao esfriar, acaba se condensando em água, deixando o óleo essencial boiando na sua superfície. A água que resulta desse procedimento também contém moléculas da planta, mas somente aquelas que são solúveis em água, isto é, as que não são voláteis. Essas águas destiladas também possuem valor medicinal, embora sejam mais fracas e geralmente não requeiram diluição.

O valor medicinal das substâncias vegetais, quer contenham ou não moléculas de óleos essenciais no interior de suas células, também pode ser extraído por meio das mais diversas espécies de solventes, mas o produto final, bem como as suas águas, nunca é tão concentrado quanto o de um óleo essencial:

- Álcool: um dos solventes mais comuns (usado na medicina herbalista), pois é através dele que muitas substâncias vegetais tornam-se solúveis. As plantas usadas nos florais de Bach liberam originalmente as suas substâncias no álcool, e daí é extraída a tintura-mãe da qual os remédios são feitos.
- Óleos vegetais: os óleos de oliva e de girassol são os solventes mais comumente usados para que sejam obtidas as propriedades medicinais de determinadas plantas das quais é difícil extrair os óleos essenciais, tais como a catinga-de-bode (erva-de-são-joão) e a calêndula. No processo chamado de maceração, o material pilado (macerado) da planta é posto no óleo vegetal e deixado ao sol por diversos dias, antes de ser filtrado. E o óleo daí resultante pode ser usado em aplicações ou massagens; porém, para que sejam obtidos alguns efeitos a mais, é melhor também acrescentar aí os óleos essenciais.

Existem centenas de óleos essenciais oriundos das plantas, mas nem todos são utilizados pela aromaterapia; dentre os que o são, concentraremos a nossa atenção somente naqueles que são eficazes para mais de um problema emocional, já que assim facilitaremos a nossa escolha e o nosso bolso! Além disso, por não dispormos de espaço suficiente, não serão descritos todos os óleos essenciais mencionados neste livro, apesar de estarmos cientes de que alguns deles são eficazes para uma ou duas das dificuldades emocionais aqui descritas; por isso, a seleção dos óleos recairá sobre aqueles mais usados para a maioria das emoções vivenciadas.

Sobre cada experiência emocional e de cada óleo essencial será disposta uma lista (em itálico) das propriedades físicas que acredito serem capazes de ajudar uma emoção em particular. Mas limitei-me a expor apenas as propriedades físicas aplicáveis às emoções relevantes, embora cada óleo essencial apresentado possa vir a ter muitas outras. E fiz isso

OS ÓLEOS ESSENCIAIS DE A A Z   221

para simplificar, até porque o conjunto das propriedades específicas já foi discutido nos Capítulos 5 e 7.

Nessa lista, foram colocadas em negrito as propriedades relevantes dos óleos essenciais expostos, já que assim o leitor poderá reconhecê-los com maior rapidez e avaliar o seu uso mais prontamente. Foram também registrados os problemas físicos juntamente com as propriedades capazes de levar alívio a esses, porque isto poderá ajudar você na sua seleção final, caso qualquer uma dessas doenças esteja presente na ocasião em que estiver selecionando os óleos em função de suas condições emocionais.

Tal como ocorre no caso do sofrimento, muitas vezes é necessário prestar auxílio a mais de uma emoção; entretanto, se você observar atentamente as emoções adicionais, saberá quais serão os óleos essenciais apropriados para preencher os seus diferentes requisitos. E dessa forma terminará "matando dois coelhos com uma só cajadada" (ou, conforme disseram de maneira mais apropriada os participantes de um *workshop* que realizei no Canadá, poderá "beijar dois coelhos com um só beijo").

Pelo fato mesmo de que sempre existe uma enorme variedade de propriedades em cada óleo, procure selecionar aqueles que possuem uma quantidade maior de atributos para o seu caso e consulte também o Capítulo 7, quando outras emoções além da principal fizerem parte de sua experiência pessoal. Veja um exemplo: embora as propriedades requeridas para atenuar o ciúme nem sempre envolvam aquelas que aliviam a raiva, se esse último sentimento compuser a sua situação particular, suas propriedades serão necessárias.

Levei em consideração a importância da simplicidade, procurando descrever em primeiro lugar o nome popular da planta, para só depois expor a sua denominação botânica; no entanto, ao fazer a compra dos óleos essenciais, essa última forma é a que deve ser levada sempre em conta, e isso porque diversas espécies botânicas exibem a mesma expressão coloquial, e, sem a especificação botânica, você poderá acabar adquirindo o óleo essencial errado. Um exemplo disso está na manjerona, pois a planta da qual nos valemos na aromaterapia é a *Origanum majorana* – a manjerona "verdadeira" ou "doce" –, enquanto a que se encontra mais disponível no mercado é a *Thymus mastichina*, cujo nome popular também é manjerona ou, melhor, manjerona "espanhola"; portanto, trata-se de plantas distintas com propriedades diferentes.

A – Z

Alecrim (*Rosmarinus officinalis*)

> Já que falamos em alecrim, devo ainda dizer que ele sempre se distingue entre todas as flores do jardim; por isso, nunca deixou de ser motivo de orgulho para os homens. Essa planta auxilia o cérebro, fortalece a memória e é extremamente medicinal para a cabeça. Afora isso, ela é muito boa para o coração. Portanto, nunca prescinda do alecrim, e deixe que essa flor dos homens lhe ensine os dons da sabedoria, do amor e da lealdade, carregando-a não apenas com as mãos, mas sobretudo com o coração e a cabeça.
>
> Roger Hackett, 1607

Jamais consegui passear por perto de um pé de alecrim, sem deixar de passar meus dedos por um dos seus galhos, para depois sentir o seu perfume impregnado na minha mão, até porque o seu aroma é realmente fantástico! Nós temos diversos pés de alecrim no jardim de nossa casa na França, mas ainda não tentamos destilar nenhum deles. Aliás, existe um ditado rural no qual se diz que "onde medra o alecrim, a dona da casa é soberana"; interessante, não é? Ainda mais quando lembro que estão plantados oito pés dessa planta no jardim de minha casa na Inglaterra!

> Sempre deixo os pés de alecrim crescerem ao longo dos muros do meu jardim porque as abelhas os adoram, e eles são consagrados às recordações, e portanto à amizade. Um simples ramo de alecrim é capaz então de transmitir essa riqueza de sentido; por isso, ele é sempre escolhido como emblema para os funerais e os cemitérios.
>
> Sir Thomas More, citado em *Clair*, 1961

O melhor tipo de alecrim para a feitura dos óleos essenciais cresce na Espanha e na Tunísia, embora também haja um outro tipo excelente por todo o sul da Provence. Toda vez que eu e Len estamos na Espanha, caminhamos pelas montanhas à procura de alecrim para cheirar, e nunca

OS ÓLEOS ESSENCIAIS DE A A Z

deixamos de colher alguns galhos que utilizamos depois como tempero. Por acaso você já tentou adicionar um raminho dessa erva no cozimento das maçãs? O sabor que resulta disso é maravilhoso! Mas, se você vai fazer a experiência pela primeira vez, acondicione o alecrim dentro de um saquinho de morim branco, muito bem fechado, e depois mergulhe-o na panela das maçãs. E, tão logo as frutas estiverem cozidas, retire o saquinho.

A versatilidade do óleo de alecrim indica a sua utilidade para um grande número de problemas físicos e emocionais. No passado, essa erva representou um grande papel na vida cotidiana dos ingleses; afora seus muitos usos, ele simbolizava a lembrança, o amor e a lealdade (Grieve, 1998, pág. 681), tanto nos casamentos como nos funerais, e também era utilizado para curar a dor de cabeça e as dores do coração (Clarkson, 1972, pág. 117). O alecrim é um excelente estimulante físico e mental, e por isso anima a quem está cansado e tem muitos afazeres, além de elevar o astral quando a depressão começa a se fazer presente; ainda como estimulante mental, ele é sempre útil, devido a seu poder de ativar a memória dos estudantes, sobretudo na época das provas. "Ainda bem que o alecrim existe, pois ele é ótimo para a memória." (*Hamlet.*) Diante de uma tal afirmação, sirva-se dele, e boa sorte no próximo exame!

Devido às suas incríveis propriedades, o alecrim é indispensável para os problemas emocionais, porque auxilia as emoções primárias e secundárias com muito maior eficácia do que todos os outros óleos; a única capacidade que lhe falta é a de acalmar!

Propriedades

Grupo do sofrimento:
– **analgésico**, equilibrante, calmante, **cardiotônico, cicatrizante, tônico digestivo**, imunoestimulante, **estimulante mental, tônico nervoso**, sedativo.

- *Analgésico*: enxaqueca, digestão dolorosa.
- *Cardiotônico*: palpitações, coração fraco.
- *Cicatrizante*: queimaduras, feridas.
- *Tônico digestivo*: indigestão, digestão indolente, colite, constipação, digestão dolorosa.

- *Estimulante mental*: falta de concentração, perda de memória, memória fraca.
- *Tônico nervoso*: desmaio, debilidade geral, fadiga geral, histeria, vertigem.

Grupo da raiva:
– **anticatarral, antiinflamatório, antiespasmódico,** calmante, **carminativo, cicatrizante,** sedativo.

- *Anticatarral*: bronquite crônica, sinusite.
- *Antiinflamatório*: cistite, gota, inflamação muscular, dor de ouvido, reumatismo, inflamação da vesícula.
- *Antiespasmódico*: cãibras musculares.
- *Carminativo*: flatulência.
- *Cicatrizante*: queimaduras, feridas.

Grupo do medo:
– **antiespasmódico, cardiotônico,** calmante, **tônico digestivo, estimulante mental, tônico nervoso,** tônico respiratório, sedativo.

- *Antiespasmódico*: cãibras musculares.
- *Cardiotônico*: palpitações, coração fraco.
- *Tônico digestivo*: indigestão, digestão indolente, colite, constipação, digestão dolorosa.
- *Estimulante mental*: falta de concentração, perda de memória, memória fraca.
- *Tônico nervoso*: desmaio, debilidade geral, fadiga geral, histeria, vertigem.

Grupo do ciúme:
– **fungicida, antiviral, cicatrizante, desintoxicante, litolítico** (dissolve as pedras).

- *Fungicida: Candida albicans.*
- *Antiviral.*
- *Cicatrizante*: queimaduras, feridas.

OS ÓLEOS ESSENCIAIS DE A A Z

- *Desintoxicante*: hepatite, icterícia, cirrose, fígado inchado, disfunção da vesícula.
- *Litolítico*: cálculos biliares.

Grupo da culpa:
– **analgésico, cardiotônico, cicatrizante, descongestionante, desintoxicante, tônico digestivo.**

- *Analgésico*: enxaqueca, digestão dolorosa.
- *Cardiotônico*: palpitações, coração fraco.
- *Cicatrizante*: queimaduras, feridas.
- *Descongestionante*: dores de cabeça, enxaqueca, arteriosclerose.
- *Desintoxicante*: hepatite, icterícia, cirrose, fígado inchado, disfunção da vesícula.
- *Tônico digestivo*: indigestão, digestão indolente, colite, constipação, digestão dolorosa.

Grupo da apatia:
– **estimulante circulatório** e/ou **linfático, tônico digestivo, estimulante mental, tônico nervoso,** regulador do sistema nervoso, tônico respiratório.

- *Estimulante circulatório*: circulação deficiente.
- *Tônico digestivo*: indigestão, digestão indolente, colite, constipação, digestão dolorosa.
- *Estimulante mental*: falta de concentração, perda de memória, memória fraca.
- *Tônico nervoso*: desmaio, debilidade geral, fadiga geral, histeria, vertigem.

Grupo da confusão:
– equilibrante (tônico e sedativo), **cardiotônico, descongestionante, estimulante mental.**

- *Cardiotônico*: palpitações, coração fraco.
- *Descongestionante*: dores de cabeça, enxaqueca, arteriosclerose.

226   AROMATERAPIA E AS EMOÇÕES

- *Estimulante mental*: falta de concentração, perda de memória, memória fraca.

Grupo da timidez:
– **cardiotônico, estimulante circulatório, estimulante mental, tônico nervoso**, tônico respiratório.

- *Cardiotônico*: palpitações, coração fraco.
- *Estimulante circulatório*: circulação deficiente.
- *Estimulante mental*: falta de concentração, perda de memória, memória fraca.
- *Tônico nervoso*: desmaio, debilidade geral, fadiga geral, histeria, vertigem.

Grupo da divagação:
– adstringente, **cardiotônico**, sedativo.

- *Cardiotônico*: palpitações, coração fraco.

Grupo do retraimento:
– **anticatarral, carminativo, tônico digestivo**.

- *Anticatarral*: bronquite crônica, sinusite.
- *Carminativo*: flatulência.
- *Tônico digestivo*: indigestão, digestão indolente, colite, constipação, digestão dolorosa.

Bergamota (*Citrus bergamia*)

Pelo fato de ser um fruto cítrico, a bergamota não é destilada para a extração do seu óleo essencial, porque este encontra-se na sua casca, sendo por isso facilmente obtido através do processo de expressão (*ver pág. 219*). O principal produtor dessa fruta é a Itália, e a técnica para o seu plantio resume-se ao enxerto de um dos seus galhos na laranjeira "hospedeira", o que assegura uma boa colheita. No Chipre, as famílias têm o hábito de enxertar uma árvore de bergamota na plantação de laranjas para uso próprio, e as mulheres dos fazendeiros costumam fazer cascas cristalizadas com ela, pois nessa região o seu delicioso doce é bastante popular e sempre servido à tarde como acompanhamento do chá.

A bergamota é um dos ingredientes que integram a composição da célebre e original água-de-colônia, além de também ser usada na produção do chá Earl Grey (sempre faço o meu, colocando uma gota do seu óleo essencial em cada saquinho de chá de Assão, ou dez gotas em um quarto do conteúdo de qualquer bom chá, para depois recolocá-lo dentro de sua lata e sacudi-lo por alguns minutos, de maneira que o óleo se misture totalmente com o chá; fica maravilhoso!).

Além de ser tônico e calmante, o óleo de bergamota equilibra o sistema nervoso; é particularmente eficiente para a depressão porque seu aroma refrescante e animador desempenha um papel importante junto a essa emoção. Na verdade, seus efeitos físicos e psicológicos já foram testados e comprovados com os pacientes de uma clínica psiquiátrica, mostrando-se bastante eficazes no combate ao medo e na suavização da ansiedade (Fischer-Rizzi, 1990, págs. 70-72). Esse óleo ainda é especialmente benéfico nos casos de sofrimento, pois alivia as diversas emoções que sempre emergem durante os períodos dolorosos.

Propriedades

Grupo do sofrimento:
– analgésico, **equilibrante, calmante,** cardiotônico, **cicatrizante, digestivo,** imunoestimulante, estimulante mental, **neurotônico, sedativo.**

- *Equilibrante* (sedativo e tônico).
- *Calmante*: insônia.
- *Cicatrizante* (curativo): queimaduras.
- *Digestivo*: perda de apetite.
- *Neurotônico*: sistema digestivo, sistema nervoso central.
- *Sedativo*: agitação.

Grupo da raiva:
– anticatarral, antiinflamatório, **antiespasmódico, calmante,** carminativo (alivia a flatulência), **cicatrizante, sedativo.**

- *Antiespasmódico*: cólica, indigestão.
- *Calmante*: insônia.
- *Cicatrizante* (curativo): queimaduras.
- *Sedativo*: agitação.

Grupo do medo:
– **antiespasmódico**, cardiotônico, **calmante, digestivo**, estimulante mental, **neurotônico**, tônico respiratório, neurotônico, **sedativo**.

- *Antiespasmódico*: cólica, indigestão.
- *Calmante*: insônia.
- *Digestivo*: perda de apetite.
- *Neurotônico*: sistema digestivo, sistema nervoso central.
- *Sedativo*: agitação.

Grupo do ciúme:
– fungicida, **antiviral, cicatrizante**, desintoxicante, litolítico (dissolve as pedras).

- *Antiviral*: herpes simplex 1.
- *Cicatrizante* (curativo): queimaduras.

Camomila (romana) *(Chamaemelum nobile)*

> Ela é de grande valia para todas as formas de calafrios, quer sejam estes provocados por fleuma ou melancolia; *além disso* dissipa o cansaço *e* conforta a *cabeça* tanto quanto os miolos do cérebro.
>
> Culpeper (1616-1654)

O óleo essencial oriundo da camomila romana – que tem as flores inteiramente amarelas e parecidas com as margaridas – é extraído de plantas cultivadas. Essa espécie medra em vários países europeus e vem sendo utilizada nos últimos 2.000 anos; os gregos a chamavam de *maçã da terra,* por causa do seu aroma. A partir do seu processo de destilação, é produzido o azuleno, substância que lhe dá uma tonalidade azul-pálida e que

OS ÓLEOS ESSENCIAIS DE A A Z

é parcialmente responsável pelas suas propriedades curativas nos problemas cutâneos. Mas a espécie aqui em questão não deve ser confundida com a camomila alemã (*Chamomilla recutita*), pois essa contém uma quantidade muito maior de azuleno, o que lhe dá um tom de azul-profundo bem próximo do azul-marinho, e que por conseqüência exerce uma forte ação sobre as inflamações cutâneas.

Além de ser o favorito entre os aromaterapeutas da Inglaterra e dos Estados Unidos, o óleo de camomila romana é um dos mais eficientes no combate à insônia e para o sistema nervoso em geral, especialmente para as crianças. E o chá feito de suas flores é uma bebida bastante popular na França.

Costuma-se recomendar uma variedade rasteira da camomila como substituto da grama, para quem não quer ter o trabalho de apará-la, não só porque essa variedade propicia um belíssimo tapete verde, como também exala um aroma puro e refrescante quando se caminha sobre ele.

Propriedades

Grupo do sofrimento:
– analgésico, equilibrante, **calmante**, cardiotônico, **cicatrizante, digestivo**, imunoestimulante, estimulante mental, **tônico geral para a saúde**, sedativo.

- *Calmante*: insônia, irritabilidade, enxaqueca, choque nervoso.
- *Cicatrizante* (curativo): furúnculos, queimaduras, feridas.
- *Digestivo*: indigestão, perda de apetite.
- *Tônico geral para a saúde*.

Grupo da raiva:
– anticatarral, **antiinflamatório, antiespasmódico, cicatrizante, calmante** e **sedativo, carminativo**.

- *Antiinflamatório*: eczema, gota, inflamação da pele, reumatismo, urticária, irritação cutânea, rachaduras dos mamilos, inflamação das gengivas, neurite.
- *Antiespasmódico*: dores de cabeça, enxaqueca, tensão neuromuscular, diarréia infantil.

- *Cicatrizante* (curativo): furúnculos, queimaduras, feridas.
- *Calmante* e *sedativo*: insônia, irritabilidade, enxaqueca, choque nervoso.
- *Carminativo*: alivia a flatulência.

Grupo do medo:
– **antiespasmódico**, cardiotônico, **calmante** e **sedativo**, **digestivo**, estimulante mental, neurotônico, tônico respiratório.

- *Antiespasmódico*: dores de cabeça, enxaqueca, tensão neuromuscular, diarréia infantil.
- *Calmante* e *sedativo*: insônia, irritabilidade, enxaqueca, choque nervoso.
- *Digestivo*: indigestão, perda de apetite.

Grupo do ciúme:
– fungicida, antiviral, **cicatrizante**, desintoxicante, litolítico (dissolve as pedras).

- *Cicatrizante* (curativo): furúnculos, queimaduras, feridas.

Grupo da culpa:
– analgésico, cardiotônico, **cicatrizante**, **tônico digestivo**, descongestionante, desintoxicante.

- *Cicatrizante*: furúnculos, queimaduras, feridas.
- *Tônico digestivo*: indigestão, perda de apetite.

Grupo do retraimento:
– anticatarral, **carminativo, tônico digestivo, sudorífico**.

- *Carminativo*: flatulência.
- *Tônico digestivo*: indigestão, perda de apetite.
- *Sudorífico*: estimula o suor.

Cipreste (*Cupressus sempervirens*)

A linda, alta e esguia árvore do cipreste é tradicionalmente encontrada nos cemitérios e possui uma folhagem brilhante e atraentes pinhas arre-

OS ÓLEOS ESSENCIAIS DE A A Z

dondadas. O cipreste específico dessa árvore, também conhecido como cipreste italiano, encontra-se na região sul da Europa e tem sido descrito como "o marco de uma terra feliz" (Valnet, 1980). Sua madeira é muito dura, porém fácil de ser trabalhada, e por isso foi usada pelos fenícios na construção de suas casas e navios (Price e Price-Parr, 1996). Todas as partes dessa árvore (galhos, folhas e pinhas) são utilizadas na extração do seu óleo essencial, o que lhe propicia um delicioso aroma florestal. Seu atributo mais conhecido é a sua propriedade adstringente e estíptica, pois ele reduz a produção dos fluidos corporais — transpiração, gordura e sangue —, embora seu efeito mais importante seja exercido sobre esse último. No entanto, seu efeito tônico sobre o sistema nervoso é a sua propriedade mais relevante e útil para as emoções.

Se você conhece alguém que tem o hábito de falar sem parar (diarréia verbal), ofereça a essa pessoa um chumaço de algodão embebido com algumas gotas de óleo de cipreste, já que os frutos dessa árvore têm sido tradicionalmente usados para combater a diarréia.

> Suas pinhas ou frutos (...) são bons para estancar todas as formas de fluxos, tais como hemorragia, diarréia, disenteria, fluxo menstrual desmedido e micção involuntária, e ainda previnem o sangramento das gengivas e a perda dos dentes.
>
> Culpeper, *Complete Herbal*, pág. 110

Propriedades

Grupo do sofrimento:
— analgésico, **equilibrante**, **calmante**, digestivo, cardiotônico, cicatrizante, imunoestimulante, estimulante mental, **neurotônico**, sedativo.

- *Equilibrante* (calmante e neurotônico).
- *Calmante*: irritabilidade, regulador do sistema nervoso simpático.
- *Neurotônico*: debilidade.

Grupo da raiva:
— anticatarral, antiinflamatório, **antiespasmódico**, **calmante**, carminativo (alivia a flatulência), cicatrizante, sedativo.

- *Antiespasmódico*: cólica.
- *Calmante*: irritabilidade, regulador do sistema nervoso simpático.

Grupo do medo:
– **antiespasmódico**, cardiotônico, **calmante**, digestivo, estimulante mental, **neurotônico**, tônico respiratório, sedativo.

- *Antiespasmódico*: cólica.
- *Calmante*: irritabilidade, regulador do sistema nervoso simpático.
- *Neurotônico*: debilidade.

Grupo das mudanças de humor:
– **equilibrante, semelhante ao hormônio.**

- *Equilibrante* (calmante e neurotônico).
- *Semelhante ao hormônio*: problemas do ovário.

Gengibre (*Zingiber officinalis*)

Nativo do leste da Ásia, o gengibre é largamente cultivado na Nigéria, Índias Orientais, China e Jamaica. O óleo essencial dessa planta é extraído do seu rizoma (raiz) e não contém o "apimentado" que lhe é tradicional. Ao longo dos séculos, os chineses têm usado o gengibre como um medicamento herbático para combater diversas doenças.

O gengibre atua principalmente no trato digestivo, mas possui outras propriedades que o capacitam a alguns estados emocionais.

Propriedades

Grupo do sofrimento:
– **analgésico**, equilibrante, calmante, cardiotônico, cicatrizante, **estimulante digestivo**, imunoestimulante, estimulante mental, **tônico geral**, sedativo.

- *Analgésico*: angina, indigestão dolorosa, reumatismo, dor de dente.

OS ÓLEOS ESSENCIAIS DE A A Z 233

- *Estimulante digestivo*: constipação, perda de apetite, digestão indolente, náusea.
- *Tônico geral*: fadiga.

Grupo da raiva:
– **anticatarral**, antiinflamatório, antiespasmódico, calmante, **carminativo**, cicatrizante, sedativo.

- *Anticatarral*: bronquite crônica.
- *Carminativo*: flatulência.

Grupo do medo:
– antiespasmódico, cardiotônico, calmante, **estimulante digestivo**, estimulante mental, **tônico geral**, sedativo.

- *Estimulante digestivo*: constipação, perda de apetite, digestão indolente, náusea.
- *Tônico geral*: fadiga.

Grupo da culpa:
– **analgésico**, cardiotônico, cicatrizante, desintoxicante, descongestionante, **estimulante digestivo**.

- *Analgésico*: angina, indigestão dolorosa, reumatismo, dor de dente.
- *Estimulante digestivo*: constipação, perda de apetite, digestão indolente, náusea.

Grupo da timidez:
– cardiotônico, estimulante mental, **tônico geral**, estimulante circulatório, tônico respiratório.

- *Tônico geral*: fadiga nervosa.

Grupo da apatia:
– estimulante circulatório e/ou linfático, **estimulante digestivo**, estimulante mental, **tônico geral**, regulador do sistema nervoso.

- *Estimulante digestivo*: constipação, perda de apetite, digestão indolente, náusea.
- *Tônico geral*: fadiga.

Grupo do retraimento:
– **anticatarral, carminativo, estimulante digestivo.**

- *Anticatarral*: bronquite crônica.
- *Carminativo*: flatulência.
- *Estimulante digestivo*: constipação, perda de apetite, digestão indolente, náusea.

Gerânio (*Pelargonium graveolens*)

Nativo da África, o gerânio foi levado para a Europa no final do século 17. Ele é cultivado para fins comerciais na França, Egito, Marrocos, China e na ilha Réunion. Segundo a aromaterapia, dessa ilha saem seus melhores óleos, embora os óleos chineses (ligeiramente diferentes na composição, e mais baratos) também sejam freqüentemente utilizados. Apesar de existirem muitas espécies de gerânio, o seu óleo essencial é extraído apenas de uma delas, porque é altamente aromática e apresenta folhas ligeiramente peludas e "rendadas" nas extremidades, além de possuir flores delicadas e geralmente rosadas e cheirosas. A Idade Média atribuiu a essa planta o poder da proteção.

> As cobras nunca vão aparecer
> Onde o gerânio crescer.
>
> Citado em Lawless, 1994, pág. 149

A propriedade equilibrante do gerânio ameniza o estresse, porque é capaz de aliviar a depressão e elevar a mente.

Propriedades

Grupo do sofrimento:
– **analgésico, equilibrante, calmante**, digestivo, **cicatrizante**, cardiotônico, imunoestimulante, estimulante mental, **tônico nervoso**, sedativo.

OS ÓLEOS ESSENCIAIS DE A A Z

- *Analgésico*: nevralgia facial, osteoartrite, reumatismo.
- *Equilibrante*: calmante e estimulante.
- *Calmante*: ansiedade, agitação.
- *Cicatrizante*: queimaduras, cortes, úlceras, hemorragia uterina, arranhões, feridas.
- *Tônico nervoso*: debilidade, fadiga nervosa.

Grupo da raiva:
– anticatarral, **antiinflamatório**, **antiespasmódico**, calmante, carminativo (alivia a flatulência), cicatrizante, sedativo.

- *Antiinflamatório*: artrite, colite, prurido, reumatismo, amigdalite.
- *Antiespasmódico*: cólica, cãibra, gastrenterite, menstruação dolorosa.

Grupo do medo:
– **antiespasmódico**, cardiotônico, **calmante**, digestivo, estimulante mental, **tônico nervoso**, tônico respiratório, sedativo.

- *Antiespasmódico*: cólica, cãibra, gastrenterite, menstruação dolorosa.
- *Calmante*: ansiedade, agitação.
- *Tônico nervoso*: debilidade, fadiga nervosa.

Grupo do ciúme:
– **fungicida**, antiviral, **cicatrizante**, desintoxicante, litolítico (dissolve as pedras).

- *Fungicida*: pé-de-atleta e os demais fungos que atacam a pele e as unhas, *Candida albicans*.
- *Cicatrizante*: queimaduras, cortes, úlceras, hemorragia uterina, arranhões, feridas.

Grupo da culpa:
– **analgésico**, cardiotônico, **cicatrizante**, digestivo, **descongestionante**, desintoxicante.

- *Analgésico*: nevralgia facial, osteoartrite, reumatismo.
- *Cicatrizante*: queimaduras, cortes, úlceras, hemorragia uterina, arranhões, feridas.
- *Descongestionante*: congestão peitoral, congestão linfática.

Grupo da apatia:
– estimulante circulatório e/ou linfático, tônico digestivo, estimulante mental, **tônico nervoso**, regulador do sistema nervoso, tônico respiratório

- *Tônico nervoso*: debilidade, fadiga nervosa.

Grupo das mudanças de humor:
– **equilibrante**, semelhante ao hormônio.

- *Equilibrante*: calmante e estimulante.

Grupo da confusão:
– **equilibrante** (tônico e sedativo), cardiotônico, **descongestionante**, estimulante mental.

- *Equilibrante*: calmante e estimulante.
- *Descongestionante*: congestão peitoral, congestão linfática.

Grupo da timidez:
– cardiotônico, estimulante mental, **tônico nervoso**, estimulante circulatório, tônico respiratório.

- *Tônico nervoso*: debilidade, fadiga nervosa.

Hortelã-pimenta (*Mentha x piperita*)

Embora a maioria dos óleos utilizados na aromaterapia dependa do calor do sol para ser de primeira qualidade, o mesmo não ocorre com o óleo de hortelã-pimenta, que chega mesmo a surpreender, porque é mais bem extraído em ambientes sombreados. A planta é originária das regiões de clima temperado do norte e não medra satisfatoriamente no sul da França. Os melhores óleos são produzidos a partir das plantas cultivadas nos países frios, e o preferido entre os aromaterapeutas é aquele que medra na região inglesa de Mitcham; as mudas dessa região são exportadas para o mundo todo e ficaram conhecidas pelo nome de "hortelã-pimenta de Mitcham".

O uso da planta hortelã-pimenta vem sendo difundido por toda a Europa, há milhares de anos, sobretudo como tônico. Também foi cultivada no Egito como uma erva de extremo valor, e por isso chegou a ser usada como uma forma de imposto, a ponto de o Novo Testamento fazer duas referências a esse respeito na voz de Jesus dirigindo-se aos fariseus:

> "Ai de vós, fariseus, que pagais o dízimo da menta e da arruda e de todo legume, mas negligenciais a justiça e o amor de Deus! É isso que é necessário, sem omitir aquilo."
>
> Lucas, 11: 42

O aroma dessa planta é facilmente reconhecível. Contudo, o aroma do óleo de hortelã-pimenta não-retificado possui uma "doçura" a mais, sendo até equiparado ao do mentol extraído dos óleos de hortelã-pimenta que integram cremes dentais, sorvetes, tabletes digestivos, chicletes, etc.; algumas centenas de toneladas desse óleo são produzidas anualmente para atender a demanda das indústrias alimentícias e farmacêuticas.

Se você tem hortelã-pimenta plantada na sua horta, preste atenção, pois ela espalha-se rapidamente e logo toma conta de todos os recantos. Isso ocorreu inclusive conosco, até porque não temos tido tempo para cuidar de nosso jardim, e com isso a hortelã-pimenta espalhou-se por todo lado. Mesmo assim, vale a pena tê-la por perto, já que sempre a utilizamos nas saladas e nos chás. Aliás, uma gota de óleo de hortelã-pimenta adicionada no bule de chá (ingerido sem leite) é um excelente analgésico, muito melhor para o estômago do que uma aspirina.

238   AROMATERAPIA E AS EMOÇÕES

Atenção!

Justamente por causa do seu forte aroma, é bom obedecer criteriosamente à dose recomendada para a diluição; nas inalações do seu vapor, devem ser utilizadas duas gotas, no máximo; além disso, os olhos precisam ficar bem protegidos. E, ainda levando em conta o intenso aroma desse óleo, ele nunca deve ser usado em bebês.

Propriedades

Grupo do sofrimento:
– **analgésico**, equilibrante, calmante, cicatrizante, cardiotônico, **tônico digestivo**, imunoestimulante, **estimulante mental, tônico nervoso**, sedativo.

- *Analgésico*: dores de cabeça, enxaqueca, nevralgia, ciática.
- *Tônico digestivo*: indigestão, náusea, digestão dolorosa, problemas digestivos, irritação intestinal.
- *Estimulante mental*: auxilia a memória.
- *Tônico nervoso*: apatia, vômito nervoso, enjôo de viagem, vertigem, palpitações.

Grupo da raiva:
– **anticatarral, antiinflamatório, antiespasmódico**, calmante, **carminativo**, cicatrizante, sedativo, **suavizante**.

- *Anticatarral*: asma bronquial, bronquite.
- *Antiinflamatório*: bronquite, colite, cistite, eczema, enterite, gastrite, hepatite, laringite, sinusite.
- *Antiespasmódico*: cólica, espasmo gástrico.
- *Carminativo*: flatulência.
- *Suavizante*: irritações cutâneas, erupções, vermelhidões, coceiras, picadas.

Grupo do medo:
– **antiespasmódico**, cardiotônico, calmante, **tônico digestivo, estimulante mental, tônico nervoso**, tônico respiratório, sedativo.

OS ÓLEOS ESSENCIAIS DE A A Z

- *Antiespasmódico*: cólica, espasmo gástrico.
- *Tônico digestivo*: indigestão, náusea, digestão dolorosa, problemas digestivos, irritação intestinal.
- *Estimulante mental*: auxilia a memória.
- *Tônico nervoso*: apatia, vômito nervoso, enjôo de viagem, vertigem, palpitações.

Grupo do ciúme:
– **fungicida, antiviral**, cicatrizante, desintoxicante, litolítico (dissolve as pedras).

- *Fungicida*: tinha, infecções cutâneas provocadas por fungos.
- *Antiviral*: herpes, hepatite virótica.

Grupo da culpa:
– **analgésico**, cardiotônico, cicatrizante, desintoxicante, **descongestionante, tônico digestivo**.

- *Analgésico*: dores de cabeça, enxaqueca, nevralgia, ciática.
- *Descongestionante*: cirrose.
- *Tônico digestivo*: indigestão, náusea, indigestão dolorosa, problemas digestivos, irritação intestinal.

Grupo da apatia:
– estimulante circulatório e/ou linfático, **tônico digestivo, estimulante mental, tônico nervoso**, regulador do sistema nervoso, tônico respiratório.

- *Tônico digestivo*: indigestão, náusea, digestão dolorosa, problemas digestivos, irritação intestinal.
- *Estimulante mental*: auxilia a memória.
- *Tônico nervoso*: apatia, vômito nervoso, enjôo de viagem, vertigem, palpitações.

Grupo da confusão:
– equilibrante (tônico e sedativo), cardiotônico, **descongestionante, estimulante mental**.

- *Descongestionante*: cirrose.
- *Estimulante mental*: auxilia a memória.

Grupo da timidez:
cardiotônico, **estimulante mental, tônico nervoso**, estimulante circulatório, tônico respiratório.

- *Estimulante mental*: auxilia a memória.
- *Tônico nervoso*: apatia, vômito nervoso, enjôo de viagem, vertigem, palpitações.

Grupo do retraimento:
– **anticatarral, carminativo, tônico digestivo**.

- *Anticatarral*: asma bronquial, bronquite.
- *Carminativo*: flatulência.
- *Tônico digestivo*: indigestão, náusea, digestão dolorosa, problemas digestivos, irritação intestinal.

Lavanda (*Lavandula angustifolia*)

> Duas colheres de sopa de água destilada de flores (*de lavanda*) ajudam aqueles que perderam a voz, e ainda servem de auxílio nos casos de tremores e paixões do coração, desmaios e desfalecimentos, quando aplicadas nas têmporas ou nas proximidades das narinas, para que seu aroma seja inalado.
>
> Culpeper, *Complete Herbal*, pág. 210

Toda vez que faço uso da lavanda, penso na beleza das montanhas provençais com as fileiras de suas flores, azuis na grande maioria, mas ocasionalmente rosadas e brancas, que são suavemente embaladas pelo vento até que todo o ar seja impregnado pelo seu aroma. A melhor lavanda do mundo é a francesa, especialmente a selvagem, embora o óleo essencial dessa última seja muito caro, devido aos altos custos de sua colheita.

Ao contrário do que muitas pessoas pensam, as maravilhosas flores roxas que dominam as partes mais baixas dessa região não são da lavanda propriamente dita. Na verdade, essas flores são da lavandinha (*Lavandula x intermedia*), que resulta de um cruzamento entre a lavanda verdadeira e a *Lavandula spica*; além de essa última possuir um aroma mais próximo da cânfora, ela é bem maior e produz uma quantidade também maior de óleo essencial. E digo isso porque alguns óleos disponíveis no mercado com o título de lavanda são feitos da lavandinha; portanto, se você quiser a lavanda verdadeira, verifique o rótulo e veja se está escrito o termo latino *Lavandula angustifolia*. Embora o óleo de lavandinha também tenha a sua utilidade, não será por isso que deixaremos de querer saber o que estamos comprando, não é?

A lavanda medra em altitudes que ultrapassam os 500 metros (1.650 pés), e talvez por isso seja freqüentemente esquecida pelos turistas, ao passo que a lavandinha cresce em terrenos com altitudes bem menores. A destilação do óleo essencial da lavanda é feita a partir dos 20-25 centímetros finais dos seus galhos floridos.

Dentre as muitas propriedades da lavanda, a mais célebre é a sua ação curativa sobre as queimaduras. Mas ela também é excelente contra as dores de cabeça, sobretudo quando usada no início da dor. Esse óleo essencial tão popular é encontrado na maioria dos produtos aromaterápicos para a pele, por causa de sua propriedade equilibrante, que beneficia tanto a pele seca como a oleosa, fazendo com que a cútis retome a sua normalidade. Law (1982), uma autoridade em medicina botânica, afirma que "esta planta significa amor e vida longa".

Propriedades

Grupo do sofrimento:
– **analgésico, equilibrante,** calmante, **cardiotônico, cicatrizante,** digestivo, imunoestimulante, estimulante mental, **tônico nervoso,** sedativo.

- *Analgésico*: artrite, dores musculares, reumatismo.
- *Equilibrante*: acalma e anima, e regula o sistema nervoso.
- *Cardiotônico*: taquicardia (batimento cardíaco acelerado).
- *Cicatrizante*: queimaduras, sarna, úlceras varicosas, feridas.
- *Tônico nervoso*: debilidade, melancolia.

Grupo da raiva:
— anticatarral, **antiinflamatório, antiespasmódico, calmante**, carminativo (alivia a flatulência), **cicatrizante, sedativo.**

- *Antiinflamatório*: eczema, picadas de inseto, flebite, sinusite, otite
  (inflamação do ouvido), cistite, equimose, entorse, acne, herpes, prurido (coceira).
- *Antiespasmódico*: cãibra, tosse espasmódica.
- *Calmante* e *sedativo*: dores de cabeça, enxaqueca, insônia, problemas
  do sono, ansiedade.
- *Cicatrizante*: queimaduras, cascas de ferida, úlceras varicosas, ferimentos.

Grupo do medo:
— **antiespasmódico, cardiotônico, calmante** e **sedativo**, digestivo,
estimulante mental, **tônico nervoso**, tônico respiratório.

- *Antiespasmódico*: cãibra, tosse espasmódica.
- *Cardiotônico*: taquicardia (batimento cardíaco acelerado).
- *Calmante* e *sedativo*: dores de cabeça, enxaqueca, insônia, problemas
  do sono, ansiedade.
  Tônico nervoso: debilidade, melancolia.

Grupo do ciúme:
— **fungicida**, antiviral, **cicatrizante**, desintoxicante, litolítico (dissolve
as pedras).

- *Fungicida*: pé-de-atleta (incluindo a infecção das unhas), cândida.
- *Cicatrizante*: queimaduras, cascas de ferida, úlceras varicosas, ferimentos.

Grupo da culpa:
— **analgésico, cardiotônico, cicatrizante**, digestivo, descongestionante, desintoxicante.

- *Analgésico*: artrite, dores musculares, reumatismo.
- *Cardiotônico*: taquicardia (batimento cardíaco acelerado).

OS ÓLEOS ESSENCIAIS DE A A Z

- *Cicatrizante*: queimaduras, cascas de ferida, úlceras varicosas, ferimentos.

Grupo da apatia:
– estimulante circulatório e/ou linfático, estimulante mental, tônico digestivo, **tônico nervoso**, **regulador do sistema nervoso**, tônico respiratório.

- *Tônico nervoso*: debilidade, melancolia.
- *Regulador do sistema nervoso*.

Grupo das mudanças de humor:
– **equilibrante**, semelhante ao hormônio.

- *Equilibrante*: acalma e anima, e regula o sistema nervoso.

Grupo da confusão:
– **equilibrante** (tônico e sedativo), **cardiotônico**, descongestionante, estimulante mental.

- *Equilibrante*: acalma e anima, e regula o sistema nervoso.
- *Cardiotônico*: taquicardia (batimento cardíaco acelerado).

Grupo da timidez:
– **cardiotônico**, estimulante mental, **tônico nervoso**, estimulante circulatório, tônico respiratório.

- *Cardiotônico*: taquicardia (batimento cardíaco acelerado).
- *Tônico nervoso*: debilidade, melancolia.

Grupo da divagação:
– adstringente, **cardiotônico**, **calmante** e **sedativo**.

- *Cardiotônico*: taquicardia (batimento cardíaco acelerado).
- *Calmante* e *sedativo*: dores de cabeça, enxaqueca, insônia, problemas do sono, ansiedade.

Limão (*Citrus limon*)

A obtenção do óleo essencial de limão e das demais frutas cítricas não é feita através da destilação, já que é utilizado o método de extração "a frio" chamado de expressão, no qual se espreme a casca para extrair o óleo essencial. Mas algumas vezes espreme-se a fruta inteira, como no caso da laranja, e depois se separa o óleo essencial que flutua no topo do suco final. A principal região produtora de limão é a Sicília, mas é também largamente cultivado em outros países mediterrâneos, sobretudo na Espanha. Cheguei a colher nesse país limões (selvagens e cultivados) tão grandes quanto toranjas, embora as variedades menores sejam aí mais cultivadas. É preciso observar aqui o fato de que o óleo do limão localiza-se na sua casca e encontra-se mais perto da sua superfície, sendo por isso aconselhável que se compre apenas aquele que tenha vindo de frutos orgânicos, quer dizer, o tipo que não foi lavado ou vaporizado com pesticidas.

Um outro aspecto a ser considerado com relação aos óleos obtidos pela extração a frio é que eles contêm outros componentes além dos voláteis, como, por exemplo, as ceras naturais, não possuindo por isso as mesmas qualidades fixadoras. Não há como isolar essas ceras; no entanto, isso não interfere nos efeitos do óleo.

Além de clarear e estimular a mente, o aroma refrescante do limão aumenta a capacidade de concentração; eis por que uma pesquisa realizada com alguns digitadores no Japão mostrou que 54% deles não cometiam erros quando expostos ao aroma do limão (Fischer-Rizzi, 1990, pág. 120). O óleo desse fruto também é um calmante excepcional, e ainda possui qualidades sedativas.

Propriedades

Grupo do sofrimento:
– analgésico, equilibrante, **calmante** e **sedativo**, cardiotônico, cicatrizante, **digestivo, imunoestimulante, estimulante mental**, tônico nervoso.

OS ÓLEOS ESSENCIAIS DE A A Z

- *Calmante* e *sedativo*: dores de cabeça, insônia, pesadelos.
- *Digestivo*: gastrite, náusea, digestão dolorosa, úlceras estomacais, perda de apetite.
- *Imunoestimulante*: deficiência das células brancas.
- *Estimulante mental*: aumenta a concentração.

Grupo da raiva:
– anticatarral, **antiinflamatório, antiespasmódico, calmante, carminativo**, cicatrizante, sedativo.

- *Antiinflamatório*: furúnculos, gota, picadas de inseto, reumatismo.
- *Antiespasmódico*: diarréia.
- *Calmante*: dores de cabeça, insônia, pesadelos.
- *Carminativo*: flatulência.

Grupo do medo:
– **antiespasmódico**, cardiotônico, **calmante, digestivo, estimulante mental**, tônico nervoso, tônico respiratório, sedativo.

- *Antiespasmódico*: diarréia.
- *Calmante*: dores de cabeça, insônia, pesadelos.
- *Digestivo*: gastrite, náusea, digestão dolorosa, úlceras estomacais, perda de apetite.
- *Estimulante mental*: aumenta a concentração.

Grupo do ciúme:
– **fungicida, antiviral**, cicatrizante, desintoxicante, litolítico (dissolve as pedras).

- *Fungicida*: afta.
- *Antiviral*: resfriados, herpes, verrugas.

Grupo da culpa:
– analgésico, cardiotônico, cicatrizante, desintoxicante, descongestionante, **digestivo**.

AROMATERAPIA E AS EMOÇÕES

- *Digestivo*: gastrite, náusea, digestão dolorosa, perda de apetite, úlceras estomacais.

Grupo da apatia:
- estimulante circulatório e/ou linfático, tônico digestivo, estimulante mental, tônico nervoso, regulador do sistema nervoso, tônico respiratório.

- *Estimulante circulatório e/ou linfático*: hipertensão, flebite, circulação deficiente, trombose, veias varicosas.
- *Tônico digestivo*: gastrite, náusea, digestão dolorosa, perda de apetite, úlceras estomacais.
- *Estimulante mental*: aumenta a concentração.

Grupo da confusão:
- equilibrante (tônico e sedativo), cardiotônico, descongestionante, estimulante mental.

- *Estimulante mental*: aumenta a concentração.

Grupo da timidez:
- cardiotônico, estimulante mental, tônico nervoso, estimulante circulatório, tônico respiratório.

- *Estimulante mental*: aumenta a concentração.
- *Estimulante circulatório*: hipertensão, flebite, circulação deficiente, trombose, veias varicosas.

Grupo da divagação:
- adstringente, cardiotônico, sedativo e calmante.

- *Sedativo e calmante*: dores de cabeça, insônia, pesadelos.

Grupo do retraimento:
- anticatarral, carminativo, tônico digestivo.

- *Carminativo*: flatulência.
- *Tônico digestivo*: gastrite, náusea, digestão dolorosa, perda de apetite, úlceras estomacais.

Manjericão (*Ocimum basilicum*)

> (...) nós o estimamos por causa do seu doce perfume, mas além disso (de acordo com algumas pessoas) ele conforta o cérebro.
>
> John Swan, *Speculum Mundi*

Existem muitas variedades de manjericão, e a grande maioria desenvolve-se nos países mediterrâneos, embora no Nepal também haja um espécime cujo óleo essencial é excelente. Algumas variedades possuem folhas pequenas e delicadas (*Ocimum minimum*), enquanto outras apresentam folhas grandes e bastante aromáticas, como é o caso do *Ocimum basilicum*, o único que eu gosto de pôr nas saladas. Algumas espécies de manjericão apresentam folhas verdes mais claras, enquanto outras ostentam uma tonalidade mais escura; assim como há as que possuem um sabor mais acentuado em relação a outras, enquanto algumas são mais "exóticas" e outras mais "suaves". As espécies "exóticas" contêm um alto teor de estragol (também conhecido como metil-chavicol), uma substância poderosa que requer muito cuidado no seu uso, ao passo que as "suaves" apresentam um baixo teor de estragol e são as mais usadas na aromaterapia, porque não acarretam nenhum risco para a saúde. Segundo John Gerard (1512-1612), o autor do *Great Herbal* (1597), o aroma do manjericão é excelente para o coração:

> Ele manda embora a tristeza e a melancolia,
> tornando o homem feliz e contente.

De acordo com as idéias mais recentes da aromaterapia, o manjericão é valioso por esses mesmos atributos e ainda por ser um tônico para os nervos, o que faz dele uma ótima escolha para a depressão e a fadiga. Mas essa erva também é relaxante e purificadora da mente, além de fornecer um dos melhores óleos para equilibrar e regular o sistema nervoso, sendo por isso bastante eficaz para as mentes confusas e perturbações mentais de todas as espécies.

Atenção!

O manjericão exótico (tipos eugenol e timol), disponível em algumas lojas, não deve ser usado durante os primeiros meses da gravidez.

Propriedades

Grupo do sofrimento:
– **analgésico**, equilibrante, calmante, digestivo, **cardiotônico**, **cicatrizante**, imunoestimulante, **estimulante mental**, **neurotônico**, sedativo.

- *Analgésico*: alivia a dor da enxaqueca, artrite reumatóide.
- *Cardiotônico*: tônico cardíaco, arritmia, arteriosclerose, taquicardia.
- *Cicatrizante* (curativo): úlceras estomacais.
- *Estimulante mental*: anima a mente.
- *Neurotônico*: tônico para os nervos, convalescença, debilidade, depressão, perturbação mental.

Grupo da raiva:
– anticatarral, **antiinflamatório**, **antiespasmódico**, calmante, carminativo (alivia a flatulência), **cicatrizante**, sedativo.

- *Antiinflamatório*: reduz a inflamação da gota, artrite reumatóide, ferroada de vespas.
- *Antiespasmódico*: ameniza os espasmos gástricos e as cãibras musculares.
- *Cicatrizante* (curativo): úlceras estomacais.

Grupo do medo:
– **antiespasmódico**, **cardiotônico**, calmante, **tônico digestivo**, **estimulante mental**, **regulador do sistema nervoso**, **neurotônico**, tônico respiratório, sedativo.

- *Antiespasmódico*: alivia o espasmo gástrico e as cãibras musculares.
- *Cardiotônico*: tônico para o coração, arritmia, arteriosclerose, taquicardia.

OS ÓLEOS ESSENCIAIS DE A A Z

- *Tônico digestivo*: estimula o fígado e as secreções digestivas, digestão indolente.
- *Estimulante mental*: anima a mente.
- *Regulador do sistema nervoso*: ansiedade, epilepsia, insônia nervosa, nervosismo em geral, enjôo de viagem, vertigem.
- *Neurotônico*: tônico para os nervos, convalescença, debilidade, depressão, perturbação mental.

Grupo do ciúme:
– **fungicida, antiviral, cicatrizante**, desintoxicante, litolítico (dissolve as pedras).

- *Fungicida*: fungos desconhecidos.
- *Antiviral*: hepatite viral.
- *Cicatrizante* (curativo): úlceras estomacais.

Grupo da confusão:
– **equilibrante** (tônico e sedativo), **cardiotônico**, descongestionante, **estimulante mental**.

- *Equilibrante*.
- *Cardiotônico*: tônico para o coração, arritmia, arteriosclerose, taquicardia.
- *Estimulante mental*.

Grupo da timidez:
– **cardiotônico, estimulante mental, regulador do sistema nervoso,** tônico nervoso, estimulante circulatório, tônico respiratório.

- *Cardiotônico*: tônico para o coração, arritmia, arteriosclerose, taquicardia.
- *Estimulante mental*.
- *Regulador do sistema nervoso*: ansiedade, epilepsia, insônia nervosa, nervosismo em geral, enjôo de viagem, vertigem.

Grupo da divagação:
– adstringente, **cardiotônico**, sedativo.

- *Cardiotônico*: tônico para o coração, arritmia, arteriosclerose, taquicardia.

Grupo do retraimento:
– anticatarral, **carminativo, tônico digestivo.**

- *Carminativo*: alivia a flatulência.
- *Estimulante digestivo*: digestão indolente.

Manjerona (*Origanum majorana*)

> A nossa manjerona, tão popular, reconforta as doenças frias da cabeça (...)
> quer seja ela administrada para uso interno ou não. Quando ingerida, o
> resultado de sua decocção alivia (...) os velhos sofrimentos uterinos.
>
> Culpeper, *Complete Herbal*, pág. 227

A manjerona em questão é uma planta nativa da Ásia central que fornece um óleo essencial docemente perfumado, bastante diferente da manjerona espanhola (*Thymus mastichina*); essa última exala um aroma bem mais cortante e é vendida com freqüência, e de maneira errônea, como sendo a manjerona dos aromaterapeutas. As folhas da manjerona apresentam uma tonalidade clara de verde-acinzentado e são cobertas por uma penugem que, como em todas as plantas da família das Labiadas, protege a parte externa de suas delicadas glândulas de óleo essencial.

A manjerona vem sendo utilizada, por séculos, como uma erva apropriada para a culinária (especialmente salsichas, lingüiças e frios), e o seu sucesso nesse campo deve-se provavelmente às suas propriedades digestivas (Mabey, 1988). Seu óleo essencial é o mais sedativo dentre todos, além de ser equilibrante e conter propriedades neurotônicas.

Os antigos egípcios usavam essa planta para curar e superar o sofrimento, e o seu óleo é conhecido hoje em dia pelos efeitos calmantes e reconfortantes sobre a mente. Seu nome é derivado do grego e significa *alegria da montanha*; por isso mesmo é tida como um símbolo da felicidade. Os gregos usavam-na nos túmulos porque ela dava descanso, paz e alegria aos seus entes queridos (Clarkson, 1972, pág. 130), o que

OS ÓLEOS ESSENCIAIS DE A A Z   251

aliás reforçava o sentido de conforto para os túmulos que os egípcios lhe atribuíam.

Propriedades

Grupo do sofrimento:
– **analgésico, equilibrante, calmante**, cardiotônico, cicatrizante, **tônico digestivo**, imunoestimulante, **tônico nervoso**, sedativo.

- *Analgésico*: artrite, enxaqueca, dores musculares, reumatismo, dor de dente.
- *Equilibrante*.
- *Calmante*: agitação, ansiedade, epilepsia, insônia, enxaqueca, psicoses, obsessões sexuais, vertigem.
- *Tônico digestivo*: indigestão, úlceras gastroduodenais.
- *Tônico nervoso*: debilidade, instabilidade mental, angústia, depressão nervosa.

Grupo da raiva:
– anticatarral, antiinflamatório, **antiespasmódico, calmante, carminativo**, cicatrizante, sedativo.

- *Antiespasmódico*: cólica, espasmo muscular, espasmo respiratório, espasmo nervoso.
- *Calmante*: agitação, ansiedade, epilepsia, insônia, enxaqueca, psicoses, obsessões sexuais, vertigem.
- *Carminativo*: alivia a flatulência.

Grupo do medo:
– **antiespasmódico**, cardiotônico, **calmante, tônico digestivo**, estimulante mental, **tônico nervoso, tônico respiratório**, sedativo.

- *Antiespasmódico*: cólica, espasmo muscular, espasmo respiratório, espasmo nervoso.
- *Calmante*: agitação, ansiedade, epilepsia, insônia, enxaqueca, psicoses, obsessões sexuais, vertigem.
- *Tônico digestivo*: indigestão, úlceras gastroduodenais.

252   AROMATERAPIA E AS EMOÇÕES

- *Tônico nervoso*: debilidade, instabilidade mental, angústia, depressão nervosa.
- *Tônico respiratório*: respiração nervosa.

Grupo da culpa:
– **analgésico**, cardiotônico, cicatrizante, desintoxicante, descongestionante, **tônico digestivo.**

- *Analgésico*: artrite, enxaqueca, dores musculares, reumatismo, dor de dente.
- *Tônico digestivo*: indigestão, úlceras gastroduodenais.

Grupo da apatia:
– estimulante circulatório e/ou linfático, **tônico digestivo**, estimulante mental, **tônico nervoso**, regulador do sistema nervoso, **tônico respiratório.**

- *Tônico digestivo*: indigestão, úlceras gastroduodenais.
- *Tônico nervoso*: debilidade, instabilidade mental, angústia, depressão nervosa.
- *Tônico respiratório*: respiração nervosa.

Grupo das mudanças de humor:
– **equilibrante, semelhante ao hormônio.**

- *Equilibrante*: acalma e tonifica.
- *Semelhante ao hormônio*: hipertireoidismo.

Grupo da confusão:
– **equilibrante** (tônico e sedativo), cardiotônico, descongestionante, estimulante mental.

- *Equilibrante*: calmante e neurotônico.

Grupo da timidez:
– cardiotônico, estimulante mental, **tônico nervoso**, estimulante circulatório, **tônico respiratório.**

OS ÓLEOS ESSENCIAIS DE A A Z

- *Tônico nervoso*: debilidade, instabilidade mental, angústia, depressão nervosa.
- *Tônico respiratório*: respiração nervosa.

Grupo da divagação:
– adstringente, cardiotônico, **calmante** e **sedativo**.

- *Calmante* e *sedativo*: agitação, ansiedade, epilepsia, insônia, enxaqueca, psicoses, enxaqueca, obsessões sexuais, vertigem.

Grupo do retraimento:
– anticatarral, **carminativo, tônico digestivo**.

- *Carminativo*: flatulência.
- *Tônico digestivo*: indigestão, úlceras gastroduodenais.

Melissa (*Melissa officinalis*)

> Desde a época dos antigos árabes e mauritâneos, a melissa é vista como um remédio contra diversas doenças, e beneficia de forma singular o coração; no seu livro sobre as enfermidades, Avicena nos diz que ela torna o coração alegre e feliz, além de fortalecer o ânimo vital.
>
> Gerard, 1545-1612

Originária do sul da Europa e bastante comum na Alemanha, a melissa é uma pequena erva perene com um maravilhoso perfume, cujo nome popular é "deleite do coração".

Infelizmente, as glândulas do seu óleo essencial são muito delicadas, e o processo de sua destilação é extremamente trabalhoso, porque suas folhas contêm uma quantidade pequena de óleo; além disso, a planta não pode ser colhida úmida ou com qualquer resíduo de orvalho. Tais circunstâncias tornam o seu óleo essencial muito caro, embora, na minha opinião, ele valha cada centavo cobrado! Quando, há oito anos, adquirimos os nossos primeiros 250ml de melissa, soubemos que apenas um litro desse total havia sido destilado em todo o sul da França; a grande parte da produção da planta era (e ainda é) usada para a fabricação do chá de melissa. Mas esse panorama já melhorou bastante hoje em dia, pois muitos fazendeiros passaram a cultivá-la, e agora são destilados 60 litros de óleo anualmente.

A melissa é vista com freqüência como o *elixir da vida*, pois quem bebe o seu chá diariamente costuma alcançar uma vida longa e saudável. Pesquisas recentes demonstraram a eficácia de suas propriedades sedativas sobre a distonia vegetativa e seus sintomas de excitabilidade, dor de cabeça, palpitação e agitação.

> Quando ingerido matinalmente, o vinho das Canárias que contém essência de melissa rejuvenesce o indivíduo, e ainda fortalece o cérebro, elimina a preguiça e previne a calvície.
>
> *London Dispensary*, 1696

Propriedades

Grupo do sofrimento:
– analgésico, equilibrante, **calmante**, cardiotônico, cicatrizante, **tônico digestivo**, imunoestimulante, tônico nervoso, **sedativo**.

- *Calmante*: histeria, palpitações, dores de cabeça, vertigem, hiperexcitabilidade.
- *Tônico digestivo*: indigestão, náusea, mal-estar matinal, fígado indolente.
- *Sedativo*: para o sistema nervoso central.

Grupo da raiva:
– anticatarral, **antiinflamatório**, **antiespasmódico**, **calmante**, carminativo (alivia a flatulência), cicatrizante, **sedativo**.

- *Antiinflamatório*: picadas de abelha.
- *Antiespasmódico*: cólica estomacal.
- *Calmante*: histeria, palpitações, dores de cabeça, hiperexcitabilidade, vertigem.
- *Sedativo*: insônia, calmante do sistema nervoso central.

Grupo do medo:
– **antiespasmódico**, cardiotônico, **calmante**, **tônico digestivo**, estimulante mental, tônico nervoso, tônico respiratório, **sedativo**.

OS ÓLEOS ESSENCIAIS DE A A Z

- *Antiespasmódico*: cólica estomacal.
- *Calmante*: histeria, palpitações, dores de cabeça, hiperexcitabilidade, vertigem.
- *Tônico digestivo*: indigestão, náusea, mal-estar matinal, fígado indolente.
- *Sedativo*: insônia, calmante do sistema nervoso central.

Grupo do ciúme:
– fungicida, **antiviral**, cicatrizante, desintoxicante, litolítico (dissolve as pedras).

- *Fungicida: Herpes simplex 1.*

Grupo da culpa:
– analgésico, cardiotônico, cicatrizante, desintoxicante, descongestionante, **tônico digestivo**.

- *Tônico digestivo*: indigestão, náusea, mal-estar matinal, fígado indolente.

Grupo da apatia:
– estimulante circulatório e/ou linfático, **tônico digestivo**, estimulante mental, tônico nervoso, regulador do sistema nervoso, tônico respiratório.

- *Tônico digestivo*: indigestão, náusea, mal-estar matinal, fígado indolente.

Grupo da divagação:
– adstringente, **calmante**, **sedativo**, cardiotônico.

- *Calmante*: histeria, palpitações, dores de cabeça, hiperexcitabilidade, vertigem.
- *Sedativo*: insônia, calmante do sistema nervoso central.

Grupo do retraimento:
– anticatarral, carminativo (alivia a flatulência), **tônico digestivo**.

- *Tônico digestivo*: indigestão, náusea, mal-estar matinal, fígado indolente.

Niaouli (*Melaleuca viridiflora*)

Por vezes chamada de gomenol, a niaouli é originária de uma região da Nova Caledônia. O óleo essencial é destilado das folhas de sua árvore, que atinge 15 metros de altura, e pertence à mesma família do cajepute e do chá-preto.

A grande parte do óleo de niaouli disponível no mercado é falsificada, até porque o seu aroma é quase que exclusivamente de eucaliptol (o principal componente do eucalipto); portanto, na hora de comprá-lo, veja se a sua procedência é de fonte confiável. Embora, em princípio, o aroma do genuíno óleo essencial de niaouli exale um leve traço de eucaliptol, esse primeiro aroma é rapidamente seguido por outros: flor-de-laranjeira, amêndoa, baunilha e banana. Além de sua importância como remédio peitoral, o seu aroma é realmente medicinal.

Esse óleo é um excelente purificador respiratório e vaginal, mas também é eficaz para a circulação, embora em menor escala (Collin, 1997).

Propriedades

Grupo do sofrimento:
– **analgésico**, equilibrante, calmante, cardiotônico, cicatrizante, **tônico digestivo**, **imunoestimulante**, estimulante mental, **tônico nervoso**, sedativo.

- *Analgésico*: trabalho de parto.
- *Tônico digestivo*: gastrite, úlceras gástricas e duodenais, diarréia.
- *Imunoestimulante*: ativa as defesas do corpo, aumenta a quantidade de células brancas e anticorpos.
- *Tônico nervoso*: depressão nervosa pós-viral.

Grupo da raiva:
– **anticatarral**, **antiinflamatório**, antiespasmódico, calmante, carminativo (alivia a flatulência), cicatrizante, sedativo.

OS ÓLEOS ESSENCIAIS DE A A Z

- *Anticatarral*: bronquite, gripes, resfriados, catarro crônico.
- *Antiinflamatório*: sinusite, rinofaringite, bronquite, blefarite (inflamação dos cílios), vulvovaginite, uretrite, prostatite, inflamação das artérias coronárias.

Grupo do medo:
– antiespasmódico, cardiotônico, calmante, **tônico digestivo**, estimulante mental, **tônico nervoso**, sedativo.

- *Tônico digestivo*: gastrite, úlceras gástricas e duodenais, diarréia.
- *Tônico nervoso*: depressão nervosa pós-viral.

Grupo do ciúme:
– fungicida, **antiviral**, cicatrizante, desintoxicante, **litolítico** (dissolve as pedras).

- *Antiviral*: hepatite viral, enterite viral, herpes genital.
- *Litolítico*: cálculos biliares.

Grupo da culpa:
– **analgésico**, cardiotônico cicatrizante, desintoxicante, **descongestionante, tônico digestivo**.

- *Analgésico*: trabalho de parto.
- *Tônico digestivo*: gastrite, úlceras gástricas e duodenais, diarréia.

Grupo da apatia:
– **estimulante circulatório** e/ou **linfático, tônico digestivo**, estimulante mental, tônico nervoso, regulador do sistema nervoso, tônico respiratório.

- *Estimulante circulatório e/ou linfático*: veias varicosas, hemorróidas.
- *Tônico digestivo*: gastrite, úlceras gástricas e duodenais, diarréia.

Grupo das mudanças de humor:
– equilibrante, **semelhante ao hormônio**.

- *Semelhante ao hormônio*: menstruação irregular, menstruação insuficiente.

Grupo da timidez:
– cardiotônico, **estimulante circulatório**, estimulante mental, **tônico nervoso**, tônico respiratório.

- *Estimulante circulatório*: veias varicosas, hemorróidas.
- *Tônico nervoso*: depressão nervosa pós-viral.

Grupo do retraimento:
– **anticatarral**, carminativo (alivia a flatulência), **tônico digestivo**.

- *Anticatarral*: bronquite, gripes, resfriados, catarro crônico.
- *Tônico digestivo*: gastrite, úlceras gástricas e duodenais, diarréia.

Olíbano (*Boswellia carteri*)

Essa pequena árvore cresce de maneira selvagem na região do Mar Vermelho e no nordeste da África, desde os tempos bíblicos. Pelo fato de ter sido considerado tão precioso quanto o ouro, o olíbano foi um dos presentes oferecidos a Jesus pelos reis magos; além disso, é mencionado na Bíblia aproximadamente 20 vezes, a maioria delas no Velho Testamento, como a erva usada pelos judeus nos seus ritos religiosos.

O olíbano (por vezes chamado de *olibanum*) é a resina extraída do tronco da árvore através de incisões; para proteger-se das agressões exteriores, ela produz um líquido leitoso que endurece e adquire a tonalidade de um marrom-amarelado quando entra em contato com o ar. Depois, essa resina é destilada, obtendo-se assim um óleo essencial de aroma rico, refrescante e balsâmico. Sua produção mais importante encontra-se no Irã e no Líbano.

Talvez porque, ao ser ferida, essa árvore produz imediatamente uma resina, iniciando dessa forma um processo de autocura, seu óleo essencial é um dos melhores para a renovação do tecido celular humano e,

OS ÓLEOS ESSENCIAIS DE A A Z 259

por extensão, para a cura das feridas emocionais, sobretudo do sofri-mento. Conforme uma afirmativa célebre de Culpeper, o olíbano tem a reputação de fortalecer os nervos, e esse detalhe o torna excelente para a depressão; também auxilia a memória, embora esse último aspecto não tenha sido mencionado no livro *Complete Herbal* desse autor.

Propriedades

Grupo do sofrimento:
– **analgésico**, equilibrante, calmante, cardiotônico, **cicatrizante**, digestivo, **imunoestimulante**, estimulante mental, **tônico nervoso**, sedativo.

- *Analgésico*: reumatismo, danos causados pelos esportes.
- *Cicatrizante*: marcas (incluindo as das estrias), úlceras, feridas.
- *Imunoestimulante*: sistema imunológico debilitado.
- *Tônico nervoso*: depressão nervosa.

Grupo da raiva:
– **anticatarral**, **antiinflamatório**, antiespasmódico, calmante, carmi-nativo (alivia a flatulência), **cicatrizante**, sedativo.

- *Anticatarral*: asma, bronquite.
- *Antiinflamatório*: reumatismo.
- *Cicatrizante*: marcas (incluindo as das estrias), úlceras, feridas.

Grupo do medo:
– antiespasmódico, cardiotônico, calmante, digestivo, estimulante men-tal, **tônico nervoso**, tônico respiratório, sedativo.

- *Tônico nervoso*: depressão nervosa.

Grupo do ciúme:
– fungicida, antiviral, **cicatrizante**, desintoxicante, litolítico (dissolve as pedras).

- *Cicatrizante*: marcas (incluindo as das estrias), úlceras, feridas.

Grupo da culpa:
– **analgésico**, cardiotônico, **cicatrizante**, digestivo, descongestionante, desintoxicante.

- *Analgésico*: reumatismo, danos causados pelos esportes.
- *Cicatrizante*: marcas (incluindo as das estrias), úlceras, feridas.

Grupo da apatia:
– estimulante circulatório e/ou linfático, estimulante mental, tônico digestivo, **tônico nervoso**, regulador do sistema nervoso, tônico respiratório.

- *Tônico nervoso*: depressão nervosa.

Grupo da timidez:
– cardiotônico, estimulante mental, estimulante circulatório, **tônico nervoso**, tônico respiratório.

- *Tônico nervoso*: depressão nervosa.

Pinho (*Pinus sylvestris*)

Também conhecida como pinheiro escocês, essa árvore imponente pode ser encontrada por toda a Europa, mas é nativa das regiões geladas da Rússia e da Escandinávia. Tanto os seus galhos como suas folhas e pinhas são destilados para a obtenção do óleo essencial, que possui um aroma fresco e anti-séptico. As pinhas oriundas de uma determinada espécie de pinheiro que cresce na Noruega podem ser usadas para tinturas, pois fornecem diferentes tons de laranja e amarelo.

O principal atributo do óleo essencial de pinho é o de ser anti-séptico, e isso porque ele purifica o ar e mantém o ambiente livre das bactérias nocivas à saúde. Possui também diversas outras propriedades físicas importantes para o tratamento das emoções, especialmente a neurotônica.

Propriedades

Grupo do sofrimento:
– **analgésico**, equilibrante, calmante, cardiotônico, cicatrizante, tônico

OS ÓLEOS ESSENCIAIS DE A A Z

digestivo, imunoestimulante, estimulante mental, **tônico nervoso, sedativo.**

- *Analgésico*: artrite, reumatismo, gastralgia, dores intestinais.
- *Tônico nervoso*: debilidade, fadiga, esclerose múltipla.

Grupo da raiva:
– **anticatarral**, antiinflamatório, antiespasmódico, calmante, carminativo (alivia a flatulência), cicatrizante, sedativo.

- *Anticatarral*: aparelho respiratório, gripes.

Grupo do medo:
– antiespasmódico, cardiotônico, calmante, estimulante mental, tônico digestivo, **tônico nervoso**, tônico respiratório, sedativo.

- *Tônico nervoso*: debilidade, fadiga, esclerose múltipla.

Grupo do ciúme:
– **fungicida**, antiviral, cicatrizante, **desintoxicante, litolítico** (dissolve as pedras).

- *Fungicida: Candida albicans*.
- *Desintoxicante*: purificador.
- *Litolítico*: cálculos biliares.

Grupo da culpa:
– **analgésico**, cardiotônico, cicatrizante, tônico digestivo, **descongestionante, desintoxicante.**

- *Analgésico*: artrite, reumatismo, gastralgia, dores intestinais.
- *Descongestionante*: linfa congestionada, congestão uterina ou ovariana, elimina as secreções dos brônquios.
- *Desintoxicante*: purificador.

Grupo da apatia:
– estimulante circulatório e/ou linfático, estimulante mental, tônico

digestivo, **tônico nervoso**, regulador do sistema nervoso, tônico respiratório.

• *Tônico nervoso*: debilidade, fadiga, esclerose múltipla.

Grupo da confusão:
— equilibrante (tônico e sedativo), cardiotônico, **descongestionante**, estimulante mental.

• *Descongestionante*: linfa congestionada, congestão uterina ou ovariana, elimina as secreções dos brônquios.

Grupo da timidez:
— cardiotônico, estimulante mental, **tônico nervoso**, estimulante circulatório, tônico respiratório.

• *Tônico nervoso*: debilidade, fadiga, esclerose múltipla.

Grupo do retraimento:
— **anticatarral**, carminativo (alivia a flatulência), tônico digestivo.

• *Anticatarral*: aparelho respiratório, gripes.

Rosa (*Rosa damascena*)

> O açúcar de rosas é excelente para fortalecer o coração e o espírito (...)
> O xarope de rosas (...) conforta o coração e ainda combate a putrefação
> e a infecção (...) A fama da água das rosas vermelhas deve-se ao seu poder
> de refrescar e animar o espírito debilitado e fraco.
>
> Culpeper; extraído de Grieve, 1998, pág. 691

Existem dois tipos de óleo de rosa disponíveis no mercado aromaterápico: rosa absoluto, que não é destilado, pois é obtido pela extração solvente; rosa damascena, que, além de ser extraído através da destilação, é, a meu ver, o único que deveria ser utilizado pela aromaterapia medicinal.

As rosas búlgaras são famosas por produzir o melhor óleo destilado de rosa; no entanto, tal como ocorre com as folhas da melissa, há muito pouco óleo nas suas pétalas (as únicas partes utilizadas). O óleo de rosa é um produto realmente obtido pela destilação, e flutua na superfície altamente aromática e preciosa de sua água; sua produção é sempre o principal objetivo dos destiladores.

É bem provável que a rosa seja capaz de produzir uma quantidade muito maior de efeitos do que a já conhecida, por causa mesmo do seu admirável aroma, que sempre propicia à mente relaxamento e/ou ânimo. A ação do óleo de rosa sobre o aspecto espiritual da psique humana foi muito bem expressa por Madame Maury, a mulher que introduziu a aromaterapia na Inglaterra:

> (...) acima de qualquer outra capacidade da rosa, ela nos dá ensejo de cultivar algo essencial: o sentimento de bem-estar e felicidade; assim, quem estiver sob a sua influência desenvolverá uma amável tolerância.
>
> Maury, 1989

Propriedades

Grupo do sofrimento:
– analgésico, **equilibrante**, **calmante**, tônico digestivo, **cicatrizante**, cardiotônico, imunoestimulante, estimulante mental, **tônico nervoso**, sedativo.

- *Equilibrante.*
- *Calmante*: choque emocional.
- *Cicatrizante*: úlceras bucais, problemas cutâneos, entorses, feridas.
- *Tônico nervoso*: debilidade, depressão.

Grupo da raiva:
– anticatarral, **antiinflamatório**, antiespasmódico, **calmante**, carminativo (alivia a flatulência), **cicatrizante**, sedativo.

- *Antiinflamatório*: erupções cutâneas, gengivite.
- *Calmante*: choque emocional.
- *Cicatrizante*: úlceras bucais, problemas cutâneos, entorses, feridas.

Grupo do medo:
– antiespasmódico, cardiotônico, **calmante**, tônico digestivo, estimulante mental, **tônico nervoso**, tônico respiratório, sedativo.

- *Calmante*: choque emocional.
- *Tônico nervoso*: debilidade, depressão.

Grupo do ciúme:
– fungicida, antiviral, **cicatrizante**, desintoxicante, litolítico (dissolve as pedras).

- *Cicatrizante*: úlceras bucais, problemas cutâneos, entorses, feridas.

Grupo da culpa:
– analgésico, cardiotônico, **cicatrizante**, desintoxicante, descongestionante, tônico digestivo.

- *Cicatrizante*: úlceras bucais, problemas cutâneos, entorses, feridas.

Grupo da apatia:
– estimulante circulatório e/ou linfático, estimulante mental, tônico digestivo, **tônico nervoso**, regulador do sistema nervoso, tônico respiratório.

- *Tônico nervoso*: debilidade, depressão.

Grupo das mudanças de humor:
– **equilibrante**, semelhante ao hormônio.

- *Equilibrante.*

Grupo da timidez:
– cardiotônico, estimulante mental, **tônico nervoso**, estimulante circulatório, tônico respiratório.

- *Tônico nervoso*: debilidade, depressão.

Sálvia (*Salvia officinalis*)

> A sálvia é singularmente eficaz para a cabeça e o cérebro, pois aguça os sentidos e agiliza a memória.
>
> Gerard, 1545-1612

> Aquele que quer muito viver
> A sálvia em maio deve comer.
>
> Ditado medieval, citado em Grieve, 1998, pág. 701

O nome genérico da sálvia é oriundo da palavra latina *salvere*, que significa *salvar* ou *curar*. Não resta dúvida de que foram os seus poderes curativos que a tornaram célebre no transcorrer dos séculos, até porque seus atributos medicinais fizeram dela uma erva sagrada, desde uma época muito anterior ao nascimento de Jesus. A especificação *officinalis* denota que essa era a sálvia "oficial" dos boticários, ali pelos meados do século 18, época em que Lineu a nomeou dentre as muitas outras espécies (mais ou menos 700).

A sálvia é nativa dos países mediterrâneos, e tanto a Espanha como a França são os centros mais importantes de sua produção. Antes de ser destilado, o material colhido dessa planta é posto para secar, e a duração dessa secagem é a mesma da lavanda e da lavandinha, plantas que também precisam estar mais ou menos secas para serem destiladas.

> A sálvia propicia um excelente chá e, quando bebida diariamente durante as três semanas que antecedem o parto, auxilia o útero a preparar-se para esse momento; pelo fato de ser semelhante ao hormônio, ela também ajuda a reduzir os calores típicos da menopausa.
>
> Bourret, 1981

> A sálvia é extremamente valiosa para todas as dores de cabeça oriundas dos humores frios ou reumáticos, e também para todo tipo de dor nas juntas, quer sejam internas ou externas, sendo ainda capaz de aliviar o mal-estar, a letargia, a falta de ânimo e a paralisia, além de sua utilidade para o defluxo catarral da cabeça, e para as doenças peitorais.
>
> Culpeper, pág. 311

Atenção!

A sálvia é um emenagogo (capaz de induzir ou regularizar a menstruação) e por isso não deve ser usada nos primeiros cinco meses da gravidez; também tem a capacidade de secar o leite, sendo utilizada para eliminá-lo quando excessivo; portanto, não deve ser usada por quem está amamentando e possui um suprimento normal de leite. Entretanto, a sálvia sempre facilita o parto. (Ver *página anterior.*)

Propriedades

Grupo do sofrimento:
– **analgésico**, equilibrante, calmante, cardiotônico, **cicatrizante**, **tônico digestivo**, imunoestimulante, **tônico nervoso**, sedativo.

- *Analgésico*: angina, reumatismo, dor de dente.
- *Cicatrizante*: propriedades curativas em geral.
- *Tônico digestivo*: indigestão, perda de apetite, digestão indolente.
- *Tônico nervoso*: alopecia, debilidade geral, fragilidade nervosa, tremores, vertigem.

Grupo da raiva:
– **anticatarral**, antiinflamatório, **antiespasmódico**, calmante, carminativo (alivia a flatulência), **cicatrizante**, sedativo.

- *Anticatarral*: asma, bronquite, gripe, sinusite.
- *Antiespasmódico*: dismenorréia (menstruação dolorosa ou difícil).
- *Cicatrizante*: propriedades curativas em geral.

Grupo do medo:
– **antiespasmódico**, cardiotônico, calmante, **tônico digestivo**, estimulante mental, **tônico nervoso**, tônico respiratório, sedativo.

- *Antiespasmódico*: dismenorréia (menstruação dolorosa ou difícil).
- *Tônico digestivo*: indigestão, perda de apetite, digestão indolente.
- *Tônico nervoso*: alopecia, debilidade geral, fragilidade nervosa, tremores, vertigem.

Grupo do ciúme:
– **fungicida, antiviral, cicatrizante**, desintoxicante, litolítico (dissolve as pedras).

- *Fungicida*: Candida albicans.
- *Antiviral*: herpes genital, afta, enterite viral, meningite viral, neurite viral.
- *Cicatrizante*: propriedades curativas em geral.

Grupo da culpa:
– **analgésico**, cardiotônico, **cicatrizante, tônico digestivo, descongestionante**, desintoxicante.

- *Analgésico*: angina, reumatismo, dor de dente.
- *Cicatrizante*: propriedades curativas em geral.
- *Tônico digestivo*: indigestão, perda de apetite, digestão indolente.
- *Descongestionante*: linfa congestionada.

Grupo da apatia:
– **estimulante circulatório** e/ou **linfático, tônico digestivo**, estimulante mental, **tônico nervoso**, regulador do sistema nervoso, tônico respiratório.

- *Estimulante circulatório e/ou linfático*: circulação deficiente, linfa congestionada.
- *Tônico digestivo*: indigestão, perda de apetite, digestão indolente.
- *Tônico nervoso*: alopecia, debilidade geral, fragilidade nervosa, tremores, vertigem.

Grupo das mudanças de humor:
– equilibrante, **semelhante ao hormônio**.

- *Semelhante ao hormônio*: propicia a concepção, facilita o parto, menopausa, pré-menopausa, infertilidade.

Grupo da confusão:
– equilibrante (tônico e sedativo), cardiotônico, **descongestionante**, estimulante mental.

- *Descongestionante*: linfa congestionada.

Grupo da timidez:
– cardiotônico, **estimulante circulatório**, estimulante mental, **tônico nervoso**, tônico respiratório.

- *Estimulante circulatório*: circulação deficiente, linfa congestionada.
- *Tônico nervoso*: alopecia, debilidade geral, fragilidade nervosa, tremores, vertigem.

Grupo da divagação:
– **adstringente** (reduz as secreções), cardiotônico, sedativo.

- *Adstringente*: suor excessivo nas mãos ou nas axilas, suor noturno.

Grupo do retraimento:
– **anticatarral**, carminativo (alivia a flatulência), **tônico digestivo**.

- *Anticatarral*: bronquite crônica, sinusite.
- *Tônico digestivo*: indigestão, perda de apetite, digestão indolente.

Sálvia esclaréia (*Salvia sclarea*)

> Alguns produtores de cerveja colocam-na (a planta infundida) em suas bebidas para que estas fiquem mais intoxicantes; assim, conforme as diversas disposições do indivíduo, quem a beber poderá ficar eufórico ou bêbado, a ponto de cair no chão, ou então enlouquecido.
>
> Lobel

A sálvia esclaréia é freqüentemente confundida com a sálvia, apesar de ser uma planta inteiramente diferente dessa última, já que possui flores e folhas maiores, e pode alcançar um metro e meio de altura. Além disso,

OS ÓLEOS ESSENCIAIS DE A A Z 269

a esclaréia apresenta um aroma mais acentuado, o qual aliás nem sempre é apreciado pelas pessoas; contudo, nem por isso ela deixa de produzir um óleo de extremo valor para os problemas femininos. O termo *salvia* significa *saúde*, ao passo que o sentido de *sclarea* é *purificar*, na minha opinião, essa planta é tão boa quanto o significado do seu nome. A ação do óleo de sálvia esclaréia é poderosíssima, e por isso não deve ser ingerida nenhuma gota de álcool depois de utilizá-la, pois o efeito desse último será intensificado – o que não é nem um pouco indicado quando alguém quer dirigir!

Propriedades

Grupo do sofrimento:
– analgésico, equilibrante, **calmante**, digestivo, cardiotônico, cicatrizante, imunoestimulante, estimulante mental, **neurotônico**, sedativo

- *Calmante*: sistema nervoso parassimpático.
- *Neurotônico*: fadiga nervosa.

Grupo da raiva:
– anticatarral, antiinflamatório, **antiespasmódico**, **calmante**, carminativo (alivia a flatulência), cicatrizante, sedativo.

- *Antiespasmódico*.
- *Calmante*: sistema nervoso parassimpático.

Grupo do medo:
– **antiespasmódico**, cardiotônico, **calmante**, digestivo, estimulante mental, **neurotônico**, tônico respiratório, sedativo.

- *Antiespasmódico*.
- *Calmante*: sistema nervoso parassimpático.
- *Neurotônico*: fadiga nervosa.

Grupo do ciúme:
– **fungicida**, antiviral, cicatrizante, **desintoxicante**, litolítico (dissolve as pedras).

- *Fungicida*: infecções cutâneas causadas por fungos.
- *Desintoxicante.*

Grupo da culpa:
– analgésico, cardiotônico, cicatrizante, **desintoxicante, desconges-tionante**, digestivo.

- *Desintoxicante.*
- *Descongestionante*: menstruação difícil ou dolorosa.

Grupo das mudanças de humor:
– **equilibrante** (calmante e tônico), **semelhante ao hormônio.**

- *Equilibrante*: sistema nervoso.
- *Semelhante ao hormônio*: TPM, menopausa, calores.

Tomilho (doce) (*Thymus vulgaris* quimiotipo *geraniol* e *linalol*)

> A afeição das abelhas pelo tomilho é igual a tudo o que se diz sobre o maravilhoso mel do monte Himeto próximo de Atenas (...) a delícia do seu sabor é tanta, que doçura e tomilho sempre estavam indissoluvelmente unidos nas mentes dos escritores da Antiguidade.
>
> Grieve, 1998, pág. 809

O tomilho é uma plantinha que se desenvolve com muita rapidez. Embora sejam muitas as suas variedades, diversas delas são bem familiares aos jardineiros. Para a feitura do óleo essencial, utiliza-se apenas uma única espécie que possui pequeninas folhas em tom verde-profundo, que forma um gracioso arbusto inteiramente ramado. Seu desenvolvimento é mais abundante no sul da França.

Existem diversos quimiotipos de *Thymus vulgaris*, mas dois deles são extremamente poderosos para serem usados sem conhecimento prévio (sempre mencionados como tomilhos "vermelho" e "branco"), porque um dos seus principais componentes é o fenol. Contudo, os quimiotipos que são referidos como tomilhos "doces", cujo principal compo-

OS ÓLEOS ESSENCIAIS DE A A Z — 271

nente é o álcool, exercem uma ação bastante suave, que torna seu uso mais agradável.

O tomilho desenvolve-se a partir de sementes, além de ser sempre mencionado como uma "população" de tomilhos, porque contém uma grande variedade de componentes, incluindo fenóis e álcoois. As plantas são analisadas, de maneira que sejam isoladas as espécies com predominância de fenol e álcool, para depois serem plantados campos separados com tipos diferentes de tomilho. Como o óleo de tomilho mais encontrado no mercado é fenólico, ora contendo carvacrol, ora timol, quando você for comprar o óleo de tomilho doce, verifique se o seu quimiotipo está especificado como linalol ou geraniol.

Uma das vantagens do tomilho doce é que ele pode ser usado com segurança, especialmente nas crianças. Além disso, esse óleo possui uma longa lista de indicações, e muitas delas são bastante eficazes no tratamento das emoções.

Propriedades

Grupo do sofrimento:
– analgésico, equilibrante, calmante, cicatrizante, **cardiotônico**, tônico digestivo, **imunoestimulante**, estimulante mental, **tônico nervoso**, sedativo.

- *Cardiotônico*: coração cansado.
- *Imunoestimulante*: estimula a produção de células brancas.
- *Tônico nervoso*: fadiga, insônia nervosa.

Grupo da raiva:
– anticatarral, **antiinflamatório**, **antiespasmódico**, calmante, carminativo (alivia a flatulência), cicatrizante, sedativo.

- *Antiinflamatório*: bronquite, cistite, reumatismo muscular, dor de ouvido, uretrite, vaginite, eczema, psoríase.
- *Antiespasmódico*: espasmo bronquíolo.

Grupo do medo:
– **antiespasmódico**, cardiotônico, calmante, tônico digestivo, estimulante mental, **tônico nervoso**, tônico respiratório, sedativo.

- *Antiespasmódico*: espasmo bronquíolo.
- *Tônico nervoso*: fadiga, insônia nervosa.

Grupo do ciúme:
- **fungicida**, **antiviral**, cicatrizante, desintoxicante, litolítico (dissolve as pedras).

- *Fungicida*: Candida albicans.
- *Antiviral*: verruga, enterite viral, ataques constantes de vírus.

Grupo da culpa:
- analgésico, **cardiotônico**, cicatrizante, desintoxicante, descongestionante, digestivo.

- *Cardiotônico*: coração cansado.

Grupo da apatia:
- estimulante circulatório e/ou linfático, estimulante mental, tônico digestivo, **tônico nervoso**, regulador do sistema nervoso, tônico respiratório.

- *Tônico nervoso*: fadiga, insônia nervosa.

Grupo da confusão:
- equilibrante (tônico e sedativo), **cardiotônico**, descongestionante, estimulante mental.

- *Cardiotônico*: coração cansado.

Grupo da timidez:
- **cardiotônico**, estimulante mental, estimulante circulatório, **tônico nervoso**, tônico respiratório.

- *Cardiotônico*: coração cansado.
- *Tônico nervoso*: fadiga, insônia nervosa.

OS ÓLEOS ESSENCIAIS DE A A Z   273

Grupo da divagação:
– adstringente, **cardiotônico**, sedativo.

• *Cardiotônico*: coração cansado.

Ylang-ylang (*Cananga odorata*)

O óleo de ylang-ylang – cujo nome significa *flor das flores* – é obtido através da destilação das maravilhosas flores amarelas que são exibidas dos seus galhos. Quando as flores desabrocham, a princípio apresentam uma tonalidade verde, mas depois de 20 dias já estão inteiramente amarelas. Os melhores exemplares dessas plantas são cultivados em Madagascar e na Ilha Reunión. As flores desabrocham por todo o ano, mas as de melhor qualidade e que contêm uma quantidade maior de óleo são as do mês de maio; são sempre colhidas antes das dez horas, para que forneçam um bom produto.

O tempo de sua destilação é longo; por isso, existem diversas qualidades disponíveis, porque diferentes espécies do mesmo óleo são extraídas durante uma única destilação. Embora os melhores óleos para a indústria perfumista sejam sempre extraídos na primeira parte da destilação, pelo fato de a aromaterapia ser um tratamento holístico, prefiro aquele óleo que passou por todas as etapas do processo de destilação, porque nele todos os componentes estão presentes, a despeito de o seu aroma nem sempre ser tão exótico.

Embora o óleo de ylang-ylang não tenha uma função proeminente no tratamento das emoções, nem por isso seus efeitos deixam de ser interessantes (até mesmo na redução da pressão alta), talvez porque ele seja equilibrante. E ainda existe o fato de que quanto mais esse óleo é pesquisado, mais propriedades são encontradas.

Propriedades

Grupo do sofrimento:
– analgésico, **equilibrante**, **calmante**, cicatrizante, cardiotônico, tônico digestivo, imunoestimulante, estimulante mental, tônico nervoso, **tônico capilar**, sedativo.

- *Equilibrante*: calmante e tônico.
- *Calmante*: hiperventilação, insônia, taquicardia.
- *Tônico capilar*: estimula o crescimento dos cabelos.

Grupo da raiva:
– anticatarral, antiinflamatório, **antiespasmódico**, **calmante**, carminativo (alivia a flatulência), cicatrizante, sedativo.

- *Antiespasmódico*.
- *Calmante*: hiperventilação, insônia, taquicardia.

Grupo do medo:
– **antiespasmódico**, cardiotônico, **calmante**, tônico digestivo, estimulante mental, tônico nervoso, tônico respiratório, sedativo.

- *Antiespasmódico*.
- *Calmante*: hiperventilação, insônia, taquicardia.

Grupo da apatia:
– estimulante circulatório e/ou linfático, estimulante mental, tônico digestivo, tônico nervoso, **tônico capilar**, regulador do sistema nervoso, tônico respiratório.

- *Tônico capilar*: estimula o crescimento dos cabelos.

Grupo das mudanças de humor:
– **equilibrante**, semelhante ao hormônio.

- *Equilibrante*: calmante e tônico.

Grupo da confusão:
– **equilibrante** (tônico e sedativo), cardiotônico, descongestionante, estimulante mental.

- *Equilibrante*: calmante e tônico.

OS ÓLEOS ESSENCIAIS DE A A Z

Grupo da timidez:
– cardiotônico, estimulante mental, tônico nervoso, **tônico capilar,** estimulante circulatório, tônico respiratório.

• *Tônico capilar:* estimula o crescimento dos cabelos, tonifica o couro cabeludo.

Zimbro (*Juniperus communis*)

> As bagas (...) revigoram o cérebro e reforçam a visão, justamente porque fortalecem os nervos, e são também excelentes para os calafrios, além de servirem como auxílio nos casos de gota e ciática, e de robustecerem os membros do corpo.
>
> Culpeper, *Complete Herbal,* pág. 205

O arbusto do zimbro está sempre verdejante e nasce por toda a região mediterrânea. O óleo obtido através da destilação das bagas dessa planta é mais caro, porque possui propriedades ligeiramente diferentes do outro óleo que é extraído através da destilação do conjunto dos seus galhos, folhas e bagas. Mas esse último é o que está geralmente disponível no mercado, pois o primeiro é quase que exclusivamente reservado para dar sabor ao gim.

Além de ser um excelente anti-séptico, o óleo de zimbro é um estimulante dos rins (especialmente valioso nos casos de cistite), e também desintoxicante e purificante.

> As propriedades limpadoras do zimbro atuam com a mesma intensidade sobre os planos mental, emocional e físico. Seu óleo é então fisicamente purificante (...) e ao que parece, tal como faz com o corpo, ele também é capaz de "limpar" a mente.
>
> Davis, 1991, págs. 191-192

Atenção!

O óleo de zimbro não deve ser usado quando os rins estão inflamados ou doentes, porque poderá hiperestimular os sintomas.

Propriedades

Grupo do sofrimento:
– **analgésico,** equilibrante, calmante, cardiotônico, cicatrizante, **tônico digestivo**, imunoestimulante, estimulante mental, **tônico nervoso,** sedativo.

* *Analgésico*: artrite, dores musculares, reumatismo.
* *Tônico digestivo*: cirrose, perda de apetite.
* *Tônico nervoso*: debilidade, fadiga.

Grupo da raiva:
– **anticatarral, antiinflamatório,** antiespasmódico, calmante, carminativo (alivia a flatulência), cicatrizante, sedativo.

* *Anticatarral*: bronquite, rinite.
* *Antiinflamatório*.

Grupo do medo:
– antiespasmódico, cardiotônico, calmante, **tônico digestivo**, estimulante mental, **tônico nervoso,** tônico respiratório, sedativo.

* *Tônico digestivo*: cirrose, perda de apetite.
* *Tônico nervoso*: debilidade, fadiga.

Grupo do ciúme:
– fungicida, antiviral, cicatrizante, **desintoxicante, litolítico.**

* *Desintoxicante*: problemas cutâneos, rins, aparelho digestivo.
* *Litolítico*: pedras nos rins e na vesícula.

Grupo da culpa:
– **analgésico,** cardiotônico, cicatrizante, descongestionante, **desintoxicante, tônico digestivo.**

* *Analgésico*: artrite, dores musculares, reumatismo.
* *Desintoxicante*: problemas cutâneos, rins, aparelho digestivo.
* *Tônico digestivo*: cirrose, perda de apetite.

Grupo da apatia:
– estimulante circulatório e/ou linfático, **tônico digestivo**, estimulante mental, **tônico nervoso**, regulador do sistema nervoso, tônico respiratório.

- *Tônico digestivo*: cirrose, perda de apetite.
- *Tônico nervoso*: debilidade, fadiga.

Grupo da timidez:
– cardiotônico, estimulante mental, estimulante circulatório, **tônico nervoso**, tônico respiratório.

- *Tônico nervoso*: debilidade, fadiga.

Grupo do retraimento:
– **anticatarral**, carminativo (alivia a flatulência), **tônico digestivo**.

- *Anticatarral*: bronquite, rinite.
- *Tônico digestivo*: cirrose, perda de apetite.

Óleos Carreadores

Os óleos carreadores são aqueles nos quais é adicionado um óleo essencial para que seja efetuada a diluição. Para massagem, é importante que seja usado um óleo carreador também capaz de beneficiar o problema a ser tratado; contudo, para que os resultados sejam mais efetivos, é necessário que sejam usados apenas os óleos terapêuticos (isto é, obtidos pela extração a frio ou pela maceração), evitando-se portanto os tipos culinários.

Extração a frio

Os melhores óleos vegetais (de frutos ou sementes) são obtidos por meio de uma processadora hidráulica ou, no caso de sementes duras, de um gigantesco aparelho espremedor chamado de *expulsor* (Price, Price e Smith, 2000, pág. 7). O óleo que resulta desse método é denominado *óleo extraído a frio* porque nele se utiliza muito pouco calor. A polpa remanescente é enviada às fazendas, para servir de alimento ao gado, e às fábricas, que dela extraem uma certa quantidade de óleo através de altas temperaturas e às vezes de solventes, embora desse último processo resulte um óleo de qualidade inferior. Apesar de esses óleos serem classificados como apropriados para a comida, eles não o são para a aromaterapia, sobretudo quando há um tratamento de emoções; portanto, para uso da aromaterapia, procure *sempre* valer-se de um óleo extraído a frio.

Maceração

Emprega-se esse processo nas plantas que contêm pouca quantidade de óleo essencial, porque poderia haver uma elevação do seu preço se fosse destilado. Na maceração, a planta é picada e colocada dentro de um óleo carreador básico, normalmente de oliva ou de girassol, para depois ser deixada ao sol por vários dias; ao longo desse tempo, todos os componentes da planta (solúveis em óleo vegetal) são absorvidos por esse óleo básico. E o que resulta disso é um óleo carreador muito mais benéfico – nele podem ser também adicionados outros óleos essenciais para ser eficaz quanto ao problema a ser tratado.

Quando as emoções estão em questão, os óleos macerados parecem apresentar melhores efeitos, e isso porque eles sempre contêm um residual das propriedades voláteis das plantas que os produziram. Aqui procurei selecionar apenas os óleos que poderão ser particularmente benéficos para combater os problemas emocionais que requerem autoaplicação ou massagem.

Amêndoa (doce) (*Prunus amygdalis var. dulcis*), *extraída a frio*

> O óleo recém-extraído da amêndoa doce é um mitigador do sofrimento e de todas as formas de dor.
>
> Gerard, 1545-1612

Embora esse óleo extraído a frio seja um dos mais populares óleos de massagem, infelizmente a maioria das pessoas prefere comprar o óleo refinado, porque o preço do outro é mais caro. Contudo, é sempre melhor gastar um pouco mais, quando se quer ter uma qualidade extra.

A amendoeira é mencionada na Bíblia como um dos mais belos frutos da terra de Canaã, afora as muitas outras referências bíblicas a ela (Grieve, 1998 pág. 22). As amêndoas tornaram-se bastante populares na Inglaterra durante o reinado de Elizabeth I, sendo então utilizadas tanto na culinária como nos problemas de saúde. Seu óleo é benéfico para a pele, já que suaviza irritações como as da eczema e da psoríase.

Calêndula (*Calendula officinalis*), *macerada*

> Quando ingeridas em jejum, pela manhã, as conservas feitas com suas flores e açúcar curam os tremores do coração.
>
> Gerard, 1512-1612

Na língua inglesa, a expressão mais comum para essa planta é *ouro de Maria* (uma alusão à Virgem Maria e à gloriosa cor amarelo-ouro da planta); contudo, para que não houvesse confusão entre ela e o malmequer africano, passou-se a usar a primeira parte do seu termo latino como seu nome popular. Pelo fato de possuir diversas propriedades curativas, a calêndula vem sendo usada na cura pelos herbalistas, desde os tempos antigos.

Muitas pessoas a vêem como um tipo de mato, porque suas sementes se espalham sozinhas, e a planta se reproduz com muita rapidez. Quanto a mim, adoro tê-la no meu jardim (perto de minha casa, na França, há um campo enorme de calêndulas), pois utilizo suas pétalas nas saladas e nos chás. De acordo com Grieve (1998, pág. 518), costuma-se usar uma infusão de suas flores no tratamento das febres para provocar o suor, e esta autora ainda informa que a calêndula é excelente no combate às doenças infantis.

Erva-de-São-João (*Hypericum perforatum*), *macerada*

> Contra a melancolia e a loucura, recomenda-se uma tintura de suas flores adicionada ao vinho.
>
> Culpeper (1616-1654)

Andrew Chevallier narrou uma história, durante uma palestra que fez sobre a erva-de-são joão (hipericão), em meio à qual afirmou que qualquer erva capaz de lidar com os problemas físicos também é capaz de lidar com os distúrbios emocionais – no caso dessa erva, a depressão. De forma recíproca, uma planta usada para as depressões brandas – como a erva-de-são-joão – poderá também aliviar os seus sintomas físicos, o que sugere então que o hipericão pode ser um excelente óleo para carrear outros óleos essenciais, quando a auto-aplicação e a massagem estão sendo realizadas. Da mesma forma como alguns outros óleos essenciais, o óleo de erva-de-são-joão fortalece o corpo e com isso cria umas tantas facilidades para ele, pois serve de apoio aos seus sistemas que estão em desequilíbrio (Burrough, 1999).

> São tantas as virtudes dessa erva, que, se ela for colocada na casa de alguém, jamais irá aparecer qualquer sinal de fraqueza por ali.
>
> Anthony Ascham, ou Askham (seu nome é escrito de duas maneiras)

Flor de Tília *(Tilea cordata)*, *macerada*

> As flores de tília são usadas (...) em infusão ou sob a forma de água destilada nos remédios caseiros para indigestão, histeria, vômito nervoso e palpitação.
>
> Grieve, 1998, pág. 486

O jardim de nossa casa na França possui dois pés de limoeiro-doce (tília) que, quando estão floridos, sempre me dão a oportunidade de fazer deliciosos chás. Acredito que essa planta seja também um excelente repelente de insetos, pois quando as abelhas estão ocupadas com as suas flores (com exceção do período que vai do meio-dia às duas horas da tarde) os insetos nunca sobrevoam os cômodos que ladeiam o jardim, embora sejam sempre flagrados nos fundos da casa, justamente onde não há nenhum pé de tília plantado; no próximo ano, plantaremos também ali algumas de suas mudas.

Na França, existe uma grande indústria do chá da flor de tília (*tisane de tilleul* – *tilleul* é a palavra francesa para tília), que, além de ser extremamente relaxante, induz o sono, desde que ingerido antes de dormir. Uma outra indústria relevante desse país é a que produz o óleo macerado dessa planta.

Girassol (*Helianthus annuus*)

Os girassóis, que alcançam uma altura significativa, em curto espaço de tempo, estão sempre evocando em mim a lembrança do Sol no espaço celeste (*helios* é o termo grego para sol). As sementes dessas flores gigantescas atingem um peso relevante, e delas é obtido o óleo. Embora seu óleo extraído a frio seja difícil de ser encontrado, vale a pena qualquer esforço para adquiri-lo, sobretudo quando se quer usufruir os benéficos efeitos terapêuticos que não estão presentes no seu óleo refinado.

O óleo de girassol é excelente para combater os problemas cutâneos e as equimoses (Price, Price e Smith, 2000, pág. 139), além de ser eficiente em casos de pele oleosa e acne (Reynolds, 1993).

Melissa (*Melissa officinalis*), *macerada*

> A ação da melissa é soberba para o cérebro, pois fortalece a memória e combate poderosamente a melancolia.
>
> John Evelyn, 1620-1706, um dos fundadores da Royal Society

O óleo de melissa também está disponível no mercado sob a forma macerada. Se levarmos em conta as propriedades dessa erva, chegaremos à conclusão de que seu óleo é um excelente carreador, pois suas propriedades calmantes, sedativas e digestivas apropriadas para as emoções que requerem tais atributos serão sempre um ótimo benefício adicional. E uma outra vantagem do óleo de melissa macerada está no seu preço baixo!

Tamanu (*Calophyllum inophyllum*), *extraído a frio*

> O tamanu se desenvolveu no sudeste tropical da Ásia e na Polinésia, mas se naturalizou no Havaí e também tem medrado em Madagascar.
>
> Price, Price e Smith, 2000, pág. 143

A árvore ornamental do tamanu é maravilhosa, por causa de suas folhas verdes deslumbrantes; de fato, na língua grega, *calophyllum* significa *folha maravilhosa*. Seu óleo extraído a frio sempre ostenta uma rica coloração; por isso mesmo, quando apresenta uma tonalidade pálida, ele é refinado, e portanto inadequado para a aromaterapia.

Essa planta é tradicionalmente usada no sul do Pacífico por suas propriedades analgésica, antiinflamatória e curativa; mas também tem a reputação de ser imunoestimulante (Schnaubelt, 1993).

Propriedades

Estão descritas abaixo as propriedades dos óleos carreadores benéficos para as emoções primárias; para uma referência mais completa dos problemas amenizados por eles, veja a tabela logo a seguir.

Grupo do sofrimento:
– analgésico, equilibrante, calmante, cardiotônico, cicatrizante, tônico digestivo, imunoestimulante, estimulante mental, tônico nervoso, sedativo.

- *Calêndula* (macerado): antiinflamatório, cicatrizante.
- *Flor de Tília* (macerado): analgésico, calmante.
- *Erva-de-São-João*: cicatrizante.
- *Girassol*: cicatrizante.
- *Tamanu*: analgésico, cicatrizante, imunoestimulante.

OS ÓLEOS ESSENCIAIS DE A A Z

Propriedades e Indicações dos Principais Óleos Fixadores (Carreadores)
Ver o texto principal para mais detalhes

T = uso tradicional
X = uso externo
I = uso interno

Colunas do grupo "Pele e Cabelo": Analgésico a Rugas, pele envelhecida. Grupo "Outros": Ansiedade, estresse; Nevralgia.

Óleo (Carreador)	Analgésico	Antiinflamatório	Antiirritante	Antiespasmódico	Antiviral	Asma	Adstringente	Queimaduras	Irrupções, pele enrugada	Cicatrizante (curativo)	Pele seca, calvície	Eczema, dermatite	Emoliente	Hemorroidas	Psoríase	Entorse / equimose	Pele frágil	Queimaduras solares	Úlceras	Varicoses, veias arrebentadas	Feridas, chagas	Rugas, pele envelhecida	Ansiedade, estresse	Nevralgia
Amêndoa doce — *Prunus amygdalis var. dulis*	X	X	X								X	X	X		X			X						
Calêndula — *Calendula officinalis* (macerado)		TX		TI			T	T	X	TX		X				TX			T	TX	TX			
Flor de Tília — *Tilia europaea, T. cordata* (macerado)	X		X	I									X									X	TX	
Melissa — *Melissa officinalis* (macerado)		X		X	X																			
Erva-de-São-João — *Hypericum perforatum* (macerado)		X			I			X		T		X	X	X		TX	X	X	TX		TX		TI	X
Girassol — *Helianthus annus*					X									X	X	X			X					
Tamanu — *Calophyllum inophyllum*	TX	TX						T	X	T					X									X

284 AROMATERAPIA E AS EMOÇÕES

Grupo da raiva:
– anticatarral, antiinflamatório, antiespasmódico, calmante, carminativo (alivia a flatulência), cicatrizante, sedativo.

- *Amêndoa*: antiinflamatório.
- *Calêndula (macerado)*: antiinflamatório, antiespasmódico, cicatrizante.
- *Flor de Tília (macerado)*: calmante.
- *Erva-de-São-João*: antiinflamatório, cicatrizante.
- *Girassol*: cicatrizante.
- *Tamanu*: antiinflamatório, cicatrizante.

Grupo do medo:
– antiespasmódico, cardiotônico, calmante, estimulante mental, tônico digestivo, tônico nervoso, tônico respiratório, sedativo.

- *Calêndula (macerado)*: antiespasmódico.
- *Flor de Tília (macerado)*: calmante.

Grupo do ciúme:
– fungicida, antiviral, cicatrizante, desintoxicante, litolítico (dissolve as pedras).

- *Calêndula (macerado)*: cicatrizante.
- *Erva-de-São-João*: cicatrizante.
- *Girassol*: antiviral, cicatrizante.
- *Tamanu*: cicatrizante.

Grupo da culpa:
– analgésico, cardiotônico, cicatrizante, desintoxicante, descongestionante, digestivo.

- *Calêndula (macerado)*: cicatrizante.
- *Flor de Tília (macerado)*: analgésico.
- *Erva-de-São-João*: cicatrizante.
- *Girassol*: cicatrizante.
- *Tamanu*: cicatrizante.

Conclusão

Ao se fazer uso dos óleos essenciais para o problema emocional ou físico de uma pessoa, é fundamental que se conheça antes o caráter dela (se a sua opção é de auto-ajuda, ninguém seria melhor do que você mesmo para se conhecer a si próprio!). Mas também é importante haver um conhecimento do "caráter" dos óleos essenciais escolhidos (ou dos óleos carreadores, se esses fizerem parte de sua escolha). Para o tratamento daquelas emoções que habitam em seu íntimo por muito tempo, sugiro que você "resida" em companhia do óleo ou dos óleos de sua escolha por mais ou menos uma semana, para que lhe seja possível "vivenciar" melhor essa sua seleção e assim descobrir qual ou quais deles possuem de fato os efeitos que lhe serão mais benéficos.

9 Métodos de uso

Como foi dito no Capítulo 1, a aromaterapia não se limita a ser uma "massagem que faz uso dos óleos essenciais", pois ela é, de fato, *muito* mais que isso. Aliás, se essa interpretação equivocada fosse verdadeira, seria realmente uma perda de tempo qualquer outro procedimento de sua parte para problemas como dores de cabeça, gripes, tosses e diversos outros males que demandam uma ação imediata.

Para uma melhor eficácia dos óleos essenciais, é necessário que eles sejam absorvidos pela corrente sangüínea para que possam, efetivamente, beneficiar a totalidade do corpo através de um percurso por todos os seus recantos. Os óleos essenciais passam (ou são "carreados") pelo corpo, da seguinte maneira:

- Inalação – trata-se do método mais rápido, porque nele são utilizadas as vias do cérebro e dos pulmões, as duas vias principais (já discutidas em detalhes no Capítulo 3). Sem sombra de dúvida, esse é o método mais eficiente para o uso dos óleos essenciais que ajudam a aliviar ou liberar as emoções, especialmente em casos de pânico, choque, medo antecipado (exames, dentista), etc.
- Internamente – de ação também rápida, embora aqui seja preciso conhecimento, além de extremo cuidado, e de preferência estar sob a direção de um aromaterapeuta que tenha bastante experiência nesse campo (ou seja, um verdadeiro aromaterapeuta, ver *Endereços Úteis*).
- Aplicação na pele – apesar de esse método ser bem mais lento que os outros dois, ele é valiosíssimo, quando o relaxamento corporal é de suma importância.

As três vias citadas precisam ter um "veículo" (chamado *carreador*) para transportar o óleo essencial pela corrente sangüínea. Além disso, os óleos nunca devem ser utilizados na sua forma concentrada, exceto sobre a pele e em situações de emergência, tais como contusões, queimaduras, picadas de inseto, ferimento, e erupções; nesses casos, devem ser usados apenas os óleos específicos, como o de lavanda, eucalipto da ravina (somente o *E. smithii*, e não o *E. globulus*), manjerona ou tomilho. (*Ver Capítulo 8.*) Excetuando a inalação (na qual o próprio ar é o carreador), nos demais métodos os óleos essenciais devem ser misturados com algum tipo de óleo carreador, como a água ou o óleo vegetal, conforme será detalhado mais abaixo.

Os óleos essenciais são basicamente sinérgicos (termo de origem grega: *syn* = junto, e *erg* = trabalho). Assim, cada óleo essencial constitui em si mesmo uma mistura sinérgica na qual todos os componentes químicos trabalham em conjunto para obter um efeito final, que é sempre maior do que o obtido de componentes individuais juntos adicionados (Low, Rawal e Griffin, 1974) – uma outra razão para que sejam usados apenas os óleos essenciais não-falsificados. Daí se conclui que o efeito de dois ou três óleos essenciais combinados é maior do que a soma dos seus efeitos individuais, o que não só acrescenta benefícios a mais para a saúde do corpo e da mente, como também possibilita a criação de um aroma mais agradável.

Escolha Sinérgica dos Óleos Essenciais

Utilize este capítulo como um auxílio para fazer uma verdadeira seleção sinérgica dos óleos essenciais; quando houver sofrimento, por exemplo, você vai precisar do aroma do óleo de bergamota para enfrentá-lo, porque ele possui seis propriedades dentre as dez necessárias para o combate a essa emoção: equilibrante, calmante, cicatrizante, digestivo, neurotônico e sedativo. Mas você vai precisar ainda de um outro óleo (ou óleos) que complete as quatro propriedades restantes, para realizar uma boa sinergia. E, nesse caso, o óleo de alecrim poderá prover as propriedades analgésica, cardiotônica, imunoestimulante e estimulante mental, já que ele é um dos melhores para todo tipo de emoção, embora o óleo de olíbano também seja um imunoestimulante bastante eficaz.

Pingue uma gota de cada óleo num chumaço de algodão, e depois faça um teste do aroma; se você não apreciá-lo, adicione uma gota de

METODOS DE USO

algum óleo que seja mais do seu agrado, ou mesmo de um outro óleo do grupo do sofrimento, cujo perfume lhe seja mais agradável. Quanto mais esforço houver de sua parte para descobrir a mistura sinérgica ideal, melhores serão os resultados!

Criando uma Mistura de Óleos Essenciais Puros

Se você decidir usar dois ou mais óleos sobre uma base regular, será muito mais simples misturá-los num pequeno vidro que contenha um conta-gotas. A partir daí, você poderá utilizar a quantidade de gotas que forem necessárias, independentemente do método empregado, em vez de estar sempre retirando-as de diversos vidros. Se você achar, por exemplo, que quatro gotas de alecrim somadas a duas gotas de bergamota e mais duas de lavanda irão proporcionar-lhe os efeitos desejados, acrescente simplesmente um zero em cada um desses números de gotas (40 + 20 + 20), ou então mude o número de gotas para mililitros (4,2 e 2ml), caso você tenha um medidor. E depois é só colocar um rótulo no vidro!

Darei a seguir todos os métodos e carreadores que poderão ser empregados com os óleos essenciais, para que você possa utilizá-los sem nenhuma dúvida quando estiver passando por problemas físicos ou emocionais. Embora a inalação (independentemente de como é feita) seja capaz de oferecer um alívio emocional mais imediato, nem por isso os banhos, os chás e as aplicações (tanto por você mesmo como por alguém que lhe aplique uma massagem) deixam de ser métodos excelentes para os problemas emocionais. E aqui é bom lembrar que qualquer método capaz de transportar os óleos pela corrente sangüínea será sempre benéfico!

Ar

Quando você inala os óleos essenciais de um chumaço de algodão ou de algum cômodo no qual eles foram vaporizados, esses óleos concentrados não percorrem sozinhos por seu nariz, pois eles estão num carreador; além disso, o ar do ambiente transporta as pequeninas moléculas através de seu nariz, na medida em que você respira. O nariz é o único órgão com acesso direto ao cérebro – o responsável pelos nossos sentimentos e ações –, e esse fato torna o efeito dos aromas, por intermédio da inalação, excepcionalmente importante.

Chumaço de Algodão

Para que você possa tirar o máximo proveito desse método, pingue de três a seis gotas de óleo sobre um chumaço de algodão, segurando-o bem próximo do seu nariz, e depois inale-o profundamente por três vezes. Se você ou alguma criança da casa tiver dificuldades para dormir, coloque um chumaço de algodão embebido com algumas gotas de óleo essencial debaixo do travesseiro.

Vaporizador

Pingue de seis a oito gotas de óleo, junto a uma colher de sopa com água (a medida é mais ou menos essa, dependendo do tamanho do recipiente), no recipiente de um vaporizador – prefiro não chamá-lo de queimador, porque esse termo evoca um aroma desagradável. Aliás, quando o vaporizador é usado sem água, tal inconveniente acaba acontecendo, porque as moléculas leves do óleo essencial evaporam, deixando as moléculas pesadas que sobram no recipiente, produzindo um odor desagradável de queimado.

Potpourri

Adicione de 8 a 12 gotas de óleo essencial em algumas pétalas de flores frescas ou secas que estejam em um recipiente com tampa. Sacuda bem e deixe descansar por uma ou duas horas; depois dê uma última sacudidela e transfira as pétalas para um bonito prato. Embora o tempo de duração desse tipo de aroma não tenha a mesma extensão daquele produzido pelo perfume artificial, ele é muito melhor para a saúde, e ainda tem a vantagem de permitir que se recoloquem as pétalas dentro do recipiente para refazer o mesmo processo com algumas gotas a mais de óleo essencial.

Mãos

Em caso de emergência, como no pânico ou no choque, pingue uma ou duas gotas de óleo na palma de uma das mãos e depois esfregue-a na outra, colocando-as o mais próximo que puder do seu nariz, mas tomando a precaução para não pô-las muito perto dos olhos. E inale profundamente por uma ou duas vezes.

Água

Os efeitos produzidos pelos óleos essenciais colocados na água quente são sempre duplicados, porque o calor libera as moléculas aromáticas com maior rapidez. Mas a rota tomada pelos óleos para alcançar a circulação sangüínea vai depender do método de uso escolhido, de acordo com a seleção que se segue.

Uso Externo

Banhos

No banho, respiram-se as moléculas do óleo essencial liberadas pelo vapor, usando-se o ar como carreador; simultaneamente a isso, as moléculas que restam na água são transportadas para a pele de qualquer que seja a parte do corpo que esteja em contato com ela. Prepare então o seu banho com esmero e tome a precaução de não deixar a água esquentar em demasia, porque assim você não vai conseguir entrar dentro dela; além disso, o óleo essencial poderá evaporar com muita rapidez na direção do teto, sem quase deixar sobras dele para o banho. Use, ao todo, de seis a oito gotas de óleo essencial (talvez três de cada um de dois óleos, ou 3 + 2 + 2 de três óleos). Os óleos podem ser adicionados ao banho das diversas maneiras expostas a seguir, mas isso só deve ser feito depois que você já tiver optado por uma temperatura da água que lhe seja mais reconfortante:

- pingue-os diretamente na água do banho, lembrando-se de agitá-la para que as gotas se misturem;
- primeiro dissolva-os num pouco de mel ou creme e depois adicione essa mistura ao banho, agitando muito bem a água;
- misture-os com um pouco de leite em pó, até obter uma pasta, e depois acrescente-os ao banho, sem se esquecer de agitar a água;

292 AROMATERAPIA E AS EMOÇÕES

- junte-os em uma colher de chá de óleo vegetal, e depois leve essa mistura ao banho, lembrando-se de agitar a água. Particularmente, não gosto desse método, porque as bordas da banheira ficam engorduradas, e ela acaba ganhando um aspecto desagradável, quando não é lavada imediatamente com detergente após cada banho.

Banho para os Pés e para as Mãos

Esse banho é ideal para mãos e/ou pés que sofrem de reumatismo. Ponha de quatro a seis gotas de óleo na água quente, seja para os pés ou para as mãos, e mantenha perto uma chaleira de água fervente, para adicionar ao banho, na medida em que a sua água for esfriando. Esse método poderá também servir de ajuda para outros problemas, incluindo os emocionais e as dores de cabeça, porque tanto nas mãos como nos pés existem inúmeros pontos de reflexo. E aqui também é preciso agitar muito bem a água, antes de emergir os pés ou as mãos, para que os óleos sejam completamente distribuídos.

Banhos de Assento

Os banhos de assento são extremamente úteis para as hemorróidas, e ainda para o pós-parto e para a *Candida albicans*. Ponha de três a quatro gotas dos óleos essenciais apropriados na água quente de uma bacia ou do bidê e sente-se sobre esse líquido por uns 10 minutos; aqui, você também pode manter uma chaleira de água fervente à mão, para aquecer a água do banho quando for necessário.

Compressas

As compressas são sempre bem-sucedidas em inúmeros problemas: picadas de inseto, artrite nas juntas, dores menstruais ou estomacais, dores de cabeça, veias varicosas, etc. Em primeiro lugar, você deve decidir se a compressa será quente ou fria; no entanto, ela deve ser fria, em caso de inflamação ou febre, e quente, em caso de dor. Use um pedaço de pano de fibra natural (os lenços de algodão e as toalhas de linho são ideais), que seja grande o bastante para cobrir a área a ser tratada. O tamanho do recipiente, onde estará a mistura de água e óleos essenciais que será embebida no pano, deve ser proporcional ao tamanho da área atingida (por exemplo, uma pequena xícara de café é o bastante para uma compressa que será posta sobre um dedo). Adicione os óleos essenciais em uma quantidade suficiente de água, de maneira que nela possa ser mergulhada a compressa, e ajuste o número de gotas de acordo com o tamanho da área a ser tratada, como, por exemplo:

- 2 gotas para um dedo;
- 8 gotas para uma dor abdominal.

Agite o líquido para dispersar os óleos e depois mergulhe delicadamente o pano no recipiente, até absorver por inteiro o líquido (caso você tenha exagerado na quantidade desse líquido, torça ligeiramente o pano). Coloque então a compressa sobre a área problemática, mantendo-a nessa região, com o auxílio de uma tira de esparadrapo. No caso de uma compressa quente, cubra o esparadrapo com um lenço aquecido ou uma bolsa térmica; no caso de uma fria, coloque um saco de gelo picado sobre o esparadrapo, trocando-o quando for necessário. Para que a compressa fique corretamente mantida nas áreas da perna ou do braço, o recurso ideal é usar uma meia ou uma tipóia. Por fim, deixe a compressa sobre a área afetada durante uma ou duas horas (e por toda a noite, em casos de assepsia).

Bacia de Água Quente

Esse método é útil para resfriados, tosses e vias respiratórias bloqueadas. Pingue duas ou três gotas dos óleos essenciais apropriados numa bacia de água quente; aqui, a pouca quantidade de gotas deve-se ao fato de que o calor da água acelera a evaporação dos óleos, fazendo com que o aroma fique extremamente forte (mantenha então os seus olhos bem fechados), embora isso dure por curto espaço de tempo. E se você usar uma quantidade maior de gotas, especialmente de hortelã-pimenta ou de eucalipto, a intensidade do aroma poderá lhe fazer tossir.

Spray

Se você não tem um vaporizador, mas possui um borrifador de plantas, utilize-o no seu quarto. Coloque água quente até a metade do borrifador, caso você queira um efeito mais rápido, depois acrescente de 8 a 12 gotas dos óleos essenciais. E agite muito bem antes de borrifar.

Uso Interno

Para que os óleos essenciais sejam ingeridos sem quaisquer problemas, é vital que tenham sido destilados ou extraídos a frio, e que também possuam uma qualidade terapêutica comprovada (as resinas e os absolutos não devem ser usados). Afora isso, pelo fato mesmo de que existem muitos óleos duvidosos no mercado, torna-se difícil recomendar o seu uso interno. Portanto, qualquer decisão a esse respeito ficará por sua conta e responsabilidade, já que os aromaterapeutas não costumam prescrever os óleos para uso interno, a não ser que tenham absoluta certeza com relação à sua qualidade e procedência. Contudo, darei a seguir dois modos dessa forma de uso, somente aplicáveis com óleos essenciais de indiscutível *qualidade terapêutica* (os que são realmente orgânicos e não foram adulterados).

Bochechos e Gargarejos

O gargarejo é um excelente método para ser empregado nos problemas de garganta e nas gripes localizadas no peito. No caso de úlceras bucais, basta bochechar a mistura apropriada de óleos, movimentando o líquido de um lado para o outro da boca. Pingue de duas a três gotas dos óleos selecionados em meio copo de água, e depois faça o gargarejo (ou o bochecho) por algum tempo, sem deixar de cuspir o líquido no final. Antes do primeiro gole para bochecho ou gargarejo, deve-se mexer o líquido do copo, para que o óleo não fique boiando na superfície da água.

Bebidas

Serão expostas, a seguir, algumas idéias para o fabrico de chás e águas aromatizadas com óleos essenciais (ao usar a água, agite-a bem e deixe-a descansar por algumas horas, tornando a agitá-la toda vez que utilizá-la):

MÉTODOS DE USO

- A adição de duas ou três gotas do óleo essencial de laranja ou de limão em um litro de água dá a essa um sabor bastante agradável, sobretudo para quem não gosta do "sabor" da água.
- Se você fizer uma viagem a um país muito quente, leve consigo um vidro de óleo essencial de erva-doce, e pingue de duas a três gotas no litro de água que for beber; isso também manterá seu estômago tranqüilo.
- Caso você esteja se esforçando arduamente para emagrecer, faça uso de duas a três gotas do óleo de toranja (ou uma de erva-doce mais duas de toranja) em um litro de água; isso deve ser acompanhado por uma dieta apropriada.

O óleo de bergamota é utilizado para dar sabor ao chá comercial Earl Grey; portanto, o mesmo pode ser feito com o seu chá (costumo usar o chá-preto sem tanino como base). Para uma lata com 250 gramas de folhas de chá, ponha seis a oito gotas de óleo essencial, sacudindo-as vigorosamente, de 10 em 10 minutos, por algumas horas; deixe a mistura descansar ao longo de uma noite; depois faça o seu chá como de costume. Se mesmo assim o aroma ainda não estiver forte, repita o processo com mais duas ou três gotas de óleo. Aliás, esse chá fica mais gostoso (e melhor para a saúde) sem a adição de leite.

Atenção! Não deixe que nenhuma gota de óleo essencial seja pingada diretamente na xícara de chá, porque dessa forma o gosto não fica forte, e o óleo não se mescla por inteiro.

Sempre recomendo os chás acompanhados de óleos essenciais para os meus clientes, porque assim se obtém um tipo de chá que possui uma variedade de sabores, e também serve de ajuda à saúde física e emocional. O óleo de limão pela manhã, por exemplo, assegura vigor para que se enfrente o dia, ao passo que o óleo de camomila, pela noite, garante um sono tranqüilo. Além de tais vantagens, os vidrinhos de óleos essenciais ocupam muito menos espaço do que várias latas ou caixas de chás com sabores diferentes, que acabam custando mais caro!

Esse método é bastante útil para os problemas emocionais, sobretudo para aqueles persistentes. Assim, para a indigestão e outras desordens digestivas, como a constipação e a diarréia, uma xícara de chá por duas ou três vezes ao dia será sempre muito mais agradável do que qualquer comprimido. Os problemas do aparelho urinário, como, por exemplo, a cistite, também reagem favoravelmente aos chás. Segundo algumas pessoas que conheço, os chás servem de ajuda para esses problemas, e também são excelentes para a insônia e a dor provocada pela artrite. Contudo, se você recorrer a esse método, nunca se esqueça de usar apenas os óleos essenciais com qualidade terapêutica comprovada e boa procedência – jamais use os absolutos e as resinas.

Aplicação na Pele

Óleos vegetais

Os óleos vegetais são os carreadores mais empregados para esse propósito, porque os óleos essenciais se dissolvem rapidamente neles. Existe uma grande variedade desses óleos no mercado, e todos são benéficos para a pele. Mas não faça uso dos óleos minerais (e tenha cuidado com alguns óleos infantis), porque, embora façam a proteção da pele quando a isolam de misturas externas (como a urina, isolada pelas fraldas dos bebês), eles não se integram nos óleos essenciais.

Apesar de muita gente usar os óleos vegetais nas auto-aplicações e por vezes nos banhos (ver *Banhos*, pág. 291), esses carreadores são muito mais apropriados para as massagens, pois elas requerem um movimento contínuo e prolongado sobre o corpo.

Serão necessários de 10 a 20ml de óleo vegetal para massagear o corpo inteiro, embora essa medida dependa do tamanho e da quantidade de pêlos de quem recebe a massagem. Depois de resolver a questão dessa dosagem, você deve adicionar de quatro a oito gotas do óleo essencial selecionado, e essa quantidade de gotas também vai depender do tamanho de quem recebe o tratamento. Por isso, será sempre melhor colocar uma quantidade menor, pois não haverá nenhuma perda, se todo o óleo for utilizado, ao contrário do excesso, que acaba não tendo nenhuma valia.

Se você vai misturar uma grande quantidade de óleo para massagens, pingue de 30 a 40 gotas dos óleos essenciais escolhidos dentro de um vidro de 100ml, e depois acrescente o óleo vegetal (ou os óleos) de sua preferência, deixando dois centímetros de espaço entre o conteúdo e a tampa do vidro. Tampe-o com firmeza e cole um rótulo nele com os dados da receita, as indicações para as quais se destina o seu auxílio, e a data. Assim, se ele for necessário no futuro, você não terá problemas para lembrar-se de sua ação.

Atenção! Ao usar o óleo vegetal para aplicação, molhe apenas as pontas dos seus dedos, sem o despejar sobre a palma da mão. E depois aplique-o sobre a área afetada, repetindo o mesmo processo, se precisar de mais óleo; esse procedimento impedirá que você gaste mais óleo do que o necessário.

Loção

Ao fazer uso dos óleos essenciais nas auto-aplicações, misture-os com uma loção-base não gordurosa, em vez de se valer do óleo vegetal. Isso porque, ao contrário desse óleo quando aplicado excessivamente, a loção tem a vantagem de não manchar as roupas, e de desaparecer do corpo em poucos segundos, além de deixar a pele macia e sem nenhum resquício de gordura.

Para os problemas emocionais – tais como estresse, depressão, artrite e bronquite – é sempre bom preparar uma grande quantidade de carreador, independentemente de esse ser um óleo para massagem ou uma loção para auto-aplicação. Para um vidro de 100ml serão necessárias 30 a 40 gotas dos óleos essenciais escolhidos (como se fosse para um óleo de massagem). Entretanto, o método para essa mistura será diferente.

Dessa vez, você deve colocar primeiro um pouco do carreador no vidro, enchendo somente três quartos dele com a loção. Depois adicione os óleos essenciais de sua preferência e agite bem. Por fim, acrescente o restante da loção, deixando um espaço de dois centímetros entre o conteúdo e a tampa do vidro, para lhe permitir dar uma boa e última sacudidela no conteúdo, de maneira a distribuir uniformemente os óleos essenciais.

Creme

Você também pode adicionar os óleos essenciais em algum creme, desde que este seja natural e não tenha nenhum perfume. (Ver *Endereços Úteis para produtos.*) Dessa forma, sem que seja preciso aplicar um produto extra, aliviam-se mais facilmente sintomas, tais como sinusites crônicas ou dores de cabeça persistentes, ao mesmo tempo que se cuida da face e do pesco-

AROMATERAPIA E AS EMOÇÕES

ço. Para o creme que será usado diariamente durante um longo período, coloque apenas três gotas de óleo essencial em 30ml de creme.

Estocando os Óleos Essenciais e os Carreadores

Quando as condições de estocagem são mantidas em perfeitas condições, o prazo de duração dos óleos essenciais acaba sendo muito maior. E para isso coloque-os:

- em vidros marrons;
- em lugares frescos;
- sem nunca deixar ar nos vidros.

Desde que seja observado esse procedimento, os óleos essenciais podem durar cerca de seis anos, embora alguns óleos permaneçam em perfeitas condições depois de 30 e 40 anos (isso, sem nenhum ar no vidro). No entanto, o mais provável é que depois de seis anos já não sobre nenhum óleo no vidro; por isso, ninguém deve se preocupar com a sua validade, embora a data de engarrafamento deva constar no rótulo.

Os óleos oriundos das cascas de frutos cítricos possuem uma vida muito curta, porque não são destilados; nesse caso, é importante seguir as regras de estocagem! Embora seja possível mantê-los na geladeira, as ceras (que não estão presentes nos óleos destilados) podem se precipitar. Talvez isso faça com que o óleo fique opaco, sem no entanto alterar o seu efeito terapêutico.

Quando os óleos essenciais são misturados com óleos ou loções carreadoras, a vida do produto final acaba tendo o mesmo limite de vida do agente carreador, e com isso as regras de estocagem em relação à luz, ao calor e à vedação tornam-se muito mais relevantes.

- As qualidades de conservação do óleo vegetal limitam-se a um período de 12 meses; nessa ocasião, em geral o óleo vegetal torna-se rançoso, sem acarretar com isso um enfraquecimento do efeito do óleo essencial, embora seu aroma passe também a assumir uma característica notadamente rançosa.

MÉTODOS DE USO

- As qualidades de conservação da loção natural (ver *Endereços Úteis*) mantêm-se por um período idêntico ao do óleo essencial puro – mais ou menos seis anos –, desde que ela seja conservada em condições corretas.

Atenção! Nunca deixe o vidro de um óleo essencial puro sobre uma superfície polida ou esmaltada (ou sobre certos tipos de plástico, como aquele do qual são feitas as caixas da fita cassete), porque tais materiais podem reagir às substâncias do óleo e danificá-lo.

Conclusão

Os métodos expostos neste capítulo são relativamente simples e solicitam apenas um pequeno esforço por parte de quem os emprega. Contudo, não será por isso que nos iremos esquecer do papel importante que a participação ativa desempenha em todo processo de cura (de qualquer espécie de doença), sobretudo quando os problemas são emocionais, porque o poder da mente focaliza-se sobre o aspecto curativo; dessa forma, qualquer processo de cura torna-se acelerado.

Devo enfatizar ainda que a ingestão dos óleos essenciais como remédios só deve ser realizada sob a direção de um profissional qualificado.

Epílogo

Você deve ter dado muitas respostas emocionais a este livro no decorrer de sua leitura – afinal, não há quem não seja suscetível aos sentimentos; além disso, todos nós somos diferentes, e ninguém é imutável. Talvez você não tenha concordado com alguns dos meus pensamentos e de minhas teorias, e por isso mesmo deve ter pensado nas possíveis outras propriedades dos óleos essenciais que seriam capazes de auxiliar melhor as emoções ilustradas por mim (da mesma forma que eu, depois de ter lido este livro já editado, mas esses ajustes terão que esperar pela segunda edição!). Apesar de tudo, creio que você se divertiu ao lê-lo, tal como me diverti ao escrevê-lo.

Referências

Capítulo 1

"Human emotion: emotions and adaptation". 1996. *Encyclopaedia Britannica*, Inc. CD ROM.

Borysenko, J. 1988. *Minding the Body, Mending the Mind*. Bantam, Toronto: 176-177.

Bradburn, N. M. 1969. *The Structure of Psychological Well-being*. Aldean, Chicago.

Gerber, R. 1988. *Vibrational Medicine*. Bear & Co., Santa Fé, CA: 470.

Grounds, V. C. 1999. *Whose Business? Our Daily Bread*. RBC Ministries, Michigan, Vol. 44, 4: 5 de julho.

Hay, L. L. 1988. *You Can Heal Your Life*. Eden Grove Editions, Londres.

Knasko, S. 1997. "Ambient odour". *International Journal of Aromatherapy*, Vol. 8, n.° 3: 28-33.

Lindenfield, G. 1998. *Emotional Confidence*. Thorsons, Londres.

McLeod, W. T. (editor chefe), 1981. *Pocket Dictionary of the English Language*. Collins, Londres.

Merriam-Webster. 1994. *Merriam-Webster's Collegiate Dictionary*. CD ROM.

Price, S. 1991. *Aromatherapy for Common Ailments*. Gaia, Londres: 16.

Price. S. 1993. *The Aromatherapy Workbook*. Thorsons, Londres: 178.

Rochfort, J. 1998. "Counselling theraphy – an emotional approach". *Aromatherapy Times 5-6*.

Schwartz, C. (editor chefe), 1991. *Chambers Concise Dictionary*. Chambers, Edimburgo.

Stephen, R. 1999. Comunicação pessoal.

Stephen, R. 1998. "Aromatherapy and bereavement". *The Aromatherapist*, Vol. 5, n.° 2: 8-16.

Vander Lugt. 1999. "How accountable are you?" *Our Daily Bread*. RBC Ministries, Michigan, Vol. 44, 4: 16 de julho.

Vernon, H. 1998. Comunicação pessoal.

Veith, I. (ed.), 1992. *The Yellow Emperor's Classic of Internal Medicine.* Pelanduk, Malásia.

Wingate, P., e Wingate, R. 1988. *The Penguin Medical Encyclopedia.* Penguin Books, Londres.

Wood, C. 1990. *Say Yes to Life.* Dent, Londres.

Capítulo 2

Baron, R. A. 1990. "Environmentally induced positive affect: its impact on self efficacy, task performance, negotiation and conflict". *Journal of Applied Social Psychology* 16: 16-28.

Bennett, G. E. 1989. "The body/mind relationship". *Health consciousness,* Vol. X, n.º 4: 27-31.

Ehrlichman, H., e Bastone, L. 1992. "The use of odour in the study of emotion". *Fragrance: The Psychology and Biology of Perfume.* 143-59.

Hartvig, K., e Rowley, N. 1996. *You Are What You Eat.* Piatkus, Londres.

Hay, L. L. 1988. *You Can Heal Your Life.* Eden Grove Editions, Londres.

Hooper, A. 1988. *Massage and Loving.* Unwin Hyman, Londres.

Montague, A. 1986. *Touching – The Human Significance of the Skin.* Harper and Row, Nova York.

Nash, J. M. 1997. "Fertile minds". *Time,* 10 de fevereiro: 48-58.

Price, S. 1993. *The Aromatherapy Workbook.* Thorsons, Londres: 177.

Wallace, P. A. 1999. "The raphae formula development". *Nature's Own News* (suplemento), setembro.

Warren, C., e Warrenburg, S. 1993. "Mood benefits of fragrance". *International Journal of Aromatherapy,* Vol. 5, n.º 2: 12-16.

Capítulo 3

Badia, P., Westensen, N., Lammers, W., Culpeper, J., e Harsh, J. 1990. "Responsiveness of olfactory stimuli presented in sleep". *Psychology and Behaviour* 48, 1: 87-90.

Buchbauer, G. 1993. "Molecular interaction". *The International Journal of Aromatherapy,* 5, 3: 11-14.

Classen, C. Howes, D., e Synott, A. 1994. *Aroma: the Cultural History of Smell.* Routledge, Londres: 2.

REFERÊNCIAS

Dodd, G. H., e Skinner, M. 1992. "From moods to molecules: the psychopharmacology of perfumery and aromatherapy". Em Van Toller, S., e Dodd, G. H. *Fragrance: The Psychology and Biology of Perfume*. Elsevier, Londres.

Fischer-Rizzi, S. 1990. *The Complete Aromatherapy Handbook*. Sterling, Nova York: 27.

Gatti, G., e Cayola, R. 1923. "Azione terapeutica degli olii essenziali". *Rivista Italiana delle Essenze e Profumi* 5 (12): 133-135.

Genders, R. 1972. *A History of Scent*. Hamish Hamilton, Londres: 3.

Holley, A. 1993. "Actualité du méchamisme de l'olfaction". *12èmes Journées Internationales Huiles Essentielles*. Istituo Tethahedron, Milão: 21-27.

Kirk-Smith, M. D., Van Toller, S., e Dodd, G. H. 1983. "Unconscious odour conditioning in human subjects". *Biological Psychology* 17: 221-232.

Lawless, J. 1994. *Aromatherapy and the Mind*. Thorsons, Londres: 14.

Lawson, 1995. Comunicação pessoal.

Nasel, B., Nasel, C., Samec, P., Schindler, E., e Buchbauer, G. 1994. "Functional imaging of effects of fragrances on the human brain after prolonged inhalation". *Chemical Senses* 19, 4: 359-364.

Ohloff, G. 1944. *Scent and Fragrances*. Springer-Verlag, Berlim: IX.

Price, L., e Price S. 1999. *Aromatherapy for Health Professionals*. Churchill Livingstone, Edimburgo.

Price, S. 1991. *Aromatherapy for Common Ailments*. Gaia, Londres: 16.

Rowe, V. L. 1999. Comunicação pessoal.

Sacks, O. 1987. *The Man who Mistook his Wife for a Hat*. Duckworth, Londres: 159.

Schmidt, H-O. 1995. "Fragrance & health: observations on aromachology" *HER Contact* 61: 16-20.

Süskind, P. 1986. *Perfume: the story of a murderer*. Hamish Hamilton, Londres.

Torii, S., Fukuda, H., Kanemoto, H. Miyauchi, R., Hamauzu, Y., e Kawasaki, M. 1988. "Contingent negative variation and the psychological effects of odour". Em *Perfumery: The Psychology and Biology of Fragrance*. Chapman & Hall, Londres: 107-120.

Turin, L. 1995. "A code in the nose". Texto adaptado do programa *Horizon*, transmitido em 27 de novembro. BBC, Londres.

Van Toller, S. 1993. "The sensory evaluation of odours". Notas de palestras, Curso de Prática Clínica. Shirley Price International College of Aromatherapy: 3.

Warren, C., e Warrenburg, S. 1993. "Mood benefits of fragrance". *International Journal of Aromatherapy* 5, 2: 12-16.

Williams, D. 1996. *The Chemistry of Essential Oils*. Micelle, Weymouth: 27.

Wysocki, C. J., Beauchamp, G. K., Todrank, J., e Pierce, J. D. 1992. "Individual sufferances in olfactory ability". Em Van Toller, S., e Dodd, G. H. *Fragrance: The Psychology and Biology of Perfume*. Elsevier, Londres: 99-101.

Capítulo 4

Bennett, G. 1989. "The body/mind relationship". *Health Consciousness*, Vol. X, n.º 4: 27-31.

Borysenko, J. 1988. *Minding the Body, Mending the Mind*. Bantam, Toronto: 12-13.

Chen, N. K. 1986. "The epidemiology of self-perceived fatigue among adults". *Preventive Medicine* 15: 74-81.

Cousins, N. 1979. *Anatomy of an Illness as Perceived by a Patient*. Norton, Nova York.

Editorial 1884. *British Medical Journal*. 1: 1163.

Everett, A. 1973. "Mind dynamics". Notas de cursos.

Gerber, G. 1988. *Vibrational Medicine*. Bear & Co., Santa Fé CA: 379-380.

Infante, A. 1986. *Sing your way to health, wealth and happiness*. Relaxation Centre, Car Brooke and Wickham Sts. Fortitude Valley, Queensland 4006, Austrália.

Maltby, J., Lewis, C. A., e Day, L. 1999. "Religious orientation and psychological well-being: the role of the frequency of personal prayer". *The British Journal of Health Psychology*, Vol. 4 (4): 363-378.

Peale, N. V. 1992. *The Power of Positive Thinking*. Cedar, Londres: 1.

Price, L., e Price, S. 1999. *Aromatherapy for Health Professionals*, Churchill Livingstone, Edimburgo: 158.

Steele, J. 1984. "Brain research and essential oils". *Aromatherapy Quarterly*: edição de primavera.

Torii, S., e outros, 1988. "Contingent negative variation and the psychological effects of odour". Em *Perfumery: The Psichology and Biology of Fragrance*. Chapman & Hall, Londres: 107-120.

Wingate, P., e Wingate, R. 1988. *The Penguin Medical Encyclopaedia*. Penguin Books, Londres: 336.

Wood, C. 1990. *Say Yes to Life*. Dent, Londres.

Capítulo 5

Boyd, E. M., e Pearson, G. L. 1946. "The expectorant action of volatile oils". *American Journal of Medical Science* 211: 602-610.

Buchbauer, G., Jirovetz, L., Jäger, W., Plank, C., e Dietrich, H. 1993. "Fragrance compounds and essential oils with sedative effects upon inhalation". *Journal of Pharmaceutical Sciences* 82 (6) (junho): 660-664.

Debelmas, A. M., e Rochat, J. 1964. "Etude comparée sur la fibre lisse des solutions aqueuse saturées d'essence de thym, de thymol et de carvacrol". *Bulletin des Travaux*. Société de Pharmacies de Lyon 4: 163-172.

Debelmas, A. M., e Rochat, J. 1967. "Activité antispasmodique étudiée sur une cinquante d'echantillons differents". *Plantes Médicinales et Phytothérapie* 1: 23-27.

Franchomme, P., e Pénoël, D. 1990. *L'Aromathérapie exactement*. Jallois, Limoges: 283-284.

Gordonoff, T. 1938. "Ergebnisse der Physiologie, biologischen Chemie und experimentallen". *Pharmakologie* 40: 53.

Jakovlev, V., Isaac, O., e Flascamp, E. 1983. "Pharmacological investigations with compounds of chamomile. VI. Investigations on the antiphlogistic effects of chamazulene and matricin". *Planta Medica* 49: 67-73.

Larrondo, J. V., e Calvo, M. A. 1991. "Effect of essential oils on *Candida albicans*: a scanning electron microscope study". *Biomed letters* 46, 184: 269-272.

Maruzella, J. C. 1961. "Antifungal properties of perfume oils". *Journal of the American Pharmaceutical Association* 50: 655.

Price, S. 1999. *Practical Aromatherapy* (quarta edição). Thorsons, Londres: 57.

Price, L., e Price, S. 1999. *Aromatherapy for Health Professionals*. Churchill Livingstone, Edimburgo.

Rossi, T., Melegari, M., Bianchi, A., Albasini, A., e Vampa, G. 1988. "Sedative, antiinflammatory and antidiuretic effects induced in rats by essential oil of vanities of *Anthemis nobilis*: a comparative study". *Pharmacology Research Communications* 5 (20 de dezembro): 71-74.

Schilcher, H. 1985. "Effects and side effects of essential oils". Em Baerheim Svendsen, A., e Scheffer, J. J. C. (editores). *Essential Oils and Aromatic Plants*. Martinus Nijhof / Junk, Dordrecht.

Taddei, I., Giachetti, D., Taddei, E., Mantovani, P., e Bianchi, E. 1988. "Spasmolytic activity of peppermint, sage and rosemary essences and their major constituents". *Fitoterapia* 59: 463-468.

Thompson, D. P., e Cannon, C. 1986. "Toxicity of essential oils on toxigenic and nontoxigenic fungi". *Bulletin of Environmental Contamination and Toxicology* 36, 4, abril: 527-532.

Torii, S., e outros. 1988. "Contingent negative variation and the psychological effects of odour". Em *Perfumery: The Psichology and Biology of Fragrance*. Chapman & Hall, Londres: 107-120.

Weiss, R. F. 1988. *Herbal Medicine*. Arcanum, Gotemburgo: 296.

Woolfson, A., e Hewitt, D. 1992. "Intensive aromacare". *International Journal of Aromatherapy* 4 (2): 12-13.

Capítulo 6

Brown, G. W., e Harris, T. 1978. *Social Origins of Depression*. Tavistock, Londres.

Carter, R. 1998. *Mapping the Mind*. Weidenfeld & Nicholson, Londres: 99-100.

Domar, A. D., e Dreher, H. 1997. *Healing Mind, Healthy Woman*. Thorsons, Londres: 159.

Lindenfield, G. 1997. *Emotional Confidence*. Thorsons, Londres: 21.

Martin, M., e Clark, D. M. 1985. "Cognitive mediation of depressed mood and neuroticism". *IRCS Medical Science* 13: 352-353.

Price, L. 1994. "Stress and depression – the major causes of hair loss". A ser publicado.

REFERÊNCIAS   309

Price, L., e Price, S. 1999. *Aromatherapy for Health Professionals.* Churchill Livingstone, Edimburgo: 208.

Selye, H. 1984. *The Stress of Life.* McGraw Hill, Nova York: xvi e 1.

Topping, W. W. 1990. *Success over Distress.* Topping International Institute, Bellingham, WA: 1.

Warren, C., e Warrenburg, S. 1993. "Mood benefits of fragrance". *International Journal of Aromatherapy* 5, 2: 12-16.

Wingate, P., e Wingate, R. 1988. *The Penguin Medical Encyclopedia.* Penguin Books, Londres: 453.

Wood, C. 1990. *Say Yes to Life.* Dent, Londres.

Yoder, J. E. 1999. "Love by listening". *Our Daily Bread*, RBC Ministries, Carnforth, Lancs: 1º de outubro.

Capítulo 7

Battaglia, S. 1997. *The Complete Guide to Aromatherapy.* The Perfect Potion, Austrália.

Birmingham Post. "Shame on us". Citado na *Reader's Digest* de dezembro de 1997: 116.

Chance, A. 1998. "Fear". *Aromatherapy Quarterly* 57: 39.

Culpeper, N. (Data não especificada). *Culpeper's Complete Herbal.* Foulsham, Slough: 36-37.

Davis, P. 1991. *Subtle Aromatherapy.* Daniel, Saffron Walden: 209.

Domar, A. D., e Dreher, H. 1997. *Healing Mind, Healthy Woman.* Thorsons, Londres.

Eccles, S. 1995. Editorial. *Aromatherapy Quarterly* 45: 2.

Fewkes, M. 1998. "Journal jottings". *The Aromatherapist,* Vol. 5, n.º 1: 34-37.

Fischer-Rizzi, S. 1990. *The Complete Aromatherapy Handbook.* Sterling, Nova York.

Hay, L. L. 1988. *You Can Heal Your Life.* Eden Grove Editions, Londres: 159.

Holmes, P. 1992. "Lavender oil". *International Journal of Aromatherapy,* Vol. 4 (2): 20-22.

Keville, K., e Green, M. 1995. *Aromatherapy. A Complete Guide to the Healing Art.* The Crossing Press, Freedom, CA.

Lawless, J. 1994. *Aromatherapy and the Mind.* Thorsons, Londres.

Lindenfield, G. 1997. *Emotional Confidence*. Thorsons, Londres.

McCasland, D. C. 1999. "Hostile heart". *Our Daily Bread*. RBC Ministries, Michigan: Vol. 44: 7 de setembro.

Mojay, G. 1996. *Aromatherapy for Healing the Spirit*. Gaia Books, Londres.

Murray-Parkes, C. 1986. *Bereavement: Studies of Grief in Adult Life*. Pelican, Londres.

Price, L., e Price, S. 1999. *Aromatherapy for Health Professionals*. Churchill Livingstone, Edimburgo.

Robinson, J. C. T. 1948. "The fear problem – some ways of regarding it". Palestra realizada na British Psychological Society, ainda não publicada.

Scnaubelt, K. 1998. *Medical Aromatherapy*. Frog Ltda., Berkeley, CA: 94.

Stephen, R. 1998. "Aromatherapy and bereavement". *The Aromatherapist*, Vol. 5, n.º 2: 8-16.

Veith, I. (editor). 1992. *The Yellow Emperor's Classic of Internal Medicine*. Pelanduk, Malásia: 42, 107.

Wingate, P., e Wingate, R. 1988. *The Penguin Medical Encyclopedia*. Penguin Books, Londres.

Wood, C. 1990. *Say Yes to Life*. Dent, Londres: 49.

Zevon, M.A., e Tellagen, A. 1982. "The structure of mood change: an idiographic/nomothetic analysis". *Journal of Personality and Social Psychology* 43: 111-122.

Capítulo 8

Bourret, J. C. 1981. *Les Nouveaux Sices de la Medicine par les Plantes*. Hachette, Paris: 281.

Burrough, R. 1999. Relato de palestra. *Herbs*, Vol. 24, n.º 3: 22.

Clair, C. 1961. *Of Herbs and Spices*. Abelard-Schuman, Londres: 219.

Collin, P. 1997. "Niaouli" (tradução de Len Price). *The Aromatherapist*, Vol. 4, n.º 2.

Davis, P. 1991. *Aromatherapy: an A-Z*. Daniel, Londres: 191-192.

Fischer-Rizzi, S. 1990. *The Complete Aromatherapy Handbook*. Sterling, Nova York.

Gerard, J. 1964. *Gerard's Herbal*. Spring Books, Londres: 156.

Grieve, M. 1998. *A Modern Herbal*. Tiger Books, Twickenham.

REFERÊNCIAS

Law, D. 1982. *The Concise Herbal Encyclopedia*. Bartholomew, Edimburgo: 63.

Lawless, J. 1994. *Aromatherapy and the Mind*. Thorsons, Londres.

Mabey, R. 1988. *The Complete New Herbal*. Elm Tree Books, Londres: 69.

Maury, M. 1989. *Marguerite Maury's Guide to Aromatherapy*. Daniel, Saffron Walden: 87.

Price, S., e Price-Parr, P. 1996. *Aromatherapy for Babies and Children*. Thorsons, Londres: 26.

Price, S., 1991. *Aromatherapy for common ailments*. Gaia, Londres: 8.

Price, L., Price, S., e Smith, I. 2000. *Carrier Oils for Aromatherapy and Massage*. Riverhead, Stratford-upon-Avon.

Schnaubelt, K. 1993. "Aromatherapy and chronic viral infections". (Continuação da conferência *Aroma*, 1993.) Aromatherapy Publications, Hove: 37.

Valnet, J. 1980. *The Practice of Aromatherapy*. Daniel, Saffron Walden: 120.

Capítulo 9

Low, D., Rawal, B. D., e Griffin, W. J. 1974. "Antibacterial action of the essential oils of some Australian Myrtaceae with special references to the activity of chromatographic fractions of oil of *Eucalyptus citriodora*". *Planta Medica* 26: 184-189.

Endereços úteis

Produtos Aromaterápicos

Grã-Bretanha
Shirley Price Aromatherapy Ltd
Essentia House
Upper Bond Street
Hinckley
Leics LE10 1RS
Tel: 01455 615466
Fax: 01455 615054

Herbal Garden
20 Eldon Gardens
Percy Street
Newcastle
Tyne & Wear

Herbal Garden
93 Rose Street
Edimburgo
Lothian EH2 3DT

Treinamento

Aromaterapia
Shirley Price International College
 of Aromatherapy Ltd
Endereço igual ao acima
Tel: 01455 633231

The S.E.E.D. Institute
Therapeutic Division
10 Magnolia Way
Fleet
Hants GU13 9JZ

Aromaterapia e Cursos Especializados
Penny Price
Sketchley Manor
Burbage
Leics LE10 2LQ
Fax: 01455 617972

Medicina Aromática e Aromatologia
Robert Stephen (consultor)
4 Woodland Road
Hinckley
Leics LE10 1JG
Tel/Fax: 01455 611829

Associação de Medicina Aromática
The Institute of Aromatic Medicine
 (IAM)
Aromed House
41 Leicester Road
Hinckley
Leics LE10 1LW

Associações de Aromaterapia

Aromatherapy Organisations
 Council (AOC)
PO Box 19834
Londres SE25 6WF
Tel: 020 8251 7912
Fax: 020 8251 7942

International Society of Professional
  Aromatherapists (ISPA)
ISPA House
82 Ashby Road
Hinckley
Leics LE10 1SN
Tel: 01455 647987
Fax: 01455 890956

International Federation of
  Aromatherapists (IFA)
Stamford House
2/4 Chiswick High Road
Londres W4 1TH
Tel: 020 8742 2605
Fax: 020 8742 2606

*Treinamento Aromaterápico e
  Produtos*

Austrália
Australian School of Awareness
PO Box 187
Montrose
Victoria 3765
Austrália
Tel: (03) 9723 2509
Fax: (03) 9761 8895

Israel
Fern Allen
PO Box 4363
Jerusalém
Israel
Tel: 00 972 267 9908

Itália
Jenny Bird
Via Vigevano 43
Milão 20144
Itália
Tel: 00 39 258 113261

Irlanda do Norte
European College of Natural
  Therapies
16 North Parade
Belfast BT7 2GG
Irlanda do Norte
Tel: 028 9064 1454

República da Irlanda
Mary Cavanagh
Chamomile
Three Mile Water
Wicklow
Eire
Tel: 00 353 404 47219
Fax: 00 353 404 47319

Christine Courtney
Oban Aromatherapy
53 Beech Grove
Lucan
Co. Dublin
Eire
Tel: 00 353 1628 2121

Noruega
Margareth Thomte
Nedreslottsgate 25
0157 Oslo
Noruega
Tel: 00 47 22 170017
Fax: 00 47 22 425777

Suíça
Sara Gelzer
Eigentalstr 552 n.º 14
8425 Oberembrach
Suíça
Tel: 00 41 1 865 4996

USA

Treinamento e Produtos

Nordblom Swedish Healthcare Centre
178 Mill Creek Road
Livingstone
Montana 59047
USA
Tel: 001 406 333 4216
Fax: 001 406 333 4415

Treinamento

The Australasian College of Herbal
  Studies
PO Box 57
Lake Oswego
Oregon 97034
USA
Tel: 001 503 635 6652
Fax: 001 503 697 0615

RJ Buckle Associates
PO Box 868
Hunter
NY 12442
USA
Tel: 001 518 263 4405
Fax: 001 518 263 4031

Associação de Aromaterapia

National Association for Holistic
  Aromatherapy
PO Box 17622
Boulder
Colorado 80308 – 7622
USA
Tel: 001 888-ASK-NAHA
Tel: 001 314 963 2071
Fax: 001 314 963 4454

Somente para Atacadistas

Irlanda do Norte
Angela Hillis
32 Russell Park
Belfast
Co. Antrim BT5 7QW
Irlanda do Norte

Islândia
Bergfell ehf
Skipholt 50c
105 Reykjavik
Islândia
Tel: 00 354 551 5060
Fax: 00 354 551 5065

Japão
Oz International Ltd
K5 Building
6F 4-5 Kojimachi
Chiyodaleu
Tóquio 102 – 0083
Japão
Tel: 00 81 3 5213 3060
Fax: 00 81 3 3262 1970

Coréia
Jung Dong Cosmetics Co Ltd
501 Shinham Officetel
49-5 Chungdam-Dong
Kangnam-Ku
Seul
Coréia

Malta
Professional Health & Beauty
  Services
Comflor APT
1B Marfa Road
Mellieha Bay
SPB10 Malta

Singapura
Eden Marketing Pte
63 Hillview Avenue
09-21 Lam Soon Industrial Building
Singapura 2366
Tel: 00 65 7696168
Fax: 00 65 7693937

Taiwan
Chun Hun
8F, n.º 205, Sec. 1
Fu-Shin S. Road
Taipei
Taiwan
Tel: 00 886 2751 3590
Fax: 00 886 2776 3547 / 1599

Jong Yeong Cosmetics Co Ltd
16 Tze Chyang 3rd Road
Nan Kang Industry Park
Nan Tou
Taiwan
Tel: 00 886 49 251065
Fax: 00 886 49 251071

Este livro foi composto na tipografia
Minion Pro, em corpo 11,5/13,8, e impresso em
papel off-set no Sistema Digital Instant Duplex
da Divisão Gráfica da Distribuidora Record.

Este livro foi composto na tipografia
Minion Pro, em corpo 11,5/13,8, e impresso em
papel off-set no Sistema Digital Instant Duplex
da Divisão Gráfica da Distribuidora Record.